KIT
DE SURVIE
DANS MA CUISINE

KIT
DE SURVIE
DANS MA CUISINE

LAURE SIRIEIX

Tana
éditions

DES MATIÈRES

➜ VOICI MON PLAN DE TRAVAIL : se sortir de toutes les impasses que nous réserve le quotidien, faire la lumière sur tous ces petits riens de la vie qui nous font hésiter, trébucher et, parfois, rater des moments qui promettaient d'être conviviaux ! Survivre au chaos journalier, quoi ! On ne reculera devant rien ! Désormais, personne ne nous coupera les vivres !

Finis les tracas pour savoir comment recevoir dans les meilleures conditions, même si, *a priori,* nous ne disposons pas d'une réserve de brasserie des Champs-Élysées et que nous ne dormons pas sur les douze volumes de l'*Encyclopédie de la cuisine internationale...*

On rechigne souvent à donner de soi l'image d'une maîtresse de maison parfaite qui passerait sa vie dans sa popote... alors qu'un homme remportera tous les lauriers s'il s'avère être un fin cordon-bleu, tout du moins un amateur de bonne chair qui n'a pas peur de se salir les mains !

Oui, « bobonne » n'a pas de masculin… tout comme chef cuistot ou maître queux n'ont pas de féminin ! Ces messieurs ressortent de la cuisine la tête haute – quand ils se sont donné la peine d'y entrer, bien entendu –, tandis que ces dames sont toujours taxées de femmes au foyer si elles affichent leur activité culinaire.

Mais qu'à cela ne tienne, l'humour et la joie de vivre, additionnés à la démesure, peuvent concocter des petits plats très appréciés !
Je reconnais que d'une fourchette à un couteau, les écarts peuvent être fatals et les écœurements inévitables… alors, pour éviter les coupures malencontreuses, ce petit recueil se propose de vous donner quelques recettes de réussite, petits réflexes et gestes utiles pour sauver vos dîners impromptus !

VOICI LE KIT DE SURVIE DANS VOTRE CUISINE !

À VOS TABLETTES !

TENUE DE COMBAT
EXIGÉE

Bien que le *battle-dress* ne soit pas obligatoire,
on ne peut pas se lancer dans une mêlée
sans prendre quelques précautions...

TENUE DE COMBAT
EXIGÉE

Loin de moi l'idée de vous mitrailler de conseils, mais, d'office, je vous recommande une tenue adaptée à l'art martial de la cuisine, afin de vous mouvoir sans vous sentir étriqué(e) ou endimanché(e). Sans qu'une manipulation malheureuse ne transforme votre initiative en cata indélébile pour votre dernier pantalon et le petit haut qui allait si bien avec !

Il est donc préférable de vous couvrir, de pouvoir vous tacher sans révolutionner la maison, ni faire exploser le budget nettoyage à sec...

Madame, je vous suggère la **robe-tablier,** qui se porte aussi bien par-dessus pantalon, jupe ou robe, vous donnant un air branché dans le premier cas, ou une allure de combattante blindée. Mais vous éviterez les remarques désobligeantes : *Oh! mais tu as mis le tablier, ma chérie...,* sous-entendu *Tu es l'illustration parfaite de la femme derrière ses fourneaux...* ou, pire, *Oh ! tu as essayé de faire des efforts, gare à nous...*

Ne vous laissez pas désarmer, pas de coup de torchon, menacez seulement – avec le sourire – de ne leur servir qu'un milkshake si les piques redoublent !

Pour ma part, je me suis fait faire une robe-tablier dans une popeline camouflage, parfaite pour retomber sur mes pieds en toutes circonstances : l'imprimé treillis planque mes débordements incontrôlés, mon *look* fait diversion, tout en esquivant les boutades spécifiques aux bleus...

Un conseil, monsieur : enfilez l'une de ces grandes toiles taillées dans des cotons épais, unisexes, vendues dans toutes les boutiques vantant les mérites des traditions asiatiques ou de la vie conviviale enfin recouvrée... Vous pourrez même changer la terre de vos jardinières avec, ou redonner un petit coup de peinture à vos volets !

Bref, des matières lavables, plutôt sombres, histoire de ne pas collectionner les médailles des journées précédentes, particulièrement chargées...

Vous l'aurez compris : pas de panoplie prétentieuse ou ridicule, mais une protection pour entrer dans le vif du sujet !

Petite ficelle... en avoir deux : l'une pour le chantier, l'autre pour l'accueil et le service ! Oui, fallait y penser !

Une précision évidente, mais qui peut s'avérer importante : commencez à travailler dans une **cuisine propre et rangée.** Rien de tel pour s'énerver, mettre deux fois plus de temps et n'arriver à rien de bon que de se perdre sur un terrain familier mais semé d'embûches : vaisselle pas faite, four après pyrolyse ni rincé ni essuyé, ustensiles sales et en vrac dans le lave-vaisselle qui n'a pas encore entamé son cycle, etc.

Pour attaquer une nouvelle recette, abandonnez tout *a priori ;* vous savez, le genre de réaction négative : *Oh ! non, une pâte sablée... c'est trop dur, je me lance pas là-dedans !* Je vous arrête tout de suite : s'il est vrai que l'entraînement et la pratique régulière restent les meilleures façons de faire des progrès, sachez que toutes les consignes livrées ici sont à la portée de tous !

Et personne, Dieu merci, ne vous demandera vos diplômes en la matière avant de déplier sa première serviette chez vous !... Par contre, après digestion, votre brevet vous sera ou non acquis : la première expérience est toujours décisive pour la suite de vos relations. Un signe avant-coureur : si un invité réfléchit avant de répondre à votre deuxième invitation, révisez votre menu et vos appréciations... S'il tient à vous rendre l'invitation en vous offrant le restaurant, de deux choses l'une : ou bien, il estime qu'il aura du mal à égaler vos talents, ou alors, il vous montre que lorsqu'on ne sait pas faire, il faut savoir s'abstenir, voire abdiquer et faire preuve d'humilité !

Donc, à vous de soupeser ses propos et d'en tirer les conclusions... Mais jamais, au grand jamais, on ne pourra reprocher à quelqu'un d'avoir pris le temps et le risque de confectionner de A à Z un menu mûrement réfléchi !

Soyez vigilant(e) dans le choix de vos réalisations, ne brûlez pas les étapes : les temps de pause sont nécessaires ; même les cuisiniers chevronnés n'y coupent pas : une pâte ou une sauce ont besoin de temps pour s'assouplir et révéler leur saveur.

Autre partenaire de poids dont vous devez vous faire un allié : **votre four** ! Combien d'humiliations j'ai dû essuyer pour avoir négligé les capacités de ce monstre à s'enflammer comme un forcené, ne respectant même plus les règles du thermostat et me carbonisant le fondant au chocolat que je lui avais naïvement confié à 180 °C... soi-disant ! Obligée de lui arracher mes petits palets de dames prématurément roussis par un accueil débordant de chaleur ! Et le traître agit dans le mensonge le plus éhonté : il affiche une température, alors qu'il en génère une bien plus caniculaire !

Donc, restez bien sur le pied de guerre ! Si besoin est, ordonnez un cessez-le-feu, et attention aux coups de Trafalgar !

Mais aux grands maux, parfois les petits remèdes suffisent ! Ne balancez pas votre machine aux résistances déchaînées par-dessus le garde-fou de votre balcon, mais partez à la recherche d'un **thermomètre** blindé à ce genre d'échauffements, qui, lui, se montrera sobre et professionnel à tous points de vue (petit prix et disponible dans les magasins spécialisés).

Sur le terrain, un combattant a besoin de signaler à tout moment sa position, le **sifflet** est indispensable pour être repéré en cas de coup dur... Dans la jungle d'une cuisine, le **minuteur** vous sortira du ridicule cuisant de faire cramer vos plats ; inutile de connaître le morse : tendez l'oreille, rien de plus vexant que de s'emballer lors d'une discussion passionnante et de sentir une vague odeur de bruni...

À partir de là, inutile de rester scotché(e) à la rambarde de votre four. Si vous avez un engin d'avant-guerre, sans minuterie intégrée, le réverbère intérieur vous informera en temps réel de la tournure des événements. Méfiez-vous cependant de l'odeur, qui alarme toujours avec un temps de retard, *trop* tard... Le mal est fait, et quand c'est cramé, vous pouvez vous dire que c'est cuit... pour de bon !

À propos, c'est dingue ce que la langue française est minée ! On accommode « bon » à tout bout de champ, y compris dans cette expression aberrante : « C'est bon à jeter » ! Si c'est bon, pourquoi jeter ? Et si c'est à jeter, comment envisager que cela puisse être bon... ?!

D'ailleurs, une petite mise au point s'impose. Pour les têtes brûlées, je rappelle que tout aliment calciné et ingéré est déclaré cancérigène sur les tables de survie ! À bon entendeur, salut !

Donc, pas de zèle s'il s'agit de vos premières tentatives, et prenez des gants ! Contrôlez régulièrement ! Attention, c'est toujours au moment où vous pensez en avoir fini que vous vous brûlez ! Munissez-vous de **maniques** adaptées : il en existe des doubles, pour les plus maladroits, ou carrément des **« manches de four »,** qui, même si vous vous emmanchez jusqu'aux coudes, vous permettent de vous en sortir ! Si, avec ça, vous vous prenez encore un four...

Je n'ai pas encore évoqué la question du **nettoyage !** De deux choses l'une : **ou** vous avez un four traditionnel... Et il ne vous reste qu'à enfiler vos gants en latex rose (jaune ou bleu), puis, durant 5 minutes d'apnée, à bomber généreusement, la tête dans la gueule de votre four, ses flancs avec la mousse magique et toxique au citron de votre choix... Oui, le port du masque devrait être obligatoire ! Trente minutes d'hésitation et d'encouragements Coué pour, enfin, vous lancer dans le décrassage gras, avec la vieille éponge sacrifiée qui ne sait plus comment rincer le chyle qui dégouline sur les parois... Cinquante litres d'eau chaude plus tard, vous retirez vos gants qui, par leurs trous, vous signifient de ne pas compter sur eux pour un autre sévice du même genre... Pendant quelque temps, vous vous surprendrez à n'enfourner que gâteaux et tartes salées, une réticence bien compréhensible vous défendra de faire cuire volailles et rôtis... afin de retarder le prochain nettoyage...

Ou... vous avez investi dans un appareil à nettoyage à pyrolyse ! Oui, c'est vrai, ça évite d'avoir les mains dans le cambouis, mais il faut savoir que les graisses recouvrant, au fil des cuissons, les parois de votre four vont être pulvérisées par une chaleur torride ! Par expérience, j'amorce cette opération en me passant de témoins : je m'assure que mes voisins sont bien partis au boulot, que je me suis programmé une matinée à l'extérieur réglée sur le temps affiché sur la minuterie, auquel je rajoute 1 heure, afin que les effluves soient bien évacués par les fenêtres que je laisse salutairement ouvertes !

Toutes ces précautions à la suite d'un week-end tranquille où j'avais vu débarquer un de mes voisins, affolé, en proie à un pyrosis, demandant entre deux quintes de toux s'il n'y avait pas le feu à la maison. Entrebâiller la porte de la cuisine m'avait suffi pour comprendre qu'il y avait plus qu'un malaise : le nuage blanc et opaque qui envahissait la pièce s'était engouffré dans la colonne de la minuscule cour intérieure et intoxiquait l'immeuble entier ! Depuis, je suis d'une discrétion exemplaire et, je vous l'ai dit, je vérifie qu'il n'y ait plus âme qui vive dans l'immeuble pour déclencher mon four aux fonctions pyrotechniques ! Je ne rentre que pour le rinçage, auquel on ne peut couper ! N'oubliez pas de racler, à l'eau claire – avec une éponge à la retraite qui sera directement expédiée dans la poubelle après –, les minuscules particules qui tapissent insidieusement les cloisons du four. Cette poussière de graisse désagrégée me laisse toujours perplexe...

Admettons que vous tombiez sur un ingrédient inconnu au bataillon, et que vous ne vous sentiez pas encore à la pointe de votre art : ne rendez pas votre tablier, il y a toujours moyen de trouver un substitut, ou d'improviser selon vos goûts.

Côté plan de travail, ne prenez pas de risque : habillez votre table d'une toile qui n'en a plus rien à cirer ! Vous aurez toujours bien assez de linge à laver ! À propos, gardez toujours sous la main une serviette ou un essuie-mains, que vous enverrez au panier au premier avertissement de sonnette...

Au moment du coup de feu, lâchez vos invités sans complexe, surtout s'ils vous ont montré une exactitude militaire ! Grossière erreur que d'arriver à l'heure, voyons ! Marquez ça sur vos tablettes une fois pour toutes ! La bienséance exige formellement le quart d'heure – sans dépasser toutefois la demi-heure – de décalage horaire sur l'horodateur dicté par ceux qui vous reçoivent.

DRiiiNG!

Rappelez-vous vos dernières angoisses..., redoutant d'entendre le sifflet de votre interphone lorsque vous étiez encore, les traits tirés et le cheveu en bataille, en train de démouler votre tarte pendant que vos amuse-gueules poussaient la porte du four ! N'oubliez jamais vos prières calfeutrées du fond de votre cuisine en feu pour qu'ils soient en retard et ne vous surprennent pas aux abois et sans défense !
Évitez les coups de chaud !

Ah ! Le genre d'article à avoir sous la main, ou plutôt sous le pied, en cas d'impondérable type inondation, débordement ou transvasement plus ou moins réussi, c'est une **serpillière,** que vous enverrez balader sous l'évier une fois l'incident résorbé... Un passage de **wassingue** en cas de crue imprévue, trois petits tours et puis s'en vont ! Je sais, il y a un côté mamie un peu désuet, mais question efficacité, on n'a pas fait mieux : son dérivé, peut-être, le *Motcho,* mais qui, avec seau et manche, prend plus de place...

Écoutez, c'est comme vous voulez, moi, je passe l'éponge !

Tant que j'y pense : doucement sur le *Des...*, *déboucheur* de tuyauterie, la tubulure peut s'avérer fragile... Je me rappelle une phase particulièrement bouchée où j'ai vidé le contenu de la bouteille dans l'œsophage de mon évier. Bien disciplinée, je lui ai laissé le maximum de temps pour se décanter, et ça n'a pas loupé ! Le tord-boyaux l'a plié : il a craché tout ce qu'il savait !

Quand je dis cracher, je suis en dessous du niveau d'eau : le siphonné a dégueulé comme un ivrogne qui ne peut plus rien retenir, c'était immonde. Tellement atteint que les organes eux-mêmes avaient été bouffés : il n'avait plus de tube digestif, le produit miracle avait aussi fait disparaître le tuyau. Il faut dire que la membrane de l'intestin grêle de mon évier était en plastique, sans doute une prothèse moderne remplaçant momentanément une canalisation cuivrée ! Bref, j'ai dépêché les urgences, mais l'ambulance du plombier tardait, alors me voilà à quatre pattes, au bord de la nausée, devant nettoyer... sans pouvoir me servir de flotte, forcément, les raccords n'existant plus ! Mon installation s'en allait à vau-l'eau ! Je pestais contre la buse qui, pour le coup, abusait de mon inexpérience ! Je colmatais comme je pouvais ce tuyau à cœur

ouvert, maugréant contre lui, qui n'en finissait plus de se vider, et lui décernant un zéro de conduite !
À l'arrivée des secours, j'étais lessivée !

Puisqu'on est dans l'état des lieux, je pense à tous ceux qui ne supportent plus cette civilisation éreintante et qui, dès l'instant où ils ont enjambé le seuil de leur logis, font sauter béquilles orthopédiques et chaussettes pour fouler leur lino décollé d'un orteil libéré... Ne restez pas pieds nus lorsque vous vous mettez en cuisine pour vos amis, vous risquez de les choquer... Mais, pitié, si vous êtes adepte du standing pantouflard, je vous en prie, troquez – le temps de la soirée – vos chaussons d'intérieur *made in Damart* contre une paire de chaussures... Parce que je vous promets que la détente que vous revendiquez alors relève de la retraite anticipée, et vous vous classez dans le peloton de tête de ceux qui estiment que les plus gênés s'en vont ! Ce que ne tarderont pas à faire vos invités s'ils sentent que vous êtes parfaitement bien chez vous, tandis qu'eux, pas du tout, sans être pour autant guindés ou trop bruyants pour rester une minute de plus ! Restez sur un pied d'égalité, quoi...

Vous êtes prêt(e) ?
Alors, à tout débutant(e), je dis : armez-vous de patience, surtout goûtez vos préparations, et tant que vous vous régalez, tout devrait très bien se passer ! Voilà mon cheval de bataille. Rappelez-vous que tout le monde a droit à l'erreur, et les ratages, s'ils ne sont pas systématiques, peuvent avoir du bon... si ce n'est de tester vos amitiés !
Attendez un peu avant de tout envoyer à la poubelle !

Ouh !... puisqu'on reparle de poubelle, surveillez les vôtres : les sacs en plastique des magasins reconvertis en vide-ordures, d'accord, mais veillez à ce qu'ils ne débordent pas, surtout lorsque vous avez du monde susceptible de vous donner un petit coup de main au moment de desservir la table... Il est assez dégoûtant de tomber sur un sac béant, sur le point d'être éventré avec mégots tachés de rouge à lèvres et cendres qui menacent de se disperser au-dessus de votre carrelage déjà jonché d'épluchures échappées du sac bancal ne tenant qu'à une poignée... Surtout quand la contenance du sac standard est largement dépassée par la benne déchargée de votre table, avec les cadavres de bouteilles !

Et ne commencez pas à vous débiner en vous disant gâte-sauce, c'est trop facile !
Moi-même, j'ai parfois des mains de beurre, d'où mon surnom : « Brise-Fer » ! Et quand on dit « Brise-Fer », c'est un peu réducteur : j'ai à mon actif une porte de restaurant thaïlandais, cassée à une heure avancée de la soirée, quand le cri du vitrier s'en est allé depuis longtemps ; une fenêtre d'école qui m'a laissé en héritage deux balafres sur l'arête des coudes, et quelques bricoles dont je parlerai plus tard... sur le parcours du combattant !
À la guerre... comme à la guerre !

LISTE DE COURSES,
TROUSSE DE SECOURS

Aviez-vous déjà remarqué que SECOURS
était l'anagramme de... COURSES ?
Mesures d'urgence !
Il était donc grand temps que j'intervienne !
Quoi qu'il arrive, il faut que vous disposiez,
dans votre fonds de commerce, de quelques ingrédients
indispensables qui assureront votre
survie et n'entameront pas votre renommée.

LISTE DE COURSES,
TROUSSE DE SECOURS

Il est fort désagréable de se trouver dépourvu(e),
quand le vide est venu :
pas un seul petit morceau,
dans la bouche, un goût d'eau...
Quand, à la porte, une cigale
s'invite pour une fringale !
Alors, petite fourmi,
vous cherchez à tout prix
les denrées les plus élémentaires,
les accessoires les plus alimentaires,
pour asseoir à votre table ce convive non désiré,
mais néanmoins annoncé !
Ah ! si vous aviez su vous munir d'un fonds inépuisable
parce que non périssable...
Ainsi, acculé(e) dans vos pires retranchements,
vous dresseriez le couvert sous les applaudissements !
Que faisiez-vous de votre temps ?
Je butinais les recettes mijotées
de cet ouvrage si bien pensé...
Eh bien, achetez maintenant !

Eh... ! ne rongez pas votre crayon plus longtemps,
et notez plutôt sur votre carnet de survie étanche :

Ail
Je le dis, parce que je crains le pire : ne le conservez pas dans
un bac réfrigéré, vous l'encourageriez à germer ! Que les bulbes

imprègnent plutôt votre labo de leurs prétentions, surtout si vous en détenez une tresse...

Les choisir dodus et fermes. Si vous sentez vos doigts s'enfoncer dans les caïeux, méfiez-vous : même si la peau extérieure est restée blanche ou légèrement grise, l'ail peut s'avérer complètement moisi, notamment s'il a été mal conditionné. Blanc, rose, ou plus allongé, comme l'ail rocambole, débarrassez-le du germe – la partie verte qui pousse la gousse à sortir de sa peau : il est toujours indigeste, et coupable de l'haleine de chacal que vous dénoncez volontiers chez vos collègues...

Beurre

Même si vous ne consommez pas de beurre régulièrement, à cause de votre taux de cholestérol ou parce que vous êtes sur le fil... du régime – grossière erreur de le supprimer –, vous ne prendrez pas un gramme de plus si vous en glissez une demi-plaque au congélateur. Vous la sortirez en cas de besoin.

Bouillon Kub

Parfaitement, en dépannage, pour un fond de sauce, il n'est pas honteux de recourir à ce genre de préparation ! Cependant, sa grande teneur en sodium vous exempt de saler le plat, et c'est aussi pour cela qu'il est bon de garder vos bouillons de cuisson, que vous congèlerez dans des petites boîtes, d'un usage plus facile.

Chocolat noir (minimum 60 % de cacao !)

Je ne plaisante plus : je suis intraitable sur la fraîcheur du chocolat, qui s'évalue à sa brillance ; il doit se casser net, ne pas montrer de minuscules bulles éclatées ou, pire, des points blancs, ou une pellicule blanchâtre, signe d'un coup de chaud irréversible. Donc, renouvelez votre stock régulièrement : mangez-le au fur et à mesure, et achetez-en souvent, distribuez-en autour de vous.

Moi, j'en ai toujours dans mon sac : une file d'attente, un trajet un peu long sont tout de suite relativisés...

Et, surtout, donnez-vous les moyens de faire un gâteau au chocolat au débotté !

Ciboule ou cive

Ne vous moquez pas, ce n'est pas un oignon raté ou un poireau dégénéré. Cette plante s'utilise doublement : tige verte comme une herbe pour assaisonnement, partie blanche comme un petit oignon !

Voilà un condiment qui ne se prend pas le ciboulot !

Ça y est, je vous vois changer de couleur : *Comment, il faut tout ça ?!*

Non, mais pensez que vous aurez toujours besoin d'ail et d'échalotes (ou d'oignons).

Concentré de tomate

En tube, en boîte, en sachets aussi, maintenant : ça se conserve des siècles, ou presque, tant que vous n'avez pas ouvert l'emballage, alors allez-y, avant que ça ne se vende en cachets effervescents... !

Crème

Elle est *fraîche* lorsque c'est une crème pasteurisée où a été ajouté un ferment lactique (qui lui donne un goût un peu acide, sans être sûr). Il faut surveiller son petit pot en verre comme du lait sur le feu, ou s'approvisionner en cartouches de secours : vous savez, ces petites briques UHT longue conservation (question goût : *entière,* évidemment !). La fleurette contient au moins 30 % de matières grasses qui lui donnent une bonne résistance à la cuisson et de la tenue à la réduction. Bien sûr, elle se tortille à merveille pour la chantilly, parce que fluide sans avoir recours à l'amidon modifié que vous tendent les industriels dans leurs petits sachets inoffensifs... !

Cumin, curry, coriandre, cannelle
(cette dernière écorce se conjugue aussi bien au salé qu'au sucré)
Ces extraits d'épices appellent une collection plus éclectique, et franchement, vous n'avez aucune excuse : question conservation, vous avez la vie devant vous !
L'**origan** et la **marjolaine** sauvage demandent la tomate en mariage.
Les **baies roses** se perdent dans tout, même dans le chocolat !
La **muscade** perd très vite son parfum : râpez-la à la demande ; et n'oubliez pas qu'elle a des vertus digestives et carminatives...

Eau gazeuse
Merci pour ceux qui ne boivent ni alcool ni vin et n'ont aucune envie de boire du sucré avec des amuse-gueules salés !

Échalotes
Franchement, j'ai laissé tomber les oignons pour les échalotes, plus parfumées et fines. Comme les aulx, délaissez les mollassonnes : elles ne valent rien à découper en rondelles ! Plus raffinée, mais fragile, l'échalote ne doit ni roussir ni griller : sa vengeance est amère !

Farine de blé

Il y a une date de péremption sur les farines, mais rien, si ce n'est les charançons, ne vous obligera à mettre votre paquet au vide-ordures ! Pour toute la pâtisserie, préférez une farine de type 55.

Gingembre (un rhizome)

Vous n'avez rien à faire, si ce n'est garder un drôle de doigt noueux sous le coude : il va se déshydrater un peu, mais vous serez ravi(e) de l'avoir sous la main pour vos currys, marinade de concombre, chutneys...

Graines de sésame

Grillées, ces graines agrémentent farces, salades et légumineuses. Gardez-en dans des petits pots en verre vides... Et faites la même chose avec les **pignons.**

Herbes aromatiques

Ayez toujours sous la main : feuilles de **laurier,** branches de **thym,** tiges de **romarin,** achetées au marché et séchées dans votre cuisine, et non en poudre de chez « Crocs Durs » ! Je ne saurais trop vous encourager, lorsque vous partez en vacances, à faire suivre un échantillon de ces épices : rien de plus agaçant que de courir pour parfumer vos moules à la marinière !

Huile

Huile d'olive vierge extra première pression à froid.
Huile de tournesol pour certaines cuissons.
Et j'ajouterai de l'**huile de noisette :** ne hurlez pas, oui, je sais qu'elle est très chère, mais sur des pousses d'épinard ou de la betterave crue râpée et poudrée de sel, c'est à craquer !

Lait de coco
Je vous conseille d'en avoir une boîte ou une briquette dans vos placards, rayon Asie : un peu d'exotisme dans une préparation basique qui s'annonçait tristounette...

Levure de boulanger (un cube)
Une fois par mois, vous pouvez bien vous fendre de 50 centimes : à ce prix, vous aurez 42 grammes de levure chez n'importe quel boulanger, pas dans un dépôt de pain ! Vous pourrez assurer blinis, pâte à pain pour votre pizza, kouglof, brioche... Et elle se garde 3 semaines... au frais !

Moutarde
De **Meaux,** à l'ancienne, avec les graines qui éclatent sous la dent ! Attention, elle vire volontiers au caca d'oie si vous ne jetez pas un œil de temps en temps. Mais un petit pot de **Dijon,** pour relever les sauces, est très honorable. Investissement à long terme garanti si vous la maintenez au frais après ouverture.

Oignons
Votre voisin vient de vous donner des petits oignons blancs nouveaux ? Tendres comme votre salade, qui vous en sera reconnaissante, ou parfaits pour des marinades. Ne faites donc pas la tête en pensant déjà aux larmes que vous allez verser, songez plutôt à la tarte ou à la soupe que vous allez en faire ! Si vous en voyez des violets, ils sont plus sucrés !

Olives
C'est bien d'avoir toujours un petit fond d'olives à semer ici ou là (des petites niçoises, quelques vertes...).

Pain congelé en tranches
Plus facile à décongeler à la dernière minute, et à la demande ! Mais pas blanc, faites un effort de qualité : un pain au levain, une farine bise, un pain qui a de la vie, du caractère !

Parmesan

Ce pape des fromages italiens, de la région de Parme, est indispensable : concentré en calcium, avec 27 % de matières grasses, donc plutôt moins que les autres fromages à pâte pressée cuite, comme le comté, le beaufort ou même l'emmental, et il n'apporte pas plus de cholestérol que la moyenne des fromages, non mais ! Et puisqu'il est fort en goût (de noisette), vous conviendrez qu'une petite quantité suffit.

Les plus cotés sont les parmesans les plus vieux, comme les vins, après macération dans le sel et 4 ans de vieillissement : les notations de *vieux, très vieux, extrêmement vieux* donnent le ton. Si vous ne pouvez pas vous empêcher de l'acheter râpé, ruez-vous sur un parmesan frais *(grano padano)*, et non pas sur un produit sec et déshydraté !

Autrement, en morceau, un fromage bien granuleux, d'une couleur bien affirmée, attestera une bonne qualité, et faites confiance à votre fromager !

Attention, il sèche très vite : conservez-le dans un torchon humide, enveloppé dans un film plastique et, enfin, dans du papier d'aluminium !

Pommes de terre

Des vraies, même germées, ratatinées, mais pas un ersatz en flocons !

Trouvez une variété qui vous convient, mais ne tolérez aucune tache verte, qui donne un goût amer, et, donc, ne les laissez pas traîner au soleil ou à la lumière !

Sauce soja

Traditionnellement élaborée à partir de soja fermenté, c'est un ingrédient de la cuisine asiatique. Elle contient du sucre, des extraits de haricots de soja, du froment, du sel, de la mélasse et du vinaigre de vin. Tout dépend de vos goûts en la matière et de votre consommation, mais vous pouvez en détenir un petit flacon qui, une fois ouvert, se conservera 6 mois.

Sucre roux
Sucre non raffiné, la cassonade s'emploie pour les desserts et les confitures. Même s'il s'agglutine, il est encore utilisable ! Enfermez-le avec une ou deux gousses de vanille éventrées : il se parfumera à son contact, et vous aurez toujours du sucre vanillé !

Vinaigre
Le fond d'un vinaigre **balsamique,** un autre de **xérès,** au moins, qu'est-ce que vous perdez à garder des fonds de bouteilles ? Vous serez même agréablement surpris(e) de voir que le vinaigre se bonifie... Autrement, un vinaigre de **vin,** aromatisé ou non.
Quant au vinaigre de **cidre,** il ne plaît pas aux salades, mais il est réputé pour être bénéfique contre l'arthrite !
Pour les marinades de concombre : le vinaigre **blanc d'alcool,** qui laissera le gingembre se développer...

Vin blanc
Même si vous n'êtes pas porté sur le blanc, pour la cuisine, gardez une petite bouteille de vin d'Alsace sous le coude (les 37 centilitres sont parfaits). Dans certains pays, ils osent proposer les vins destinés à la cuisson en petites briques... mais franchement, ils ont oublié de conditionner aussi la qualité !

VOYAGE DANS LES RAYONS

L'épi se rit...
J'attire votre attention sur les débordements de nos *chers* fabricants qui ne savent plus quoi inventer pour nous acheter et nous ébouillanter dans nos eaux troubles !
Après les pâtes au *lait* – oui, vous avez bien lu, ils ne mettent pas tous leurs œufs dans le même panier ! –, la marque bien connue de pâtes crues attire nos bambins dans leurs paquets avec des pâtes en forme de frites ! À l'aide ! Comment voulez-vous qu'on les sorte de l'alimentation déjà tellement réductrice des cantines... !

L'épi de blé se rit d'être traité comme une patate !

Mais les adultes sont la risée d'une autre marque *très* dévouée, qui pense à tout et nous tient la main pour doser nos rations avec un paquet cloisonné en sachets individuels ! Oui... si vous pensiez vous faire cuire une bonne plâtrée avec votre tranche de jambon, c'est râpé !

À propos, à quand les rations de 30 grammes de fromage livrées avec ?

Laissez-nous manger tranquilles !

Et préoccupez-vous d'assister ceux qui en ont vraiment besoin et n'ont pas les moyens d'entrer dans les épiceries... !

Par-dessus le marché !

Vous n'allez pas sur les marchés ? Eh bien, vous ne savez pas ce que vous perdez ! À tous points de vue...

C'est vous qui voyez, mais vers 13 heures – parfait pour les lève-tard, pour une fois –, le monde du ravitaillement, pressé de rentrer dans ses pénates, est à vous ! C'est la fin d'une très longue matinée pour les maraîchers, qui rêvent de brûler leurs cagettes et de retrouver leur couche, non pas de terre, mais de plumes, pour une sieste de travailleur physiquement éprouvé. Alors, ils se détendent et dans le sourire de leur bâillement, ils distribuent petites phrases et doubles rations : « Allez, **deux** kilos, **dix** balles ! »

Rien à faire, les euros ne résonnent pas comme les francs, la plupart ne peuvent se résoudre à troquer leurs salades contre la monnaie européenne qui n'évoque à personne les bonnes affaires. Parfois, vous vous retrouvez avec des fruits sur lesquels vous n'aviez pas spéculé, mais les ananas tout droit arrivés de Côte-d'Ivoire et par avion, s'il vous plaît, atterrissent directement dans votre panier. Vous allez faire une cure de broméliacées sans savoir comment les manger, ni même les découper ! Mais le sentiment de vous en être tiré(e) à moindres frais vous fait avaler un peu n'importe quoi, parfois même des poires blettes, fatiguées et déconfites de vous attendre.

Vous pestez contre ces vendeurs sans scrupules qui vous fourgueraient les feuilles de papier mâché au prix des fraises ! Méfiez-vous des lots préemballés : ils sont champions pour vous empaqueter des avocats d'une mollesse déprimante, rongés par une noirceur médicamenteuse. Mais une fois que vous les avez coupés en deux pour constater le décès, il est un peu tard pour les envoyer s'écraser sur le type mal luné qui ne supporte plus les tatillons comme vous ! *On touche pas, là*, vous crie du bout de l'étal le jeune énergumène à la voix de couteau-scie, alors que vous vous pensiez hors de vue et tâtiez discrètement le melon qui vous faisait envie...
Disons qu'il y a *marché des capitaux* où la bourse des clients ne désemplit pas, même si le cours de la fraise rejoint celui de la truffe, et *marché commun* où les couches d'une société hétéroclite s'échangent, et même si elles se fritent parfois, elles s'apprécient.

Les relations d'un marché à l'autre diffèrent du tout au tout : d'un côté, ceux qui servent une clientèle difficile mais qui crache au bassinet, alors les lève-tôt redonnent la monnaie de la pièce sans amabilité à ceux qui n'ont pas besoin de se lever, les rentes tombant tout cru. Sur une autre rive, les compliments aussi frais que les mangues sont distribués à gogo : *Mais t'as pas faim, madame ?!* se désole, avec un sourire découvrant ses chicots, la mama qui remplit ses poches d'olives, avant de les fermer par un fil de fer aussi doré que ses dents restantes. J'aime ces odeurs fortes, ces fruits écrasés de soleil malmenés par une générosité qui n'est pas calculée.

À ceux qui ont peur de se frotter à ces étalages qu'ils taxent de marché noir, je leur dis qu'ici, au moins, ce n'est pas à la tête du client et qu'on ne meurt pas de faim en regardant les autres se gaver. Il y en a pour tous les frères, sans chichis au préalable à la messe..., loin du *bon marché.*

Déambuler sous les halles ou sur une place, à la recherche de la saveur des fruits et des légumes que mon grand-père, haut comme trois pommes, pourtant rehaussé sur des talons épais, me rapportait de son jardin ouvrier. Sous sa cahute, ses amis immigrés et lui s'échangeaient leur collecte : lui, l'Italien, troquait ses tomates contre les figues de son ami espagnol, et son voisin portugais lui cédait ses pêches contre des melons. Et moi, je me régalais de ces récoltes juteuses. Les rares fois où Pietro acceptait de m'emmener avec lui sur son Solex, moi, sa *bruta chimietta*, comme il m'appelait, je dévorais son petit monde, investissant sa cabane en bois, grande comme un mouchoir de poche, envahie de glycine et de vigne, tapissée d'échalotes et d'ail tressé. Les fleurs ne savaient plus où donner de la tête, elles pointaient leur pistil tendu dans les allées minuscules, empêchant presque le passage, et le bonheur était de les cueillir entre deux énormes tomates à la croque sans sel !

Revenons à nos oignons : rien ne vous empêche d'être prévoyant(e), sans tomber dans la psychose de crise ou de guerre annoncée, vous serez sauvé(e) des os si vous avez quelque chose à ronger dans votre congélateur. Si je ne suis pas, et ne serai jamais, une adepte des plats cuisinés, surgelés ou non, en revanche, je ne renie pas l'intérêt des aliments simples et nature congelés : il est parfois bon de compter sur des **hari-**

cots extra-fins, de recueillir des bouquets de **brocoli,** de se laisser attendrir par des cœurs d'**artichaut,** de se faire épauler par un **agneau,** de surfer sur des **ailerons de raie** sans snifer d'ammoniaque...

Désormais, lorsque vous achetez du vivant, **viande** ou **charcuterie,** soyez exigent(e)s. Choisissez des produits avec un **label.**

Pourquoi ?

Pour manger de la qualité, bien sûr, mais aussi pour contribuer au respect de notre environnement et des animaux domestiques destinés à notre alimentation. Vous prendriez peur et vireriez végétarien si vous saviez comment est *fabriquée* la viande qui nous est donnée de consommer à bas prix... Après les tickets de métro ou de train, la viande est *compostée le...* pour vous renseigner sur sa durée de vie... après la mort !

Méfions-nous de nous-mêmes : la serviette autour du cou, nous refusons d'acheter les fruits du viol des règles d'élevage et d'agriculture, mais reconnaissons notre hésitation, au volant de notre Caddie, pour déboutonner un peu plus notre porte-monnaie !

Si nous mangions moins de vivant pour en manger mieux ? Réfléchissons et ne nous comportons pas en moutons de Panurge...

INVENTAIRE DES USTENSILES DE PREMIÈRE NÉCESSITÉ

Quoi qu'on entreprenne, on a besoin d'un peu
de matériel pour arriver à *ses faims* !
Bouts de ficelle, canif, gourde, allumettes
sont les premiers cailloux du Petit Cuisinier...

INVENTAIRE DES USTENSILES DE PREMIÈRE NÉCESSITÉ

ITINÉRAIRE POUR LE SALON DES ARTS MÉNAGERS... Avant d'aller plus loin, si vous ne possédez rien, il faut vous ravitailler, et l'engin dont vous ne pouvez pas faire l'économie, c'est la charrette ! Mais ces courses de chars ne sont pas sans risques : l'inconvénient majeur est la concentration de ces chariots dans les magasins. Et comme aucune loi n'exige un permis de conduire pour ces deux-roues, quelques inconscientes se croient tout permis et lambinent dans les allées à la vitesse limace, de préférence au beau milieu de la travée centrale, empêchant tout dépassement pourtant autorisé par les règles de la libre circulation. Elles sont là surtout aux heures de pointe ! Préférant le vrombissement des voix et les énervements des plus jeunes qui piaffent devant l'immobilisme du troisième, voire du quatrième âge. La seule chose qui les arrête, c'est un Caddie ami, celui de Mme Bertrand, qui stationne sans mettre les warnings, sans même se garer sur le bas-côté du rayon charcuterie. Alors, vous laissez tomber les lardons, puisque la stature de Mme Bertrand, grossie par la largeur spacieuse de son véhicule pour provisions aménagé en déambulateur, ne permet plus l'accès aux salaisons. Sa poitrine bombée par l'asthme bronchique impose le respect et s'oppose à la locomotion.

Et je ne vous parle pas de ces furies dans la fleur de l'âge qui conduisent d'un étal à l'autre, débouchent de derrière le stock de biscuits pour se précipiter sur les laitages, signalant leur déplacement inopiné par un brusque écart de roues... dans vos chevilles déjà fragilisées par la rencontre avec la palette de bouteilles qui, avançant sans bruit sur ses roulettes, n'avait pas klaxonné et avait percuté votre distraction ! L'accident était fatal, d'autant plus dangereux que vous avez failli vous étaler dans la flaque de vin, puisqu'une bouteille avait trinqué sous l'onde de choc ; la situation aurait pu virer au vinaigre, mais vous avez préféré tourner vos talons collants avec un sourire absent. Fort(e) de tout cela, **choisissez vos jours et vos horaires** pour partir sur les routes de l'approvisionnement.

Je vous rappelle que le **lundi,** vous ne trouverez plus de lait, en tous cas, pas votre marque préférée, ni d'eau aux bulles qui vous aèrent la tête. Manifestement, niveau organisation du magasin, tout le monde est dans le pâté ! Ne cherchez pas de salade : une laitue plus molle et décolorée que nature attend naïvement d'être adoptée. Plus d'une fois, il m'est arrivé de chercher la poubelle de garde et, ne la voyant pas, je me suis résignée à la laisser agoniser tout à fait, me demandant ce que les hommes en blouses bleues attendaient pour l'exhumer de son frigo crapoteux pour l'enterrer dans une benne à ordures ! Maintenant, je sais qu'ils guettent la livraison du **mardi** pour relever les cadavres et s'assurer qu'ils ne perdront pas une vente !

Vous aviez envie d'**une glace ?** Aïe ! là encore, il ne faut pas s'aventurer comme ça ! En été, il faut prendre ses précautions : si vous sortez de votre coma le samedi après-midi, vous n'en aurez pas ! Quand la chaleur pousse le mercure, elle propulse les clients vers les congélateurs... pillés ! Et le réassort ne prendra effet que **mercredi matin.** En automne, si vous rêvez d'un choix de crèmes glacées, revenez mi-novembre : vous trébucherez sur les bûches gelées de Noël !

Quant à l'évacuation du magasin, le plus dur est de passer par la case « paiement » sans stagner à la caisse, dans l'attente de la pauvre smicarde obligée de quitter sa place pour vérifier le prix contesté par une cliente rebelle, ou sans être obligé(e) de bifurquer vers une autre caisse pour cause de fermeture soudaine. Les jours d'affluence – quand je ne peux éviter **le lundi soir** ou **le samedi !** –, avant de m'engager dans l'un de ces couloirs débiteurs, j'oriente mon chariot à la perpendiculaire, prête à débrayer vers une file parallèle, pour m'échapper vers une autre sortie si, sur un coup de tête bien compréhensible, la caissière déserte sa cellule *bippeuse* à rayon ultrarouge. J'ai une pensée émue pour celle qui chantonne à longueur de codes-barres, barrée dans une vie rêvée : *Ça m'évite de faire la gueule,* m'a-t-elle glissé entre deux notes, en écho à mon admiration stupide, *du moins je l'espère...,* a-t-elle ajouté, digne et soucieuse de ne pas faire porter son désenchantement aux clients déjà bien chargés...

À ceux qui refusent farouchement d'investir dans une charrette, il reste les **paniers en plastique** systématiquement sales, dans lesquels on hésite à mettre sa salade..., ou ceux en métal chromé qui se coincent toujours les uns dans les autres. Comptez 3 minutes pour en dépêtrer un ! Ultime recommandation : attention au roquet du monsieur qui vient tous les matins voir la responsable des rayonnages pâtes-riz-café-confitures. Le chien, consigné à son collier étrangleur juste à l'endroit des paniers percés, tire sur sa laisse et s'acharne sur vos mollets autant que son maître sur l'échine de la vendeuse qui lui tourne le dos, du haut de son échelle des prix, tout en confirmant le temps de la journée : *C'est vrai qu'il fait chaud !...,* validé par un : *Oui, à demain !*
S'il rêvait de lui mettre la main au panier, il devra revenir...

Considérons à présent que vous êtes revenu(e) sain et sauf de votre expédition provisionnelle, et que vous vous apprêtez à pendre la crémaillère. Révision complète de votre matériel.

Capitaine, présentez-nous votre BATTERIE DE CUISINE !

Pensez à l'**aluminium** : voilà une couverture de survie indispensable ! Il maintient la température corporelle de vos plats, régule la cuisson désorganisée de maître four et est tellement léger qu'il ne pèse pas sur vos préparations les plus délicates ; il fait miroiter les délices cachés, et se permet de se substituer à un plat manquant. Pour le poisson en papillote, vous aurez vraiment l'air au bout du rouleau si vous n'avez pas de quoi faire des bigoudis en papier d'argent !

Une armée de casseroles ; du coup, la **bouilloire** est facultative.

Mais l'histoire commence par un bon **couteau d'office** : sans aller débusquer une marque renommée, souvent agréable à manipuler, armez-vous d'une pointe aiguisée, de préférence à dents pointues ; vous pourrez ainsi fendre, inciser, trancher, morceler, équeuter, étêter, découper, dépecer, tronçonner...
L'idée du couteau suisse, ce n'est pas mal, mais l'idéal, ce sont les couteaux à part entière : multioutillé(e), vous serez plus efficace. J'étais comme vous, je me disais « n'exagérons pas, je ne suis pas une professionnelle pour me prendre au sérieux et posséder une collection de fines lames ». N'empêche que, après 2 heures de lutte à couteaux tirés avec une queue de baudroie pour lui extraire... des joues de lotte, à cran, j'ai envoyé mon canif rouiller dans l'évier et emprunté le laguiole de mon voisin... Le massacre ! Le poisson gluant se tordait dans tous les sens, m'échappait, bref, ma recette me glissait entre les doigts ! Depuis ce jour d'horreur où ma recette à l'américaine faisait sa valise pour filer à l'anglaise, je me suis

équipée. Votre cuisine doit être une auberge espagnole : plus elle sera aménagée, plus vous vous amuserez et mieux vous vous en sortirez... Alors, ACCUMULEZ !

Quoi que vous fassiez, il vous faudra **des cuillères en bois,** des **spatules** qui touilleront vos préparations, sans dents pour rayer le parquet de vos gamelles !

Ne vous coupez pas des services d'un **économe** : il pèlera tout et détaillera des lamelles pour les décos de vos assiettes... Et plus d'excuse : il existe le modèle **spécial gaucher !**

Tiens, ça me fait penser à l'**écouvillon,** à accrocher à la porte de secours de votre évier pour les jours de nettoyage...

Une **écumoire,** indispensable pour repêcher tous les aliments que la maladresse aura envoyés à la flotte !

Très secondaire mais plein de charme, c'est un **entonnoir** : transvaser un restant de soupe dans une bouteille en plastique que vous confierez ensuite à votre congélateur reste une manipulation hasardeuse sans chantepleure...

Je deviens folle si je n'ai pas sous la main une **essoreuse à salade,** parce que le torchon trempé...

Le **faitout,** que votre enfance de scout a apprécié. Bien entendu, vous pouvez étendre votre arsenal à une cocotte : son bon fond – en fonte – dorlotera votre tambouille jusqu'à ce qu'elle devienne fondante.

La quoi ? la **friteuse ?!** Vous pouvez la convertir en bassine pour bains de pieds si cela vous chante : jamais je ne vous parlerai de cette fabrique à cholestérol qui vous plombe un après-midi ensoleillé avec une migraine hépatique...

Une **grille à vapeur** en acier inoxydable, si vous n'avez pas de panier. Il en existe de plusieurs tailles !

Jetons un œil sur votre **hachoir**... Si vous avez opté pour une moulinette électrique, vous avez intérêt à surveiller de près, si vous ne voulez pas consommer des bouillies : l'hélice s'emballe et vous ravage une carotte ou vous transforme de la chair fraîche en boulette de viande que votre nourrisson régurgitera aussitôt. Rien ne remplace un couperet bien aiguisé !

Et une **louche,** qui a d'autres fonctions que de servir le bouillon dans les gamelles, par exemple de doser la pâte à blinis que vous déposez dans les cellules de votre poêlon antiadhésif.

Dans les petits accessoires, qui, de plus, ont de la gueule dans votre atelier, un **mortier** : je vous laisse le choix du matériau, mais condiments et épices ont une sacrée saveur quand ils sont pilonnés avant d'être cuisinés !

Dans la série machine détournée, si vous croisez, au détour d'un vide-grenier, un **moulin à café,** un vieux Moulinex des familles, adoptez-le, surtout s'il est signé de Bakélite : il réduira admirablement vos fruits secs en poudre parfumée pour vos desserts.

Par contre, je suis intraitable sur le **moulin à légumes** ou le **presse-purée,** qui restent inégalables quant au goût qu'ils laissent à tous vos petits légumes. Rien ne respecte plus la plante que la main délicate donnant un tour de manivelle à votre usine mécanique : voilà la clé du bon goût à l'ancienne !

Un **ouvre-boîte** est un instrument voué à rejoindre au musée la pince à sucre indissociable de la liste de mariage des années 1970. Les industriels d'aujourd'hui ont eu pitié des étudiants en panne d'ouvre-boîte s'esquintant les mains avec un tournevis planté dans le ventre métallique de leur conserve de raviolis !

Allons jusqu'au bout – du rouleau – et comptons sur le **papier essuie-tout !** Pour éponger vos trop-pleins, essuyer vos humeurs débordantes... Choisissez-le blanc, il aura tout loisir de se barbouiller et repartira dans la poubelle maculé jusqu'aux pointillés ! Et là, hommage à ma grand-mère qui, toute sa vie, n'a eu de cesse de comprendre le fonctionnement ménager dans ses moindres détails. Prénommée Ada, littéralement *fée du logis* missionnée de son Italie natale, elle était prédestinée à une décapante carrière ménagère. Combattante du gaspillage, ses travaux de recherche l'ont amenée à considérer le papier essuie-tout sous toutes ses alvéoles : elle avait vérifié qu'une feuille de ce papier se laisse couper en deux sur toute sa longueur uniquement si vous la sollicitez côté pointillés ! Et non bords francs. Ce papier torchon se montre pointilleux sur les bonnes manières ! Poursuivons notre inventaire...

Autre accessoire moins précieux, mais sulfureux : le **papier sulfurisé,** qui peut prétendre remplacer l'alu... au pied levé !

En ces temps où l'esprit de brocante est au goût du jour, profitez d'occases pour compléter votre ménagère : si vous tombez sur une petite **passoire** en alu de nos grands-mères, n'hésitez pas ; elles ne rouillent pas, comme leurs consœurs standardisées ! En plus, il n'y en a pas une pareille... pour votre collection.

L'instrument chirurgical de pointe qui fait immanquablement défaut à la fin d'un repas dominical : la **pelle à tarte !**

Une **pique** pour embrocher ou harponner une viande vous sera utile, et vous sauverez votre peau des brûlures... sinon, vous appliquerez dessus une patate coupée en deux !

Ah ! et une **planche à découper,** en bois, en marbre, en Plexiglas..., mais n'entamez pas votre table, tout comme vous ne serez pas bien dans votre assiette pour travailler... Pour ma grand-mère Ada, c'était sa planche de salut : elle coupait ses Vichy en deux, le poignet gainé par un élastique de force, l'Opinel s'enfonçait dans sa paume rougie par l'effort, avant de décapiter la pastille, une lubie... pour faire durer deux fois plus le plaisir qu'elle nous faisait partager... !

Vous trouverez aussi dans une brocante tous ces p**etits plats** sympa dans lesquels Mémé faisait cuire vos 2 œufs au plat quand vous alliez chez elle..., avec les deux anses en alu pour les choper par les oreilles et se brûler au passage les doigts !

Poêles antiadhésives : jetez les autres si vous vous lassez de décoller vos poêlées dans votre bouillon d'eau de vaisselle...

Je vous vois venir, avec votre fromage déjà râpé..., dommage, vous vous privez d'un plaisir simple : frotter et limer le parmesan sur les aspérités mordantes d'une **petite râpe** de grand-mère.

Un **robot-mixeur** qui exécutera chacun de vos ordres avec une discipline exemplaire.

Rien de plus agaçant que d'être arrêté dans son élan : vous êtes en vacances ; spontanément, vous avez pétri une pâte brisée et au moment crucial de l'étaler, vous êtes obligé(e) de vous rendre à l'évidence : pas le moindre **rouleau à pâtisserie !** Dans ces cas-là, je cherche le cadavre de bouteille bue au dernier repas, je la lave et ça roule !

Les **sachets de congélation,** pratiques pour sauvegarder un reste qui vous sauvera la mise un jour de petit creux. Pour la taille, ne voyez pas trop grand : il est préférable de conditionner vos produits en petites quantités, pour une utilisation parcimonieuse.

Les **sacs en plastique...** je ne parle pas des pochons que les vieux affectionnent au-delà du raisonnable. Il est exaspérant, le petit bruit du plastique qui crisse sous les doigts noueux de la mamie qui caresse, cherche, puis se débat avec ses couches de plastique stratifiant le casse-croûte emporté dans le train et déballé à midi pétant ! Le PVC au service des Petits Vieux Comblés... pour le plus grand déplaisir de nos oreilles ne nécessitant pas de Sonotone, merci ! Ah !... les manies des mamies !

Voilà ce que vous devez trouver en patrouillant dans votre cuisine, et normalement, vous passerez haut la main les premières épreuves...
J'allais passer sous silence la collection de **saladiers** indispensables pour servir vos préparations et qui vous épargneront les « faux pas »... (sans dot pour monter mon ménage, mais flanquée de matériel de récup', je trouvai naturel de servir mes crudités dans un vieux pot de chambre en faïence d'une forme harmonieuse... Que cet objet ancien, pied de nez au derrière rebondi, ait accueilli des dizaines de popotins avant d'y accepter mes monticules de carottes râpées ne me coupait pas l'appétit ! Nos invités n'ont jamais parlé de rien, trop constipés, peut-être, pour parler de ça à table. Quant à mon tendre chéri, il ne s'est aperçu du culot que bien plus tard, trop amoureux

ou débordé pour détailler par le menu !). Donc, si vous êtes à court de vaisselle et que vous vouliez faire bon ménage, mettez à contribution les **bols** ou **ramequins** dont vous disposez pour présenter vos légumes râpés ou en capilotade !

ENTORSE AU RÈGLEMENT...

Méfiez-vous de certains ustensiles qui entailleront votre chair avec autant de délice que les ingrédients que vous leur confierez ! Et du même coup, gare aux aliments qui mettront de l'huile sur le feu : le vinaigre, bien entendu, ravive la douleur d'une coupure, mais aussi l'ail et l'oignon, qui réveillent la petite estafilade que l'économe vous a gravée dans l'index, quelle plaie !

La râpe à fromage mécanique entame volontiers vos petits doigts charnus, d'où son nom, vraisemblablement : la *râpe à main* ou *mandoline !*

Instruments de découpe ou de musique, oui, de torture, non !

Vous constaterez : je ne vous ai pas parlé de **Cocotte-Minute...**

ATTENTION DANGER... TERRAIN MINÉ
J'ai une confidence à vous faire : depuis que j'en ai fait exploser une, comment vous dire... je me méfie !

C'était il y a longtemps, à une époque où j'étais plus que démesurée, où je n'avais pas la tête sur les épaules et où j'aurais pu m'en sortir avec une drôle de tronche, à vie ! J'arrive !
Je crois vous avoir dit que j'ai un appétit assez performant, et il était plutôt extraverti à cette période-là... Bref, j'avais décidé de préparer une grande soupe multilégumineuses ! Une gar-

bure dans laquelle j'avais lâché pois cassés, lentilles et orge perlé − pour donner du velouté −, et j'avoue que j'avais tassé poireaux, branches de céleri et céleri-rave, carottes, navets et courgettes de façon à fermer difficilement l'autocuiseur. Comprenant parfaitement que le temps de cuisson serait proportionnel à l'avalanche de légumes, je laissai la soupape tourner comme une girouette affolée par un cyclone une bonne heure... Puis, j'estimai que tout devait être archicuit, et j'ôtai la valve, libérant une vapeur que je jugeai mollassonne. Sachant les dangers que ce genre d'ustensile est susceptible de faire encourir, je pris la précaution d'attendre que la respiration de la cocotte se soit tue. Et j'entrepris de dévisser doucement le couvercle, serré à bloc.

Oh ! je n'eus pas à aller bien loin : à peine un quart de cercle plus tard, une détonation m'avertit que j'avais poussé le bouchon trop loin... Sur le coup, mes lunettes m'empêchèrent de voir au-delà du bout de mon nez : oui, elles étaient tellement embuées que je n'ai pas tout de suite remarqué que les murs de ma kitchenette avaient été intégralement retapissés... par une mélasse marronnasse... Des lambeaux de papier peint commençaient à se décoller sous la vapeur qui faisait pression, tout en restant maintenus par la purée de pois cassés projetée avec force par la gueule de ma cocotte, demeurée, elle, intacte ! Je n'en revenais pas : elle était impeccable, debout, bec de fer fermé, ne lâchant pas un bout de légume ! Je regardai autour de moi pour réaliser l'étendue des dégâts de l'explosion : du plafond crépi jusqu'aux murs repeints, je balayai du regard le travail qui venait de me tomber du ciel. Je dévisageai alors mon plant de basilic... défiguré sous l'impact des lentilles qui s'étaient décalquées sur ses feuilles, à présent vérolées !

Malheur ! Là, je pris conscience de la chance que j'avais eue : j'aurais pu finir comme le basilic, criblée et brûlée par les lentilles pulvérisées par ma bombe. Dans cet attentat, il était une pauvre victime sacrifiée et moi, une rescapée d'autant plus miraculée que la cuisinette avait une taille tellement lilliputienne que je n'aurais pas dû échapper au guet-apens. Évidemment, la panique me submergea post-attentat : comment cacher l'ampleur des dommages et garder secret l'enchaînement de causes à effets... sans déclencher chez mon compagnon un autre cataclysme, celui de la peur rétroactive de se retrouver l'aide-soignant d'une handicapée domestique ?!

Mon surnom, « Brise-Fer », doit dater de cet épisode-là, et je me demande si le fait que je réagisse au quart de tour n'a pas été marqué par ce fer rouge. Passons...

Persuadée que la marmite, qui ne desserrait pas les dents, avait vomi tout mon repas, désormais affiché sur les murs de mon exposition postmoderne, à la pointe de l'art contemporain anglais, je soulevai la cocotte. Figurez-vous qu'elle était aussi lourde de sous-entendus qu'avant cuisson ! Alors, la tête vissée à l'opposé de son clapet, j'opérai un déminage : je la décoiffai pour voir ce qu'elle avait dans le ventre ! Elle était pleine aux deux tiers d'un rata à l'aspect repoussant mais dégageant une odeur conviviale. Et je découvris le grain de sable qui avait enrayé la machinerie : sous la chaleur, une lentille avait mué, sa peau avait bouché l'orifice de la soupape. Le faitout comprimé, sous pression et au comble de la colère, n'avait pu s'exprimer et expulser tous ses vents ! Peut-être qu'avec la **marmite norvégienne,** conseillée par les générations précédentes, j'aurais gardé la tête froide...

Toujours est-il que notre invité était arrivé – nous n'allions pas cracher dans la soupe... –, et nous nous sommes mis à table ! Nous nous sommes nourris de cette histoire durant 3 jours !

DES SITUATIONS HALLUCINANTES

Passons en revue quelques cas de figures
qui peuvent nous tomber
sur le museau, particulièrement au moment où
nous n'avons pas trop de temps,
ou pas grand-chose sous la main, ou pas trop d'idées,
pour ne pas dire tout cela à la fois !

LES SITUATIONS

POUR LES RECETTES

 Nombre de personnes

Temps de préparation

Temps de cuisson

 Temps de repos

VOS PLACARDS SONT VIDES... ET DES COPAINS DÉBARQUENT!

Plusieurs jours, déjà, que vous repoussez votre prochaine et inévitable visite dans ce magasin dont vous ne supportez plus l'enseigne... et voilà qu'à 20 heures tout juste sonnées, alors que vous venez d'envoyer balader vos chaussures à talons décidément trop hauts – souffrir des échasses pareilles toute une journée! –, Véronique, votre meilleure amie, vous appelle :

– Tu te souviens d'Isabelle, Philippe et leur grand pote Guillaume avec qui on avait passé une super soirée au début de l'année?! Eh bien, figure-toi qu'ils sont de passage à Paris... Ils t'avaient adorée et ils veulent absolument qu'on se revoie... Écoute, le mieux, c'est qu'on fasse ça chez toi, c'est plus sympa... ça t'embête pas? (et au moment où vous alliez répondre)... *Mais tu ne te casses pas la tête, on fait simple... Je t'appelle quand on est en bas, pour le code...*

Et dire que vous n'avez pas pu en placer une!

Comme par hasard, c'est mieux chez vous... Eh bien, c'est un point de vue que vous ne partagez pas!

Il existe une variété de compliments auxquels vous tordriez volontiers le cou!

Et qui se coltinera le ménage après? D'ailleurs, là, maintenant, oui, tout de suite, chapitre ménage : il y a tout à reprendre, de A à Z!

Malheur ! Mais enfin, pourquoi n'avez-vous pas dit que **ce n'était pas possible?!**

Que vous n'aviez pas l'ombre d'une cacahuète dans votre garde-manger qui n'a rien à garder ces temps-ci, débordée que vous êtes!

Et puis que vous n'aviez envie de voir personne...

Que le seul tronçon de concombre qui hante le rayon vide de votre réfrigérateur est destiné à votre visage, désespérément en manque! Parfaitement, vous le placardez, vous masquez dans l'espoir que votre mine se requinque en buvant l'eau de cette modeste cucurbitacée...

Alors maintenant, deux solutions :

– soit vous branchez votre répondeur et n'ouvrez pas lorsque vos invités non désirés forceront votre porte. Il faudra aussi penser à vous faire transférer sur liste rouge... Sachez également que votre réputation en prendra un coup...;

– soit vous enfilez votre panoplie de superwoman et vous assurez un petit dîner sur le pouce dont tout le monde se souviendra...

Comment, vous n'y arriverez jamais! Avec deux ou trois conseils avisés, vous allez sortir de cette impasse glorieuse et élégante!

C'est parti!

Ouvrez vos placards et constatez l'étendue des dégâts :

– 1 boîte de thon au naturel, rien de très réjouissant...;

– 1 boîte d'olives noires auxquelles personne ne tient...;

– 1/2 bocal de riz que vous aviez oublié sur l'étagère, vous savez, celle qui est trop haute pour vous...;

– 1 gousse de vanille quelque peu desséchée dans son étui en plastique...;

– des graines de cumin achetées à l'occasion d'un couscous historique... et des graines de coriandre rapportées par votre mère lors de son voyage à l'île Maurice...

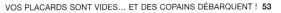

Dans votre réfrigérateur, outre le cadavérique concombre censé vous sauver la mine, vous possédez :
– 4 carottes passablement rabougries… ;
– 1 morceau de gruyère tout raide, oublié dans son papier non hermétique… ;
– 3 œufs ayant largement dépassé la limite de postpéremption… mais bon, quand on sait que les anciens les conservaient des mois dans la paille, on ne va pas s'affoler… ;
– quelques gousses d'ail audacieusement germées… ;
– et LE morceau de concombre au bord de la déprime.

Vue panoramique sur votre congélateur :
– une plaquette de beurre non utilisée la dernière fois que vous aviez lancé une invitation – on vous le reproche souvent, vous êtes assez excessive, quand vous achetez, vous ne savez plus vous arrêter… –, alors, pour vous empêcher d'en consommer, parce que votre ligne en aurait marqué, et surtout fait remarquer tous les avantages… vous l'aviez expédiée, elle et son redoutable complément entamé, dans le compartiment à glaçons, afin de geler toutes tentations compulsives ! *Faim* du supplice… ;
– 1 minibrique de basilic congelé de l'été dernier… ;
– 1 reste de calamars découpés en rondelles, la dernière fois que vous aviez longuement mijoté une paella… ;
– 1 assortiment de fruits rouges que vous aviez achetés sans jamais savoir ce que vous alliez en faire, eh bien, le moment est venu de le sortir !

Un coup d'œil sur votre plan de travail :
– 1 citron racorni… ;
– 1 moignon de gingembre ;
– 1/2 baguette de pain rassis.

Bon… tout n'est pas catastrophique, mais il y a du pain sur la planche.

Je vous propose de réaliser :
- **Marinade de concombre au gingembre ;**
- **Mousse de thon ;**
- **Tapenade sur toasts grillés ;**
- **Gougères au cumin ;**
- **Calamars au riz vert ;**
- **Soupe de fruits rouges macérés au vin.**

Ne vous inquiétez pas, je vais vous suivre pas à pas dans la transformation de vos piteux rogatons en en-cas pour amis gentils mais un peu lourds... Vous serez la première soufflée par vos prouesses magiques, mais ne comptez pas sur moi pour le ménage façon *Ma sorcière bien-aimée...*
Un conseil cependant : prenez tout ce qui traîne – revues écornées mais pas encore lues, petit linge qui sèche un peu partout sur les radiateurs, courrier ouvert mais pas classé –, cherchez les chaussures que vous avez balancées à votre arrivée, vous pensant à l'abri de tout cataclysme convivial, le sac que vous aviez abandonné dans l'entrée après en avoir changé à la dernière minute avant de partir ce matin, une fois de plus, sur les chapeaux de roue... bref, rassemblez tout – sauf, évidemment, la vaisselle sale du petit déjeuner, que vous glisserez dans une bassine sous l'évier, parce qu'un coup d'aspirateur est plus urgent que les couverts et cuillères à confitures – dans le petit cagibi ! **Ouf !**
Vous qui aspiriez à sombrer dans les vagues marines d'un bain aux sels de mer – que vous avait offerts, Véronique pour votre anniversaire et que vous ne manquerez pas de remercier ce soir ! –, vous allez conduire votre balai-bouffeur de miettes desséchées aux odeurs de poussière renfermée. Pour suivre le vrombissement échevelé, je vous conseille vivement d'enfiler une tenue décontractée, coquette mais simple – vous n'allez tout de même pas montrer que vous avez fait des efforts pour ceux qui vous pompent l'air en exhibant votre tablier de cuisine ! Et puis quoi encore !

MARINADE DE CONCOMBRE AU GINGEMBRE

🚶 4 personnes   ⏱ 10 min   🛑 1 h   🔥 pas de cuisson

1 concombre
1 morceau de gingembre
Vinaigre d'alcool blanc
Huile d'olive
Sel

Pelez et coupez le concombre en très fines rondelles. Saupoudrez-les de sel, pour les faire dégorger, et laissez reposer à température ambiante pendant 1 heure. Épongez-les.
Râpez le rhizome de gingembre et dispersez-le sur les rondelles de concombre. Arrosez de vinaigre et d'huile. Placez au réfrigérateur avant de servir.

Entrée à la portée de n'importe qui, avec du goût et qui se prépare en un temps record !

MOUSSE DE THON

🚶 6 personnes   ⏱ 1 h   🔥 pas de cuisson

1 boîte de thon
2 gousses d'ail
60 g de beurre
1 cuillerée à soupe de graines de coriandre
2 cuillerées à soupe d'huile d'olive
Le jus et le zeste de 1 citron
Sel et poivre

Ouvrez la boîte de thon, égouttez-le et confiez-le à votre robot préféré, en compagnie de l'ail dégermé, du beurre, des graines de coriandre, de l'huile, du zeste de citron (soigneusement lavé) et de son jus (gardez-en 1 cuillerée à soupe pour relever le moral de votre tapenade !), de sel et de poivre.

Mixez le tout et réservez au réfrigérateur, dans un ramequin. En revanche, sortez cette mousse un moment avant de la présenter, afin qu'elle s'assouplisse et se tartine plus facilement.

TAPENADE

(🏃) 6 personnes   **(✋) 10 min**   **(🔥) pas de cuisson**

1 bocal d'olives noires
1 cuillerée à soupe de jus de citron (de la recette de la mousse de thon)
Huile d'olive, il va sans dire
10 g d'ail

Dépêchez-vous : rincez votre mixeur et faites-lui avaler le contenu de votre bocal d'olives noires, avec le jus de citron, de l'huile et l'ail.

KIT PETIT PLUS

Si vous découvrez dans vos réserves des anchois, lâchez-en quelques-uns et, cerises sur le gâteau, des câpres, mais ne rêvons pas...

Passons aux :

GOUGÈRES AU CUMIN

(🏃) 25 gougères   **(✋) 10 min**   **(🔥) 15 min**

125 g de beurre + supplément pour la lèchefrite
300 g de farine
100 g de gruyère râpé
Graines de cumin
Sel

Préchauffez le four à 200 °C (th. 7).
Plongez le beurre – même congelé – dans une casserole contenant 50 cl d'eau salée. Faites chauffer jusqu'à ce que le

beurre ait totalement fondu et retirez la casserole du feu. Filtrez le liquide dans la farine, dans une jatte. Mélangez jusqu'à ce que la pâte se décolle bien des parois et placez-la dans la casserole. Remettez sur le feu pour 2 minutes, pour la dessécher.

Tout en vous acharnant à malaxer pour faire entrer le plus d'air possible, ajoutez le gruyère râpé et éparpillez des graines de cumin.

Beurrez la lèchefrite et déposez-y des noix de pâte, à l'aide d'une petite cuillère. Enfournez et faites cuire en surveillant : 15 minutes suffisent pour que ces amuse-gueule dorent et embaument votre cuisine !

Voilà une bonne chose de faite !

TOASTS POUR LA TAPENADE

Vous grillerez vos dernières cartouches d'énergie en profitant de la chaleur du four pour faire de votre pain rassis des TOASTS croustillants !

CALAMARS AU RIZ VERT

🏃 **6 personnes**   🍳 **15 min**   🔥 **30 min**

Huile d'olive
Ail
Feuilles de basilic
Riz
Rondelles de calamar
Sel et poivre

Faites chauffer l'huile dans une cassolette. faites-y revenir de l'ail dégermé et haché et des feuilles de basilic ciselées, rescapées de votre congélateur.

Semez votre riz, enfin le peu qui vous reste, par-dessus, salez, puis arrosez de 1 louche d'eau.

Mélangez et laissez cuire pendant 15 minutes, en surveillant. Durant ce temps, faites sauter les rondelles de calamar, toujours congelées, dans un peu d'huile, à feu vif, pendant 10 minutes. Salez, poivrez et réservez.

Lorsque vos 2 préparations vous semblent prêtes, associez-les : vous obtenez vos calamars au riz vert ! Original et rapide, non ?

Ça prend tournure !
Bon, mais pas de relâchement...

SOUPE DE FRUITS ROUGES MACÉRÉS AU VIN

🧍 **4 personnes**   🕐 **10 min**   🔥 **20 min**

Cocktail de fruits rouges surgelé
1 gousse de vanille
40 cl de vin rouge
2 cuillerées à soupe de cognac (facultatif)
100 g de sucre de canne
4 grains de poivre
3 graines de cardamome
1 bâton de cannelle
Feuilles de menthe

Mettez le cocktail de fruits rouges à décongeler à température ambiante, en l'étalant sur un plateau préalablement tapissé de papier absorbant, pendant que vous préparez le sirop.

Fendez la gousse de vanille en deux, dans la longueur. Grattez les graines dans une casserole.

Horreur ! À ce moment-là, vous réalisez que vous n'avez même pas une bouteille de **vin** en réserve, et voilà que vos convives cognent ! Déjà !

Le temps n'est plus à la réflexion, mais au réflexe : vous allez ouvrir les dents serrées mais, en entrebâillant la porte, votre

KIT CATASTROPHE

plus beau sourire reprend du service... lorsque vous apercevez un magnifique magnum de bordeaux calé dans les bras de Philippe...

– Ah ! il ne fallait pas... bon, je la débouche tout de suite, le temps de le chambrer !

Et vous lui arrachez la bouteille des mains pour en verser directement dans votre casserole (+ le cognac, si vous en détenez).

Bien joué ! Voilà un retournement de situation qui jouera en votre faveur ! Entendons-nous bien : il était de toute façon de bon ton pour ces hôtes d'arriver avec un bon cru, autrement, vous auriez eu un bon argument pour refermer votre porte et les envoyer en acheter !

Proposez donc à Véronique, qui vient vous demander : *Je peux t'aider à faire quelque chose...?* **de peler et de couper en bâtonnets les 4 carottes rabougries qui s'arquent et se défendent sous l'épluche-légumes !**

À croquer avec ou sans tapenade !

➜ De votre côté, magistrale, ajoutez le sucre de canne (vous n'avez que du sucre blanc ? c'est une mauvaise habitude, maintenant, vous le saurez !), le poivre (une façon de vous venger de vos invités imposés, mais non, je plaisante, voyons, tout ce que je vous dis est pur intérêt culinaire), les graines de cardamome (mais si, vous en avez sûrement, regardez bien dans vos épices, c'est vrai vous ne vous en servez jamais, mais vous avez un flacon datant de 1999 et qui fera très bien l'affaire...) et le bâton de cannelle !

Portez à ébullition, puis coupez le feu.

Couvrez la casserole, laissez infuser pendant 10 minutes, puis refroidir.

Répartissez les fruits rouges dans des petites coupes.

Après avoir filtré le contenu de la casserole, versez-le sur les fruits.

Décorez avec des feuilles de menthe (vous n'en avez pas ? je m'en doutais ! arrachez quelques feuilles de votre géranium, il s'en remettra, c'est robuste !).

Eh bien, ça y est ! Tout est prêt ! Ah... non : allez débarbouiller cette balafre de pâte à choux qui vous colle à la peau et alimente votre réputation de bonne pâte !

Bon, ça va, vous pouvez revenir devant vos amis...
Au fait, quelle tête font-ils ?
Ça leur plaît, au moins, cette dînette improvisée ?
Toujours est-il qu'ils ont la banane et qu'ils ont déjà pioché dans le sac de pistaches que Guillaume, généreux bienfaiteur, a apporté en quantité déraisonnable...

KIT ON SOUFFLE !

Évidemment, ne sachant pas où mettre leurs coques, ils les posent un peu partout, elles gisent alentours, où elles ont pu rouler... jusque dans les bourrelets des coussins des fauteuils. Elles nichent même dans les plis du vieux plaid chargé de planquer la vieillesse élimée du canapé.
Il ne manquerait plus que Véronique prenne l'initiative de le soulever pour récupérer les malheureux déchets et donner en spectacle mon intérieur aussi délabré que mon for... intérieur.
Mais non, je m'inquiète pour rien.

Enfin, s'ils continuent à picorer autant de graines, ils n'auront plus faim.
Ne me dites pas que je me suis décarcassée pour rien... les goujats !

RAS LE COCO...
DU POULET RÔTI !

À celui qui mangea du poulet toute sa vie sans jamais oser dire qu'il détestait ça...! Cet homme qui tressaille encore chaque fois qu'il entend : *Comment vas-tu, mon p'tit poulet ?* adressé à l'enfant, à côté de lui. Sa mère en cuisait un, chaque dimanche, hommage au décret de ce bon Henri IV et de sa poule au pot, ventregris ! ... Jamais, par amour pour Maman, il n'avait osé avouer son aversion pour ces volatiles.

Aujourd'hui, il se libère tout doucement de ce joug... tremblant devant la grippe du poulet ! Au secours !

On ne va pas passer sa vie à engloutir toujours la même chose ! Il y a trente-six façons de l'embrocher, le poulet ! Qui a dit que nous étions condamnés à le manger **rôti** ?!

Psstt : il est préférable de pocher une geline avant de la rôtir...

POULET FERMIER À LA DIJONNAISE

🏃 **6 personnes**   🕐 **30 min**   🔥 **1 h 15**

1 poulet fermier vidé de 1,8 kg environ
2 gousses d'ail
2 échalotes
30 g de beurre
Baies roses
1 kg de tomates en branches (non, non, ce n'est pas du poulet basquaise, non, allez jusqu'au bout...)
2 à 3 cuillerées à soupe de moutarde
10 cl de crème fraîche
Ciboulette
Sel et poivre

Le poulet, s'il est fermier, ce n'est pas une chose maigrelette éviscérée, sans pattes, sans tête, qui se balade dans sa barquette en polystyrène expansé à peine tenue par un film de Cellophane... ça, c'est ce qu'il y a de moins recommandable ! Soyez exigeant(e), je suis sûre que vous l'êtes pour votre mine, votre bagnole et votre baraque, soyez-le aussi pour l'intérieur, ces petits détails qui ne se voient pas toujours mais se sentent...

Donc, on résume : un bon poulet doit avoir la peau fine et lisse, une chair ferme, le bréchet doit céder sous le doigt et les ergots — encore faut-il des pattes ! —, sont plutôt courts. Clairement : un poulet tué trop jeune est mou et fade, pigé ?! Pensez au label rouge, c'est le minimum : 12 semaines, et si ce label est doublé de la mention *fermier,* c'est un gage d'élevage plus soigné, avec une alimentation au grain (blé ou maïs), mais fuyez la volaille ordinaire de la classe A, comme farine animale, vous me suivez...

→ Découpez le poulet : commencez par détacher les ailerons, puis séparez les cuisses de la carcasse. Coupez-les en deux au niveau de l'articulation. Détachez ensuite les blancs, de chaque côté de la carcasse.
Épluchez l'ail et les échalotes.
Faites revenir les morceaux de poulet dans un peu de beurre, dans une sauteuse. Salez et poivrez.
Ajoutez des baies roses, l'ail et les échalotes et faites cuire à feu doux pendant 55 minutes.
Lavez, épépinez et coupez les tomates en dés, que vous ajouterez au reste 15 minutes avant la fin de la cuisson, tout en réservant quelques dés pour la décoration finale du plat.
À la fin de la cuisson, sortez les morceaux de volaille, en les réservant au chaud.
Liez le jus avec la moutarde et la crème fraîche. Laissez épaissir pendant quelques minutes.
Disposez les morceaux de poulet dans le plat de service, nap-

pez de sauce bien chaude, décorez ces derniers de dés de tomate et de ciboulette ciselée, le tout accompagné d'un bon riz basmati...

Je vous promets que vous penserez à moi lorsque vous y goûterez ! Ah, si vous avez suivi le déroulement, vous vous retrouvez avec une carcasse crue... à faire cuire dans votre soupe pour un dîner simple mais relevé de saveurs bienveillantes ! Donc, d'un pioc, deux coups !

J'ai une pensée émue pour notre célibataire endurci qui a tout tenté pour dévisser le coco de ses vieux démons culinaires, à défaut de s'empourprer pour un démon de midi... Le pauvre a encore la chair de poule quand il passe devant une rôtisserie. Assister au sacrifice rituel de l'un de ces volatiles aurait peut-être tordu le cou à son dégoût ?

Alors, pourquoi pas une recette d'origine africaine...

POULET À LA CITRONNELLE

🚶 4 personnes   🍴 15 min   🛑 45 min   🔥 25 min

2 gousses d'ail
50 g de gingembre frais
1 petit piment rouge
2 cuillerées à soupe d'huile de sésame
Le jus de 5 citrons verts
6 cuillerées à soupe de sauce soja
1 cuillerée à café de cassonade
4 blancs de poulet
1/2 botte de coriandre
2 branches de basilic
4 feuilles de menthe fraîche
8 cacahuètes
8 gros bâtons de citronnelle (les bâtons de citronnelle faisant office de piques à brochette, résultat aromatique garanti !)
Sel et poivre

Épluchez et hachez finement l'ail et le gingembre. Taillez le piment en rondelles épaisses et retirez les graines.

Mélangez l'huile de sésame, le jus des citrons et la sauce soja, dans un grand plat en terre de préférence. Ajoutez la cassonade, le gingembre, l'ail et le piment. Salez et poivrez.

Coupez les blancs de poulet en lamelles de 1,5 cm d'épaisseur et faites-les mariner dans le mélange précédent, à température ambiante, pendant 45 minutes.

Équeutez et lavez les herbes fraîches.

Épluchez et concassez grossièrement les cacahuètes.

Fendez les bâtons de citronnelle dans l'épaisseur, en restant dans le milieu de la longueur. Glissez doucement plusieurs morceaux de poulet mariné dans les fentes.

Disposez les bâtons dans un grand plat, arrosez-les de marinade et faites cuire sous le gril du four pendant 10 minutes de chaque côté.

Lorsque le poulet est doré et légèrement caramélisé, arrosez-le encore de marinade.

Servez tiède accompagné de riz parfumé. Parsemez de mélange d'herbes ciselées et des cacahuètes concassées.

Si, ce jour-là, vous n'avez que de la dinde, pas de souci : elle peut subir le même sort sans être le dindon de la farce !

Je me revois, les coudes sur la table, observant ma *Nonna* qui préparait le mort avant la cérémonie de la cuisson : elle commençait par lui couper les pattes à l'aide de son couperet, je les récupérais aussitôt pour les faire marcher sur la table, j'aimais le petit bruit des griffes au bout des ergots sur le Formica. Ensuite, elle lui sortait tout ce qu'il avait dans le ventre et, une fois vidé, elle l'exposait aux flammes de la gazinière pour lui voler dans les plumes, ou ce qu'il lui en restait : vous savez, les tiges atrophiées qui s'obstinent à rester plantées dans la chair. Elle les faisait griller au-dessus du feu pour les déshydrater et les repérer pour une séance d'épilation qu'elle prolongeait en offrant ses avant-bras aux flammes qui les lui léchaient en désintégrant les trois ou quatre poils qui avaient eu l'outrecuidance de pousser là, au poil... le procédé ! Je vous ai déjà entretenu de la passion maniaco-excessive de ma *loca* Ada, eh bien, voici une nouvelle illustration de ses soins hygiéniques ! Heureusement que son système pileux n'était pour ainsi dire pas développé : à sa place, j'aurais flambé sans pouvoir crier *au feu les pompiers !* Je la regardais, soufflée, respirant cette odeur de poulet grillé, sacrée poulette !

En parlant de mort, une poularde en demi-deuil – comme si on pouvait l'être à moitié... – est un oiseau à qui on a infligé un tatouage un peu spécial : une fois la peau incisée, des lames de truffe noire sont glissées dans les chairs torturées, servies sur un linceul de sauce blanche !

Depuis que l'âge et la goutte avaient cloué le bec de Mère, Maurice s'entendait dire qu'il menait les poules pisser... Forcément, comme personne d'autre n'avait traversé sa vie et sa chambre, il fallait bien faire bouillir la marmite...

Paix à son âme...

Pour une sépulture plus douce, je vous propose...

POULET CONFIT AU LAIT ET PETITS LÉGUMES

(🚶) **6 *croque-morts***   (🍳) **20 min**   (🔥) **2 h**

1 beau poulet bio
50 cl de lait
3 échalotes
60 g de beurre
6 carottes
2 poignées de petits pois extradoux (surgelés, si c'est plus simple)
6 petits bouquets de chou-fleur
6 fleurs de brocoli
Cerfeuil
Sel et poivre

Préchauffez le four à 240 °C (th. 8), oui, allons-y franche-ment.

Déposez le poulet avec le lait, les échalotes émincées, du sel et du poivre dans une cocotte en fonte allant au four (attention, vérifiez qu'aucune poignée en plastique ne traîne...).

Couvrez et faites suire au four pendant 1 heure. Baissez la chaleur à 180 °C (th. 6) et poursuivez la cuisson pendant encore 1 heure. Pendant ce temps, faites fondre le beurre dans une casserole. Ajoutez les carottes coupées en rondelles, les petits pois, le chou-fleur (lavé) et ajoutez 10 cl d'eau. Couvrez et laissez cuire à feu doux pendant 15 minutes.

Ajoutez les brocolis, rincés. Salez et poivrez. Poursuivez la cuisson encore 10 minutes.

Retirez le poulet de la cocotte... et déposez-le dans un plat de service, entouré de sa basse-cour de légumes. Servez avec le jus de cuisson du volatile, parsemé de cerfeuil ciselé, « aux petits oignons... »

Une chose est sûre : sans passer pour une poule mouillée, Maurice n'allait pas cuisiner un poulet pour lui tout seul... Mais s'il savait qu'on peut se régaler en prenant morceau par morceau... et lui qui a un petit faible pour la bouteille ne tor-drait pas forcément le nez pour un **COQ AU RIESLING** !

Ne me regardez pas de travers... je ne l'ai pas bu, le riesling, c'est Maurice qui m'inspire. Mais comme on ne trouve pas un coq sous le sabot d'un cheval et que ce genre de mâle est devenu une volaille rare – paraît-il... mais il s'agit d'un autre débat ! –, on peut réaliser cette recette avec une vieille poule ou, mieux, un poulet ! Et rien ne vous empêche de courir (vite) après l'un de ces rois de basse-cour pour lui extorquer une belle plume de son camail !

Quoi qu'il en soit, à table, roi ou pas, on ne saura rien : bar-billons ou pas, les têtes seront tombées ! Finie, l'apologie du poulet, on peut passer en cuisine ?!

COQ AU RIESLING

🏃 **6 personnes**   🍴 **30 min**   🔥 **1 h 30**

1 « poulet-coq »
3 échalotes
2 gousses d'ail
2 branches d'estragon frais
60 g de beurre
Graines de coriandre
50 cl de vin blanc d'Alsace (riesling)
300 g de champignons de Paris
Huile
200 g de crème fraîche
Sel et poivre

Préparez l'oiseau : retirez les abattis.

Pelez et émincez 2 échalotes.

Mettez les ailes et l'échalote restante, coupée en quatre, dans 25 cl d'eau légèrement salée et laissez cuire pendant 20 minutes.

Coupez le reste de la volaille en six (ou huit).

Pelez l'ail et coupez-le finement.

Hachez l'estragon.

Faites fondre le beurre dans une cocotte et saisissez-y les morceaux de poulet. Salez et poivrez. Ajoutez les échalotes émincées, l'ail, l'estragon, quelques graines de coriandre et mouillez avec le bouillon de cuisson des abattis et le vin.

Laissez mijoter à feu très doux pendant 1 heure.

Pendant ce temps, enlevez la peau des champignons, sans les laver au préalable, puisqu'on leur enlève l'extérieur, pas la peine de les charger d'eau supplémentaire ! Une fois coupés en lamelles, étalez-les, à sec, dans une poêle antiadhésive, couvrez et faites-les cuire à feu doux. Dès qu'ils auront recraché la tasse d'eau qu'ils ont bue au cours de leur pousse, videz-la et donnez-leur un peu d'huile à la place pour les faire revenir à un teint doré et un goût de noisette, une fois salés et poivrés.

Ensuite, montez le feu sous la cocotte et poursuivez la cuisson pendant 10 minutes, à découvert. Retirez les morceaux de viande et réservez-les.

Baissez le feu et incorporez la crème fraîche, puis les champignons. Rectifiez l'assaisonnement. Et replongez la viande dans ce bain de bonheur... le temps de faire chauffer de l'eau dans une grande casserole (avec des grains de sel) pour ébouillanter des tagliatelles fraîches ! Cocorico !

Comment vous vous sentez ? En appétit ?

Voilà donc d'autres saveurs pour montrer à nos enfants que les cuisses de poulet ne se déclinent pas qu'en beignets, comme les fast-foods s'en débarrassent à gogo, frits et pas frais...

La prochaine fois... je ne vous le chanterai pas... – malheur aux canards... –, mais je vous le cuisinerai !

TUILE : MON MARI
A INVITÉ SON PATRON !

Mais qu'est-ce qui lui a pris ! Quel excès de zèle l'a poussé à inviter... son patron ! Il est devenu fou ou quoi ? Mon premier réflexe a été : *Oh... là, là !... que va-t-il penser de l'appartement... ?* Tout à coup, j'ai eu un peu honte... depuis le temps qu'on parlait de repasser un petit coup de pinceau dans l'entrée et le couloir... qui ne sont plus blancs mais pisseux, le chat ayant laissé ses empreintes après une folle virée dans la suie du conduit de cheminée ! Un cauchemar, ce chat, heureusement que nous l'avons placé à la campagne, il aurait été capable de mordre les mollets du patron. Je le vois d'ici, tapi dans les bouclettes de la moquette, sous l'arcade d'un fauteuil, à l'affût du moment où l'énergumène en costume-cravate aurait décroisé les jambes, laissant apparaître un tibia poilu et pourtant, ma foi, si peu ludique...

N'empêche que la peinture est toujours en pot chez Leroy-Merlin et que d'ici à mercredi, ça ne sera jamais sec ! Et puis, ça sentirait l'acrylique, il croirait qu'on s'est mis en frais pour lui, il profiterait de ce pouvoir, non, non, non ! Et en plus, le mercredi, c'est vraiment pas le jour des invitations ! Après avoir couru partout pour les activités de l'aîné, accueilli entre deux coups de fil la grande copine de la petite dernière, les files d'attente pour les courses, je ne m'en sors pas, même en ayant ma journée, cadeau béni des 35 heures ! Han !... le lustre qui n'est toujours pas électrifié... 4 ans maintenant que je cherche des petits abat-jour un peu kitsch qui donneraient l'air cosy au salon, désespérément trop petit. Alors, invité le soir, monsieur le directeur va forcément s'apercevoir qu'on n'est pas impeccablement installés !

Oh !... finalement, c'est peut-être mieux comme ça, il finirait par penser que nous ne sommes pas si mal lotis, ça risquerait de bloquer toute négociation à venir, et mon mari s'en voudrait. Mais au fait, quelle idée il a derrière la tête pour harponner son patron jusqu'à la maison ? Sûrement, l'envie de lui prouver une nouvelle autonomie pour avoir pris une telle initiative et sans doute une petite augmentation au dessert ! Houps ! il va falloir cogiter... au dessert !

Donc, objectif premier : lui faire passer une agréable soirée, lui être sympathique, qu'il garde un souvenir amical de ce dîner professionnel... Facile, à trois… ! Mon Dieu, quelle embuscade ! Inviter quelqu'un d'autre ? Non ! Pourvu qu'il ne vienne pas avec sa bourgeoise !
Comment dire... il faut bluffer. Parfaitement, l'impressionner en lui donnant à croire que je me suis décarcassée.

Ça commence par le couvert : de très grandes assiettes présentant 1 belle part **de tarte tomates-thon-origan,** entourée d'un festival de végétaux hauts en couleur et en saveurs : **caviar d'aubergine, poivrade, fenouil, champignons crus, ricotta aux herbes.**
Je n'oublie pas les **fruits, frais et secs : les figues éventrées verseront quelques larmes de miel** et les **pignons grillés à sec** dans un poêlon seront semés au vent de l'assaisonnement.
Je relève la triste et banale idée de la salade par de la **roquette,** dissimulant de **jeunes pousses d'épinard, fleuries de copeaux de parmesan.** Dans ce nid de verdure, je cacherai **1 œuf de caille cru et étêté.**
Puisque c'est en soirée, tout le monde appréciera un repas léger : j'oublie la viande, quant au plateau de fromages, il y en a déjà dans les assiettes, je n'en rajoute pas !
Couteau et montre en main, j'attaque cette composition florale et comestible, suivez le guide !

LES PÂTES BRISÉES (une à tarte, l'autre à crumble)

🕐 **15 min**

2 x 125 g de beurre
300 g de farine tamisée (type 65)
6 grains de sel
Sucre vanillé

Sortez le beurre et laissez-le en plan sur la table de travail jusqu'à ce qu'il s'assouplisse sous vos doigts motivés...
Aidez-le en allumant le four, thermostat braqué sur 8 !

Pourquoi 2 plaquettes ? Et le dessert, vous y avez réfléchi ?!
Crumbles pommes-poires individuels et leur godet de crème.

→ Mélangez une plaquette avec 150 g de farine et 3 grains de sel : il reste à exécuter une pâte brisée dans les plus brefs délais – elle ne souffrira pas d'être pétrie des lustres, sinon, fatiguée, elle sera pénible à étaler... De toute façon, elle a besoin de se reposer, et plutôt à l'ombre !
Mouillez de 1 lichette d'eau... (de 1 à 2 cuillerées à soupe) pour faire 1 boule, une fois que le beurre est intégré à la farine. Maintenant que vous avez mis la main à la pâte, rassemblez brièvement celle des minicrumbles que vous servirez en fin de repas : **le beurre ramolli restant, la farine restante, le sel et un peu de sucre vanillé.** Mélangez grossièrement, en préservant les météorites de pâte, et réservez au réfrigérateur.

CAVIAR D'AUBERGINE (ACTE 1)

🚶 **4 personnes**   🕐 **15 min**   🔥 **40 min**

5 aubergines
Huile d'olive
Ail
Sel et poivre

Prévoyez des aubergines en pleine maturité, luisantes. Lavez-les, prélevez leur pédoncule épineux, mettez-les sur la lèche-frite du four préchauffé à mort (250 °C, th. 9).
Comptez bien 40 minutes, donc vous avez tout le temps (ou presque) pour vous occuper de la suite.
À mi-cuisson, retournez les aubergines.

FENOUIL CRAQUANT

🚶 4 personnes   ✋ 8 min   🔥 3 min

1 bulbe de fenouil
Huile d'olive

Réduisez le fenouil en fines tranches, pour l'expédier aussitôt au four à micro-ondes pour 3 minutes. Il sortira mi-cuit, encore frais et légèrement craquant. Douchez-le d'un jet d'huile. Réservez.

POIVRADE D'ARTICHAUTS

🚶 4 personnes   ✋ 10 min   🔥 pas de cuisson

5 ou 6 petits artichauts nouveaux
Jus de citron
Huile d'olive
Parmesan râpé

Ces petits artichauts nouveaux, qui m'ont fait plus d'une fois envie sans savoir comment les préparer, se mangent crus et sont appelés artichauts poivrade. Ils sont généralement vendus en bouquet de 5 ou 6 – lequel suffira pour mon repas de mercredi, puisque nous serons 3, au maximum 4...

Équeutez-les, coupez-les avant qu'ils ne fassent du foin... (à vous d'estimer l'épaisseur du cœur). Enlevez ce qui semble superflu et détaillez le fond en lamelles assez fines.

Pulvérisez immédiatement de gouttes de jus de citron : vite affolé, l'artichaut noircit à vue d'œil ; une fois calmé, donnez-lui à boire une bonne huile d'olive, couvrez-le de parmesan râpé et bordez-le pour le mettre de côté.

CHAMPIGNONS ÉMINCÉS

4 personnes **10 min** **pas de cuisson**

300 g de champignons de Paris
Jus de citron

Un sort un peu semblable à celui des artichauts attend les champignons de Paris attroupés autour d'un ramequin, comme des touristes japonais devant l'Opéra !
Attrapez-les par la peau du cou, chapeau bas, et la tête ainsi renversée, ôtez leur membrane fine et douce ; elle va suivre vos instructions : déshabillez les coulemelles des villes en un rien de temps.
Évidemment, exigez des champignons une blancheur à faire rougir... Quelques gouttes de jus de citron éteindront le fard de leur peau dénudée dès que vous les aurez débités en lamelles.

CAVIAR (ACTE 2) : L'AGONIE DES AUBERGINES

J'ai fini, je ne suis pas très dégourdie, mais voilà 40 minutes que j'ai enfourné les aubergines. Je jette un œil à leur vieillesse prématurée : si leur peau est ridée – creusée comme la trogne ratatinée de mon arrière-grand-mère qui, de son invraisemblable poireau planté au-dessus de la lèvre, me picotait la joue lorsqu'elle m'embrassait... –, alors, elles sont prêtes à retirer leur robe de chambre purpurine pour une fin de vie annoncée...

➜ Tirez doucement, la peau fripée doit suivre vos doigts – brûlés, si vous ne pensez pas à vous protéger tout de suite ! Accompagnez chaque aubergine, jusqu'au bout, de gestes calmes.

Mettez les chairs flétries dans une passoire suspendue au-dessus de l'évier.

Laissez patiemment l'aubergine pleurer, qu'elle se défasse de son eau gardée longtemps tout au fond d'elle. Aidez-la dans cette délivrance : coupez-la de ses souvenirs douloureux en écartant les lambeaux de chair. Allégée du poids des eaux, elle est maintenant prête à s'allonger dans le cercueil de la poêle capitonnée d'huile d'olive plus fervente que jamais.

L'aubergine rend l'âme sereinement : des pâquerettes d'ail couvrent son linceul et chantent, en canon avec l'encens sel et poivre, le psaume du hachis de sa vie, hymne à l'aubergine tout entière. Après ces 40 minutes de recueillement sous votre œil humide. Fin de la tragédie grecque… Quelle émotion !

SALADE D'ÉPINARDS

🏃 **4 personnes**   🕐 **10 min**   🔥 **pas de cuisson**

200 g d'épinards
1 roquette
Huile d'olive
Huile de noisette
Copeaux de parmesan
Sel

Retournons à la jeunesse avec la verdeur des épinards qui, du haut de leurs 200 g, se font respecter : personne n'oserait leur ôter la tige qu'ils arborent, frais et fringants.

➜ Plongez-les dans une eau claire avec la **roquette**.

Inutile de les laisser faire trempette 2 heures, vous savez comme moi que toutes les vitamines se barrent dans l'eau ! Et qu'est-ce qui me reste après ?! Pleurnicher sur mes beaux jours envolés... Allez, on se ressaisit !

Essorez la verdure et engrangez dans le réfrigérateur.

Au dernier moment, arrosez le feuillage, une fois disposé dans l'assiette, d'huile d'olive entremêlée d'huile de noisette, puis légèrement de sel... et de copeaux de parmesan.

TARTE AU THON

🏃 6 personnes   🍴 30 min   🔥 30 min

5 tomates
300 g de thon au naturel
2 gousses d'ail
Huile
3 œufs
1 petite louche de crème fraîche
Origan en poudre
Parmesan râpé
Sel

Lavez les tomates et coupez-les en rondelles. Disposez-les sur un plat, provisoirement, bien saupoudrées de sel pour les faire dégorger pendant 30 minutes.
Étalez la pâte brisée sur la tôle. Profitez que le four est en effervescence pour cuire la tarte. Une fois moulée, éparpillez le thon égoutté. Dispersez les gousses d'ail coupées en morceaux en petite mosaïque. Ajoutez de l'huile et du sel. Placez les rondelles de tomate sur le tapis de thon.
Battez les œufs en omelette, enrichie de crème fraîche. Versez le mélange sur les tomates, saupoudrez d'origan et de parmesan râpé. Programmez votre four à 220 °C (th. 8) sur 30 minutes.

CRÈME DE RICOTTA

🏃 4 crémeux   🍴 5 min   🔥 pas de cuisson

1 pot de ricotta
Fines herbes (persil, basilic et feuilles de coriandre)
Fleur de sel et éclats de poivre

Il est largement temps de sortir le pot de ricotta. Renversez-le dans un bol en terre et plantez toutes les herbes. Persillez de fleur de sel et d'éclats de poivre. Remettez vite au frais pour tout à l'heure !

CRUMBLES POMMES-POIRES

🚶 **4 personnes**   ⏱ **30 min**   🔥 **55 min pour la compote**

3 pommes (reinettes)
3 poires (beurré hardy)
1 gousse de vanille (facultatif)
2 bâtons de cannelle
Beurre pour les ramequins
10 g de sucre vanillé

Profitez-en pour confire pommes et poires pelées avec la vanille et 1 bâton de cannelle.
Versez une gorgée d'eau au début de la cuisson, après, sous haute surveillance, la compotée doit se suffire à elle-même pendant 25 minutes.
Ensuite, toujours pareil : beurrez des ramequins, remplissez-les aux 2/3 de fruits (même encore chauds), terminez avec le terreau de pâte en vrac par-dessus. Répandez un peu de sucre vanillé et érigez le bâton de cannelle restant au centre de la pâtisserie.

MISE EN ASSIETTE

Juste avant de préparer les plateaux, je choisis **3 ou 4 figues** plutôt à fleur de peau ; les petites de Solliès, à l'entrée de l'automne, sont beaucoup plus goûteuses que les grosses prétentieuses de Turquie.

À moi de trancher… délicatement et de distiller un coulis de miel – évidemment, pas d'importation qui souvent, est le résultat de mélanges lestés en sucre…

J'ai un faible pour une présentation mi-figue, mi-**raisin :** 1 **grappe** de raisin (muscat ou chasselas) escortant subtilement les minuscules graines de figue consolées par les bulles salivées de miel...

Je ne sais pas vous, mais moi, je commence à avoir la dalle...

Tout est prêt pour garnir mes assiettes friandes, l'apéritif permettra à la tarte de tiédir. J'ai tout loisir d'aller boire une coupe de **champagne,** c'est ce que j'offre : luxe, calme et volupté. Le singe se souviendra de cette marque de raffinement. S'il n'y tient pas, je lui proposerai un whisky ou un verre de côtes-de-Nuits que j'ai sélectionné, mais je ne sors en aucun cas de cacahuètes !

DÉCORATION et FINITIONS de l'ASSIETTE

Pendant que je dresse les marlis, je lance **30 g de pignons de pin** dans une petite poêle chaude, à sec. Je remue et, dès qu'ils ont doré, je les sème sur la broussaille de salades. Je planque 1 œuf de caille, calé au milieu de ce fouillis. Évidemment, j'ai pris la précaution de le laver avant de lui casser son crâne de Caliméro !

Avant de passer à table...
Enfournez tranquillement les petits moules individuels (crumbles) pour 30 minutes... et je retourne côté salle à manger.

Tandis que notre invité forcé ne peut s'empêcher d'exprimer son émerveillement, je respire profondément les fleurs qu'il m'a galamment tendues en arrivant. Le champagne soulève mon plus pétillant sourire et j'arbore une mine des plus détendues – *Ooohh ! ça... non, ce n'est vraiment rien, je suis rentrée tard et je n'ai pas pu faire ce que j'avais prévu, mais la prochaine fois...,* sous-entendu, *je mettrai le paquet.* Mon savoir-faire, étendu à l'infini à ses yeux – puisqu'il fantasmera sur tout ce qu'il m'était possible de préparer si j'en avais eu le temps –, le déprimera. En effet, lui apparaîtra le visage de sa tendre et chère, totalement désemparée devant un œuf et incapable d'ouvrir un bocal de cornichons !

Tout à coup, je me trouble : le dessert ! Doucement. Le temps de cuisson est préenregistré, le four couve les crumbles jusqu'à dégustation... Je vais tâcher de laisser au P-DG. un signe de ma main délicate, une *p*etite *d*élicious *g*âterie. Qu'il garde longtemps en mémoire ce doux mélange sucré-épicé, les deux facettes de ma personnalité. Oh ! je plaisante ! Il va se nourrir des réminiscences de ce repas partagé avec nous. Je vais le séduire avec cet **irrésistible crumble pommes-poires-cannelle.**

À la vue du petit pot de crème fraîche que je glisserai à côté de son entremets encore chaud, il fondra. Et il chassera la grimace systématique de son épouse, en peignoir satin, devant tous les pots de crème – hormis ceux qu'elle fait manger à son visage ravalé... ! Si elle est présente ce soir, même choquée, elle n'osera pas formuler son aversion pour ce gras superflu, je percevrai peut-être un gémissement étouffé ou apercevrai un sourcil épilé se gonfler malgré elle. Mais le petit chef sait que tant qu'il sera sous notre protection, aucune invective ne l'effleurera, alors, il prend des forces pour le moment où il se retrouvera dehors, dans le froid des reproches de sa mariée. Et là, je sais que je peux solliciter au nom de mon mari tout ce que je veux, c'est acquis...
Désormais, c'est moi qui ai tous les pouvoirs, non mais !

Le boss repartira le cœur au ventre, en rêvant à ce qu'il pourra espérer une autre fois... or, il est bien clair pour moi *qu'il-n'y-aura-pas-de-prochaine-fois !* Dans 2 mois, comme il ne saura pas comment nous rendre la pareille avec son élégante manchote, on aura droit au resto et après, tout se tassera très vite.

Comme un fait exprès, mon emploi du temps se resserrera et d'ici peu ne laissera plus une dent creuse s'y intercaler !

Savez-vous que fin 1950, début des années 1960, dans une telle situation, il était recommandé de laisser parler son mari, même s'il exagérait un peu ! Surtout ne pas l'interrompre ! Feindre de découvrir l'anecdote idiote que le directeur racontait avec profusion de détails alors que votre époux vous l'avait résumée la semaine précédente – parce qu'il n'était pas censé divulguer ce qui se passait au bureau... ! Ensuite, il était de votre devoir d'abandonner ces messieurs à leur discussion hautement virile ! Oui, après le repas, madame ne devait pas s'attarder, elle était passible de faire tout capoter si elle s'immisçait dans les affaires d'hommes, voyons... Alors, prétexter le coucher des enfants était une occasion en or pour les laisser aborder les questions d'argent... Mais sans s'éterniser, cela aurait été suspect...

Aujourd'hui ? Disons que si le mandarin de votre époux est une femme, pire, une *belle* femme, redoublez les efforts : loin de se placer en rivale, il faut la charmer à tout prix, pourquoi ne pas s'en faire une amie et devenir le supérieur hiérarchique de votre mari ? Mais, je divague...

Si vous traversez une situation semblable, je sais combien vous êtes pressée, pour ne pas dire stressée, JE VOUS RÉSUME LA LISTE, franchement, je vous mâche le travail !

Pour vous 3, ou 4, si madame la directrice vient aussi...

250 g de beurre doux (2 x 125 g)
300 g de farine (2 x 150 g)
5 aubergines
1 bulbe de fenouil
5 ou 6 artichauts poivrade
1 citron

300 g de champignons de Paris
200 g de pousses d'épinard
200 g de roquette
5 tomates
5 gousses d'ail
300 g de thon au naturel
3 œufs
1 petite louche de crème fraîche
250 g de ricotta
15 copeaux de parmesan
3 ou 4 œufs de caille (au rayon frais, à côté des abats)
Huile d'olive et huile de noisette
Origan
3 ou 4 figues
1 cuillerée à soupe de miel
1 grappe de raisin
25 g de pignons de pin
Sel et poivre

Pour les 4 crumbles
3 pommes (reinettes)
3 poires (beurré hardy)
Sucre vanillé (10 g)
2 bâtons de cannelle
1 gousse de vanille (facultatif)
20 cl de crème fraîche (entière)

Prévoyez **1 baguette au levain ou aux céréales** pour découper des **mouillettes** afin de manger les œufs de caille !

SA MÈRE FAIT UN SOUFFLÉ...
À TOMBER !

Comment rivaliser avec la femme de sa vie, celle qui lui a, non seulement donné la vie, mais a aussi conditionné ses goûts, balisé ses repères ?! Elle est SA référence. Quoi que vous fassiez, vous ne serez que la seconde, celle qui cherche à égaler la première, la pâle réplique qui veut donner le change, entend exister sans qu'il ne vous rebatte les oreilles avec ses remarques désobligeantes et navrées :

Il n'est pas mauvais, ton soufflé, mais je crois que ma mère y met quelque chose... il faudra que je lui demande la prochaine fois qu'elle vient...

Et vous vous dites qu'il faudra que vous la trucidiez la prochaine fois qu'elle remet un pied chez vous, qu'elle sache qui est la maîtresse, ici, vous n'allez pas renoncer à votre amant pour quelques jouissances gustatives dont vous n'avez pas le secret !

Donc, soit vous l'empoisonnez tout de suite, soit vous décidez de ne pas jouer sur le même terrain. Renseignez-vous précisément sur le type de soufflé montgolfière dont elle prétend détenir les ficelles...

Votre seule chance est la nouveauté : votre belle-mère est restée très classique, le nez dans les livres de cuisine débrochés et alourdis par les recettes piochées ici ou là dans *Modes et Travaux*. Elle est essoufflée, bien qu'elle refuse de l'admettre. La Femme actuelle est plus curieuse, plus obstinée... là où d'autres diraient que tout a déjà été fait, vous vous élevez et vous revendiquez : *Non, on peut encore trouver !* Ce que vous faites, d'ailleurs, en élaborant une nouvelle recette de **soufflé,** nouveau modèle de « ballon » que vous rêvez de voir s'envoler avec, à son bord, votre époux conquis dans la nacelle pilotée par sa femme, dépassant l'altitude autorisée, surpassant les performances de Maman !

Le choix des matières premières est primordial : la texture de votre montgolfière doit être, même tendue au maximum, toujours souple, indéchirable. Imaginez les premiers essais d'antan de Belle-Maman où la toile se gonflait trop vite, s'éventrait à peine parvenue à son développement optimal. Aucune faiblesse de la coque n'était épargnée par une cuisson trop rapide ou trop brusque.

Lorsque les blancs, péniblement battus en neige avec un fouet manuel, devaient se rabattre sur la béchamel, il fallait veiller à ne pas les briser. La manœuvre était lente et difficile.

Donc, vous n'avez pas le choix, si ce n'est de devenir la technicienne la plus chevronnée, la spécialiste du soufflé, mais détachez-vous du domaine de Georgette. Prenez votre inspiration et laissez-vous transporter là où ses spatules ne l'ont pas encore battue. Ne cherchez surtout pas à refaire le soufflé qui a fait sa réputation légendaire, vous le payeriez très cher : *Elle croyait peut-être réussir au premier ballon d'essai, rabaisser 30 ans de pratique avec une tentative à la légère, elle ne manque pas d'air !* Ah ! les langues de belles-mères... Non, cherchez un second souffle, une recette inédite à ses papilles, qu'il ne puisse s'établir aucun point de comparaison.

Voyons, elle a défendu à fond les ballons le **soufflé au fromage,** se bornant **au comté,** relevez le défi avec le **chèvre** ! La combinaison **ciboulette-fromage de biquette** prend tout son sens, elle va faire tourner la belle-mère chèvre ! Elle s'en voudra de ne pas y avoir pensé !

À vos commandes !

SOUFFLÉ CHÈVRE-CIBOULETTE

🏃 **4 personnes**   ⏲ **15 min**   🔥 **20 min**

Matériel : 4 moules à soufflé individuels, disons de 6 centimètres de hauteur et de 9 centimètres de diamètre.

40 g de beurre + supplément pour les moules
40 g de farine
40 cl de lait entier
120 g de fromage de chèvre demi-frais
4 œufs frais
1 botte de ciboulette
Graines de pavot bleu concassées (facultatif)
Sel et poivre

Patinez la casserole en laissant fondre doucement le beurre.
Mélangez la farine au beurre.
Activez l'émulsion obtenue en versant le lait, gorgée après
gorgée ; continuez à tourner sur le feu.
Lorsque ce mélange explosif épaissit, commencez à ajouter le
fromage de chèvre, du poivre et un peu de sel (goûtez, car le
fromage est plus ou moins salé).
Laissez refroidir et préchauffez le four à 210 °C (th. 7).
Cassez les œufs en séparant les blancs des jaunes (que vous
mélangez à la béchamel tiède, fléchée de ciboulette finement
découpée et bombardée de graines de pavot).
En un tour de main, battez les blancs après avoir ajouté 1 pincée de sel.
Avec la plus grande précaution, soulevez votre pâte pour l'as-
similer à cette neige carbonique qui, associée au gaz combus-
tible de votre four, fera décoller votre belle machinerie répar-
tie dans les moules beurrés au préalable, pour un atterrissage
sans dommage.
Vingt minutes pour orienter votre aérostat sous les yeux édi-
fiés de la doyenne, qui s'attendait à un ballon d'essai et verra

un zeppelin se diriger sur son assiette tel un obus touchant mortellement sa cible.

Embarquement à table immédiat ! (La mécanique artisanale est la plus belle, mais la plus éphémère).

Un verre ballon de rouge arrosera le voyage...

Restez dans le vent : à la prochaine occasion, lancez un

SOUFFLÉ AU POISSON

(🚶) **4 personnes**   (🍽) **15 min**   (🔥) **40 min**

600 g d'églefin (ou lieu, si vous n'avez que ça sous la main)
4 œufs
1 verre de crème fleurette (ou de lait) tiède
10 g de beurre
Noix muscade
Sel et poivre du moulin

Préchauffez le four à 210 °C (th. 7).

Faites cuire le poisson à la vapeur de 6 à 8 minutes.

Séparez les blancs d'œufs des jaunes.

Une fois le poisson refroidi, émiettez-le et mélangez avec les jaunes d'œufs et la crème fleurette.

Assaisonnez avec du sel, du poivre et de la noix muscade râpée.

Même principe pour tout soufflé : montez les blancs pour les ajouter à l'appareil.

Beurrez un grand moule pour famille unie ou quatre petits pour individus en désaccord...

L'altitude maximale sera atteinte 30 minutes après fermeture et verrouillage du four.

Demandez aux passagers de défaire leur ceinture et de boucler leur serviette autour du cou, sitôt cuit(s) ! La soupape enlevée, Belle-Maman décompresse ?

Et comme vous êtes loin d'être à bout de souffle, vous planerez, poussée par les courants et le **SOUFFLÉ au SAUMON FUMÉ** ! Cette expérience vous hissera à la hauteur d'une toque de maître queux :

SOUFFLÉ AU SAUMON FUMÉ

(🏃) **4 personnes**   (⏱) **20 min**   (🔥) **25 min**

400 g de saumon fumé
4 œufs + 4 blancs
25 cl de crème fraîche
2 pincées de curcuma moulu
Jus de citron (vert si possible)
1 cuillerée à soupe de vodka
Aneth
20 g de beurre
Sel et poivre vert

Hachez le saumon.
Deux écoles s'affrontent : les « vieux jeux » – auxquels vous ralliez peut-être votre belle-mère, mais qui comptent aussi les puristes – et les pressés, défenseurs de la société de consommation et du développement électroménager.

➜ Admettons que vous apparteniez à la seconde classe : dégainez votre machinerie ultraprofessionnelle, votre mixeur pour broyer le poisson fumé.
Ajoutez les œufs entiers, légèrement battus, à la crème fraîche et au saumon déchiqueté.
Gardez la main légère sur le sel, les filets étant déjà imprégnés, mais lâchez le curcuma et le poivre vert.
Manipulez cette combinaison à l'aide d'une spatule souple pendant quelques minutes.
Allumez votre four à gaz à 200 °C (th. 7).
Brassez les blancs d'œufs avec quelques gouttes de jus de

citron dans la cuve munie d'un batteur. Assurez-vous de leur fermeté pour la sécurité de votre aéronef. (Vous aurez noté que beaucoup d'œufs sont nécessaires pour la puissance des réacteurs et arracher, à la force de gravité, le poisson ferré). Liez les blancs volumineux à la crème saumonée, consolidée par la vodka et ligotée avec des branchettes d'aneth.

Aromate préféré du saumon, carminatif apprécié contre les ballonnements redoutés et fameux en infusion : digestion assurée en cas de météo perturbée autour d'une famille en froid...

➜ Beurrez le moule à soufflé dans lequel vous allez embarquer votre préparation, amarrée aux 3/4 pour éviter les chutes par-dessus bord au moment de l'ascension...
Confiez l'appareillage à votre four pour un vol de 25 minutes.
Cueillez immédiatement à l'atterrissage.

Georgette pousse des soupirs, expire sur votre chef-d'œuvre, sous prétexte que c'est trop chaud, qu'elle a failli se brûler...?
Soufflé n'est pas joué !

Gardez votre plus beau sourire, car voilà 3 heures que vous préméditez votre dessert pour le déposer aux pieds de la madone...

SOUFFLÉ GLACÉ AUX FRAISES

(🏃) **6 personnes**　(🍳) **30 min**　(🔥) **3 min**　(🛑) **3 h**

230 g de sucre en poudre
600 g de fraises (ou de pêches, d'abricots, de poires, de framboises...)
5 blancs d'œufs
Jus de citron
2 cuillerées à soupe de liqueur de framboise
25 cl de crème fleurette
Sel (facultatif)

La provocation la fait se glacer pour de bon, même si cet entremets, qui ressemble au vrai soufflé parce que la préparation déborde de son moule, n'est en fait qu'une crème, une mousse glacée, décorée de fruits ou de chantilly !

Je préfère vous donner les proportions pour 6 personnes, parce que je parie ma cuillère en argent que votre beau-père se laissera tenter par une seconde portion et vous, savourant votre victoire, vous soufflerez le dernier petit... ballon !

➜ Préparez un sirop avec 200 g de sucre et 7 cl d'eau. Faites-le cuire jusqu'au « soufflé » : sa densité doit être telle que se forment des bulles sur l'écumoire.

Lavez puis équeutez les fraises (jamais l'inverse).

Passez-en 350 g au mixeur, réservez les autres.

Montez les blancs d'œufs en neige très ferme en y ajoutant quelques gouttes de jus de citron (à défaut, 1 pincée de sel).

Ajoutez-leur la purée de fraises, le sirop et 1 cuillerée à soupe de liqueur de framboise.

Battez la crème très froide en chantilly et ajoutez-la à la préparation.

Découpez six bandes de papier sulfurisé dépassant de 3 centimètres la largeur de vos ramequins et un peu plus longues que leur périmètre.

Chemisez chacun des ramequins avec le papier sur toute sa hauteur : laissez-le dépasser à vide, afin qu'il retienne la préparation débordante que vous répartissez entre les six ramequins.

➜ Laissez au congélateur pendant 3 heures.

Mettez de côté 6 belles fraises et réduisez les autres en purée fine avec le reste de sucre et de liqueur.

Au moment de servir, retirez les bandelettes de papier (qui maintenaient les soufflés durant la congélation), nappez de 1 cuillerée de coulis et déposez 1 fraise coupée en deux dans la longueur (ou entière avec la queue) sur le dôme des soufflés.

Si vous avez des scrupules pour le diabète du beau-père, le cholestérol de la matrone ou la ligne de votre conjoint, vous pouvez envisager une version allégée de votre soufflé :

SOUFFLÉ ALLÉGÉ GLACÉ AUX FRAISES

(🏃) **4 personnes** (⏱) **20 min** (🔥) **pas de cuisson** (🛑) **10 h**

Sucre édulcorant, selon les goûts
600 g de fraises réduites en purée
2 blancs d'œufs battus en neige ferme
Le jus de 1 citron
100 g de fromage blanc à 0 %

Mêmes dispositions que précédemment.
Et faites congeler le tout 10 heures...

Finir en beauté avec un petit dessert qui transportera la cellule familiale désormais arrimée à vos recettes... Votre ascension dans le cœur de votre mari sera inversement proportionnelle à l'estime que vous portera sa mère, même si les cordages extérieurs vous semblent solides et sincères... Même avec beaucoup de bonne volonté, elle ne peut se résigner à couper le cordon ombilical de ce ballon gonflé à l'amour maternel. Dites-vous bien qu'elle rêvera toujours de s'envoler avec fiston, son ballon d'oxygène...

MON MEC
A DU CHOLESTÉROL...

Patraque le week-end : migraines, maux de ventre, l'angoisse d'un ulcère, pousse mon hypocondriaque à consulter ! Pas de bile, le toubib ne détecte de défaillance ni stomacale ni côté foie par contre... il déchiffre un taux de cholestérol anormalement élevé... Abasourdi par le coup qu'il n'a pas vu venir, mon homme vacille, lui qui, certes, a pris un peu poids mais pour la bonne cause : un combat de 6 mois pour arrêter de fumer ! Alors se battre encore pour esquiver attaques cardiaques et accidents vasculaires… Sa pression artérielle redescendue, lui faire avaler le régime qui, cette fois, ne va pas durer 15 jours dans le seul but de rentrer dans son bermuda kaki... Non, c'est *ad vitam aeternam,* enfin si on peut dire parce qu'on ne peut pas vivre toute la vie ! dixit ma grand-mère. Bref, un soutien psychologique s'impose...

Passez-le-moi ! Asseyez-vous, monsieur... aux grands maux, les grands remèdes ! Il va falloir se résigner à regarder de plus en plus loin – là, la presbytie va vous aider ! – le plateau de fromages qui concluait gentiment votre dîner sur le pouce... Je suis formelle : OUBLIEZ vos croissants du dimanche matin, vos tartines amoureusement beurrées des petits déjeuners endormis ! Entre nous, les soufflés de maman commencent à peser dans la balance analytique...
Et ne vous croyez pas à l'abri, sitôt que vous aurez passé le paillasson : vous risquez de morfler à midi, si vous répondez à l'appel de la carte de la brasserie, devenue votre QG depuis 15 ans ! Comment, en 2004, peut-on encore proposer des *œufs durs-mayonnaise* aux tables grasses des bouis-bouis de quartier ?!

Alors que personne – du bébé de 18 mois au vieillard centenaire – n'ignore les ravages du cholestérol ! Passent les pré-
ventions médicales, mais comment trouver du charme, éprouver
une curiosité gastronomique aux contours d'un œuf blafard
coupé en deux, même chapeauté d'un ridicule bonnet de
mayo tournée ?! Et je vous épargne les sempiternelles frites
saturées d'huile en mal de vidange...

Vous avez vu la couleur de votre rôti de porc ? gris... Il stagne
dans la réserve de votre gargote comme il a végété dans l'obscu-
rité noire de son auge, avec le seul objectif de faire du gras...
On ne peut pas lui en vouloir, mais il faut lui ficher la paix !
Désormais, vous allez courir de plus en plus vite après les animaux vifs et rapides (volailles, lapins, gibier...), qui offrent des
muscles effilés et maigres, comparés aux viandes chargées en
toxines dont vous êtes repu (agneau, bœuf, porc...).
Détendez-vous...

Vous avez apprécié votre entrecôte à midi ? Oui ?! Tant mieux...
tendre, n'est-ce pas ? Je ne sais pas si on vous l'a dit, mais le
cheval est une viande délicieuse, parfaite pour vous, puisqu'elle
est maigre... Comment, vous êtes outré d'avoir mangé du
CHEVAL ? Rasseyez-vous et rouvrez ce livre ! Incroyable,
comme cet animal tellement noble et sacré devient tabou et
fait dresser les cheveux sur la tête du moindre quadra chauve aux
veines chargées ! C'est pas moi qui le dis, ce sont vos analyses !

C'est dommage de passer à côté d'un...
tartare de cheval,
surmonté d'une **purée de céleri,**
trottant juste derrière une **salade de brocoli-haricots verts,**
avant de se ruer sur une mousse **aux fruits rouges** !

Je vois bien que vous vous demandez où vous allez trouver du
cheval... Mais sous le sabot d'un bon boucher ! Tous n'ont pas
un étal chevalin, mais un professionnel de confiance vous
indiquera le boucher hippophagique le plus proche. Vous

serez étonné(e) de découvrir une multitude de beaux morceaux (poire, araignée, attention néanmoins aux emplacements très persillés – donc plus gras !). Évidemment, vous aurez du **steak haché** à la demande pour votre **tartare (130 à 170 g par personne).**

Désolée pour le mauvais jeu de mots, mais **pas d'œuf à cheval dessus** : les œufs – mis à part ceux de caille – sont remplis de cholestérol. Un seul toléré par semaine, en comptant ceux planqués dans les gâteaux et préparations que vous consommez...

En revanche, lâchez-vous sur les câpres, indispensables sur le tartare. Si vous ne pouvez pas souffrir de le manger cru, vous pouvez le cuire, votre steak, haché ou pas, mais la viande étant maigre, le temps de cuisson est un peu plus long, car la température doit être moins élevée...

PURÉE DE CÉLERI

🏃 **4 personnes**   ⏱ **20 min**   🔥 **20 min**

1 céleri-rave
400 g de pommes de terre (facultatif)
1 citron
10 cl de lait
Huile d'olive fruitée
Noix muscade
Sel et poivre

Pelez le céleri (et les pommes de terre, si vous craignez, à tort, de vous trouver nez à nez avec la rave), coupez-le en morceaux et faites-le cuire à la vapeur, de préférence, ou dans de l'eau bouillante salée et citronnée pendant 20 minutes.

Récupérez-le, égouttez-le pour l'écraser avec votre vieux moulin à légumes. Imbibez la purée de lait tiède et injectez 1 filet d'huile. Salez, poivrez, muscadez et dégustez !

SALADE CROQUANTE DE BROCOLI-HARICOTS VERTS

Les légumes trop cuits, c'est infâme, immangeable et sans intérêt nutritionnel. Concernant les brocolis, c'est *blette* de ne pas profiter de cette source de vitamine C et de potassium, proclamés anticancéreux. Vous voyez que vous n'êtes pas tout à fait perdu ! Cueillez au marché :

3 personnes   **15 min**   **10-15 min**

1 bouquet de brocoli ou de chou romanesco
1 livre de haricots verts extrafins (soyez tâtillon sur le *calibre*)
Huile d'olive et huile de colza (apprenez à les connaître, à les adopter. Elles vous aideront à combattre votre cholestérol.)
Herbes de Provence
Olives noires
Fleur de sel
Mélange de poivres concassés

Les détails ont leur importance, surtout quand on concentre les ingrédients à l'essentiel : alors, que vos légumes gardent leur vert anglais jusque sous votre plus belle dent en or est la moindre des convenances !

→ Cuisez-les dans de l'eau bouillante salée, sans les couvrir, pour les avoir à l'œil, le couteau sous la gorge jusqu'à ce qu'ils mordent : *al dente.*
Ou à la vapeur : le vitaliseur est parfait pour ce genre de service. Et, aussitôt arrivés à cuisson, rincez-les à l'eau froide.
Disposez-les dans vos assiettes, arrosez-les d'un mélange d'huiles, assaisonnez, équeutez vos herbes, décorez d'olives et appréciez de manger sainement avec une croustillante baguette de pain au levain... !

Ne grimacez pas, c'est le dessert !

MOUSSE DE FRAMBOISES

(♂) **4 personnes** (♨) **10 min** (🔥) **pas de cuisson** (🛑) **2 h**

3 blancs d'œufs
3 cuillerées à soupe de sucre (de préférence : fructose)
4 barquettes de framboises (ou 2 barquettes et 2 autres de
    fraises)
250 g de fromage blanc à 20 % (soulagez votre taux...)

Battez les blancs d'œufs, que vous aurez agrémentés de
1 cuillerée à soupe de sucre, en neige ferme. Tant que vous y
êtes, sucrez les framboises avec 1 cuillerée de sucre ! Mixez-
les (éventuellement, avec les fraises).

➜ Saupoudrez le fromage blanc de la dernière cuillerée de
sucre, puis mélangez avec les fruits et les blancs montés.

Répartissez la mousse dans des ramequins et laissez au réfrigérateur pendant 2 heures.

Si vous ne voulez pas entendre parler de cheval, vous pouvez
vous régaler avec du **lapin aux olives, romarin et ail en chemise.**
L'ail, voilà encore un aliment qui vous veut du bien : il contribue, entre autres, à faire baisser le mauvais cholestérol.

LAPIN AUX OLIVES, ROMARIN ET AIL EN CHEMISE

(♂) **6 personnes** (♨) **10 min** (🔥) **1 h 30**

1 lapin (de 1,5 kg, disons de 3 ou 4 mois)
Au-delà de 2 kg, il s'agit souvent d'une pauvre bête trop vieille !
Plus jeune, vous vous mettrez sous la dent une chair ferme
mais élastique, plutôt blanc rosé, presque nacrée.
Aiguisez votre œil critique : une chair de couleur rouge
dénonce un animal mal saigné, qui se conservera donc difficilement...

3 cuillerées à soupe d'huile d'olive
2 échalotes
2 têtes d'ail
2 branches de romarin
200 g d'olives vertes
Sel et poivre

Pour la garniture
800 g de courgettes
Huile d'olive
Ail
Cerfeuil
Sel

Pour votre lapin, prenez... une cocotte ! Découpez-le, faites revenir les morceaux dans l'huile chaude où les échalotes émincées se dorent.

Tournez la viande sur toutes les faces pendant les 30 premières minutes, cocotte décalottée. Ne râlez pas, ajoutez les gousses d'ail entières et pas dépiautées, le romarin, du sel, du poivre et un peu d'eau. Ensuite, fermez-la ! Et laissez cuire pendant 1 heure, en revenant de temps en temps pour vous assurer que tout va bien. Au besoin, ayez recours à l'eau et, un moment avant la fin, éparpillez les olives.

C'est tout simple, mais très appréciable avec des dés de courgette sautés à l'huile d'olive, plein d'ail (pour remonter le moral des courges), du sel et du cerfeuil ! Bon, je ne détaille pas, vous savez faire !

Je vous vois tellement déprimé avec cette histoire de totaux, vous n'osez plus toucher à rien et avez déjà troqué votre timbale contre votre verre à dents... Ne vous sanctionnez pas trop vite : 1 verre de vin rouge n'est pas contre-indiqué et même reconnu positif sur le système cardio-vasculaire ! Elle est pas belle, la vie ?!

Quoi ? vous trouvez que le lapin a un goût fort... moi, c'est la personne qui vous supporte que je trouve forte, franchement, elle a du mérite, cette bonne âme qui compose avec vos excès – à commencer, de cholestérol – et qui déguste vos intolérances !

Mais vous n'entamerez pas mes ressources : **une pintade à l'alsacienne ? Vous allez voir, c'est rapide et bon pour vous !**

PINTADE À L'ALSACIENNE

Disons que, aujourd'hui, vous n'êtes que 4... Pourquoi ? parce qu'une pintade, c'est pas gros, bêta !

🚶 **4 personnes**　　🕐 **10 min**　　🔥 **30 min**

1 kg de choucroute crue
10 cl de vin blanc sec
Baies de genièvre
1 pintade fermière (on ne peut pas toujours plaisanter !)
500 g de lard maigre
2 cuillerées à soupe d'huile de tournesol
Sel et poivre

Mettez la choucroute dans votre autocuiseur, arrosez de vin blanc (gardez-en un peu) et égrenez les baies de genièvre. Verrouillez la cocotte et laissez-la chanter pendant 10 minutes. Mais pas le temps de picorer du pain dur, ça va barder : ligotez la pintade avec le lard et faites rôtir la bestiole sous toutes les coutures dans un peu d'huile.

Je sais, on n'attrape pas les oiseaux en leur mettant du sel sur la queue, mais on ne sait jamais... et n'oubliez pas le poivre ! Ouvrez la cocotte, pour déposer l'oiseau sur le nid de choucroute, pintez votre pintade d'une rasade de vin et, la tête sous l'aile, laissez-la cuver tranquillement à feu doux, à couvert.

Cuit-cuit : 20 minutes plus tard !

Comme je ne suis pas rancunière – je fais fi de votre mauvaise humeur –, j'ai cherché à vous chérir : **financiers légers aux amandes,** pour vous décrocher de la perfusion... Ça va, non ?

FINANCIERS LÉGERS AUX AMANDES

🏃 **6 financiers**   🍴 **10 min**   🔥 **15 min**

80 g de sucre en poudre
80 g de poudre d'amandes
50 g de farine
40 g de beurre (quantité très limitée, comparée à la recette traditionnelle !)
2 blancs d'œufs (donc débarrassés de leur apport en chol... bon, je n'en parle plus, je sens que ça vous stresse !)
1 cuillerée à soupe d'amandes effilées (pour la décoration)
1 pincée de sel

Préchauffez le four à 180 °C (th. 6).
Mélangez 40 g de sucre avec la poudre d'amandes et la farine.
Faites fondre le beurre à feu doux. Battez les blancs d'œufs en neige avec le sel, puis incorporez le reste de sucre.
Ajoutez délicatement les blancs au mélange précédent, puis le beurre fondu. Soulevez la pâte sans casser les blancs...
Versez la préparation dans 6 moules individuels antiadhésifs ou dans 6 alvéoles en silicone.
Éparpillez les amandes effilées, en décoration, sur chaque financier.
Faites cuire de 10 à 15 minutes. Et dégustez avec un laitage, si cela vous fait plaisir, à 20 % si vous êtes raisonnable...

Vous rouspétez, mais, l'air de rien, vous allez perdre la brioche qui vous ceint la taille et qui vous tenait lieu de bouée sur la plage l'été dernier... et ne vous mettait pas en valeur aux yeux des jeunes créatures que vous ne manquiez pas de reluquer...
Comment, vous ne savez pas de quoi je parle ?! Ttttt...

C'EST LA DÈCHE...
FIN DE MOIS,
MAIS DÉBUT DE SOIRÉE !

24, 25... je ne parle pas de votre âge, mais c'est la fin du mois et, comme toujours, vous êtes à la corde ! Annuler une petite soirée entre potes parce que vous battez la dèche, c'est raide ! Se serrer la ceinture, d'accord, mais se passer des copains et de leurs blagues, même un peu lourdes, c'est dur ! S'il faut attendre de gagner au Loto pour profiter de la vie, merci ! Puisque vous êtes sur le sable, à la pêche d'une idée pas chère mais originale, je vous tends une perche :

GÂTEAU DE SARDINES

C'est pas une blague : c'est facile, réalisable à l'avance, et vous verrez que tout le monde trouvera ça osé, mais sacrément goûteux ! Moi, ça me fait penser aux sandwichs beurre-sardines quotidiens que nous préparait ma tante, la peau badigeonnée d'huile de coco, sur les plages d'Argelès !

🚶 **6 personnes**   🍳 **40 min**   🛑 **2 h**   🔥 **20 min**

3 grosses pommes de terre à purée (bintjes)
18 sardines à l'huile d'olive (il va sans dire !)
2 citrons
15 feuilles de basilic
1 gousse d'ail
1 jaune d'œuf
20 cl d'huile d'olive
Tabasco
2 tomates

Olives noires
25 cl de coulis de tomates au naturel
Sel et poivre du moulin

Pelez les pommes de terre, débarbouillez-les et débitez-les en morceaux. Faites-les cuire dans de l'eau bouillante salée ou, mieux, à la vapeur de 15 à 20 minutes.

Ne ramollissez pas en même temps que les patates : égouttez les sardines, raclez légèrement la peau – pourquoi ? mais parce que c'est plus digeste, voyons ! En parlant de ça, ouvrez-leur le ventre et ôtez l'arête centrale.

Écrasez finement la chair avec une fourchette, rafraîchissez avec le jus de 1 citron et le basilic ciselé. Poivrez et mélangez.

Moulinez les pommes de terre pour les réduire en purée fine.

Préparez un aïoli : pelez et dégermez la gousse d'ail, écrasez-la dans un mortier. Ajoutez le jaune d'œuf, 1 pincée de sel et du poivre fraîchement moulu.

Versez l'huile en fouettant, pour obtenir une sauce type mayonnaise.

Versez la purée, l'aïoli, les sardines écrabouillées et quelques gouttes de tabasco, pour relever la saveur, dans une jatte.

Mélangez sans vous ménager... jusqu'à homogénéité !

Tapissez le fond et les côtés d'un moule à manqué d'un film alimentaire : couchez-y la pâte. Ainsi bordée, tassez-la, tirez bien le drap plastifié pour égaliser la surface, au besoin avec une spatule souple. Couvrez le moule et laissez reposer au réfrigérateur pendant au moins 2 heures.

Au moment de servir, démoulez ce gâteau et retirez le film étirable. Terminez en décorant de fines rondelles de tomate et de citron. Égayez de quelques olives noires et présentez avec le coulis de tomates bien frais, dans un petit pot saucier.

Vous ne supportez pas la sardine ? Attendez, on est à court de fric, mais pas d'idées ! Que diriez-vous d'une **marmelade d'oignons et de flans de foies de volaille ?** On tente ?

MARMELADE D'OIGNONS

(🚶) **6 personnes**   (🥛) **15 min**   (🔥) **1 h**

3 gros oignons (ou 4 plus petits)
40 g de beurre
2 cuillerées à soupe de sucre roux
1 pincée de cannelle moulue
1 cuillerée à café de fond de volaille en poudre

Avantage : vous la préparez quand vous voulez, de préférence à l'avance !

Débarrassez les oignons de leurs peaux mortes et débitez-les en lamelles. Vous pleurez ? je compatis, mais j'ai surtout une pensée émue pour mes congénères porteurs de lentilles : récompensés de vivre dans une purée de pois, nous traversons cette épreuve sans verser une larme...
Mettez le beurre dans une cocotte. Déposez-y les oignons, qui deviennent transparents au contact du beurre et de la chaleur. Ajoutez le sucre, la cannelle, le fond de volaille et 15 cl d'eau chaude. Mélangez et laissez compoter à feu doux pendant 1 heure, en donnant un tour de spatule de temps en temps.

FLANS DE FOIES DE VOLAILLE

(🚶) **6 personnes**   (🥛) **25 min**   (🔥) **20 min**

1 gousse d'ail
200 g de foies de volaille
1 cuillerée à soupe de cognac
Noix muscade
3 œufs
20 cl de crème fraîche
Persil
30 g de beurre
Sel et poivre

Pelez la gousse d'ail – sans risque, cette fois-ci – et écrasez-la. Ôtez les filaments des foies, rincez-les éventuellement et épongez-les, avant de les hacher et de les parfumer avec le cognac. Si vous êtes à court d'alcool, le temps de vous remettre à flot, râpez de la noix muscade. Allumez le four à 150 °C (th. 5). Battez les œufs avec la crème fraîche dans une jatte. Ajoutez les foies, du persil, du sel et du poivre, en continuant à battre. Beurrez six ramequins allant au four et répartissez-y équitablement la préparation. Enfournez-les, au bain-marie, et faites cuire pendant 20 minutes.

Après cuisson, démoulez les flans de foies de volaille, placez-les dans chaque assiette sur quelques feuilles de salade – une batavia ou une feuille de chêne rouge – et déposez 1 cuillerée de marmelade d'oignons dessus. Proposez une vinaigrette à base d'huile de noix, si vous avez fait la fourmi avant d'être dans la situation de la cigale, sinon, votre huile de tournesol fera l'affaire…

Cela vous plaît ? Autrement, si vous recherchez un p'tit plat plus léger – parce qu'être dans la dèche ne signifie pas forcément crever la dalle –, dans le registre abats… à bas prix, il nous reste les gésiers !

Une SALADE (feuille de chêne, rougette, trévise…) parsemée **de GÉSIERS CUISINÉS EN CONFIT à la graisse de canard.** Pour 6, prévoyez bien 500 à 600 g quand même, ça se mange bien ! Ça se trouve où ? Dans votre supermarché préféré : vous dépassez les fruits et légumes, vous vous engagez dans le rayon frais, versant viandes… Mais si, à côté des escalopes de dinde – vous pouvez vous en inspirer **(lanières de dinde revenues à la poêle avec crème fraîche parfumée au curry et servies avec un riz thaï,** c'est toujours bien reçu) –, bon, maintenant, laissez-moi terminer avec mes gésiers : une portion de **compotée d'oignons,** évidemment, des **petits croûtons** – qui vous débarrassent de vos rogatons de pain rassis – et, si ça vous amuse, en cherchant bien, vous devez retrouver 1 poignée de **raisins secs** à qui vous regonflerez le moral en noyant leur blues dans un peu d'**armagnac** – si vous n'avez pas tout descendu la dernière fois que vous étiez au fond du trou !

Sinon, partagez avec eux une petite tasse de thé... au moment de servir, vous les égrènerez sur votre salade !

Assiette plutôt complète : salade, protéines et tout, et tout, sans faire de cours de diététique à la p'tite semaine, il me semble que des **petits fondants au chocolat** ont leur place !

Et puis, je ne sais pas si ça tient au chocolat ou au fait de les présenter individuellement, mais ça fait toujours de l'effet et, franchement, si vous en utilisez un de bonne qualité – avec un pourcentage sérieux de cacao –, vous vous en sortirez plus riche en compliments ! Suivez les yeux fermés la recette offerte par une plaquette connue et reconnue :

PETITS FONDANTS AU CHOCOLAT

6 personnes   **15 min**   **10 min**

150 g de chocolat noir corsé (65 % de cacao) + 12 carrés
1 cuillerée à café de rhum
80 g de beurre + une « mique » (noix) pour les ramequins
100 g de sucre en poudre
5 œufs

Reprenez les ramequins des petits flans de foies de volaille, ne me demandez pas si vous devez les laver, sinon je vous les casse sur la tête !

Une précision importante : ce fondant ne prend tout son sens que s'il est cuit au tout dernier moment, pour être mangé tiède.

Donc, préparez la pâte, versez-la dans vos ramequins beurrés mais ne les enfermez dans le hublot brûlant que 10 minutes avant de savourer.

➜ Faites fondre le chocolat au bain-marie. S'il attache un peu trop à votre casserole, versez une larme de rhum et envoyez le beurre faire opposition, puis le sucre. Remuez.

Séparez les blancs d'œufs des jaunes. Balancez les jaunes dans le mélange en tournant vigoureusement. Montez les blancs en neige. Mélangez le tout avec délicatesse. Déposez 2 carrés de chocolat dans chaque ramequin enduit de beurre, avant de les garnir jusqu'aux 2/3.

Attention : la cuisson ne dure que 10 minutes, ne vous éloignez pas ! Démoulez et servez aussitôt.

Pour fendre, d'un revers de cuillère, la tendre pâte de votre fondant qui s'évanouit dans le creux de votre cuilleron pour se réveiller tout à fait au contact de vos papilles...

On vient de boucler le dessert, mais je m'aperçois qu'on n'a pas réglé le problème de l'apéro... Laissez tomber pistaches et noix de cajou, jamais données : amusez-vous à débiter **carottes, radis, bouquets de chou-fleur, que vous planterez sur des piques en bois pour les présenter en minibrochettes** à tremper, ou non, dans une **brousse salée, poivrée, « fines herbée » et persillée !** Et pour compléter cet apéro végétal, si vous n'êtes pas persécuté par un cholestérol hypertrophiant, pourquoi pas des **chips de légumes ?!**

CHIPS DE LÉGUMES

🏃 **8 personnes**   🍲 **25 min**   🔥 **25 min en tout**

4 pommes de terre
4 navets
3 courgettes
Huile

Épluchez les légumes (excepté les courgettes, dont vous faites juste sauter les extrémités), lavez et déclinez en fines lamelles les pommes de terre, les navets et les courgettes.

Mettez le feu sous une sauteuse et, dès que l'huile est chaude, plongez-y les lamelles de légumes pendant quelques minutes. Repêchez-les à l'aide d'une écumoire et laissez-les s'égoutter sur du papier absorbant, avant de les servir dans un plat, copieusement salées et poivrées !

Les **boutons de culotte,** en amuse-gueule, quand c'est un peu *la guerre des boutons* côté finances, avec un beaujolais, sont des petits chèvres qui peuvent consoler des absences de saveurs plus consistantes !
Côté verres, un **kir léger ou un rosé** accompagneront simplement cette petite soirée sans prétention.

Si vous ne voulez pas vous embarquer dans un menu, dans la série plat unique hypersimple, économique et efficace :

CHILI CON CARNE

🏃 8 personnes　　🕛 20 min　　🔥 1 h 15

3 oignons
4 gousses d'ail
1 poivron rouge
6 cuillerées à soupe d'huile de maïs
120 g de lard fumé
700 g de steak haché
1 grosse boîte de chair de tomate en dés
1 cuillerée à café d'origan
2 cuillerées à soupe de graines de cumin
Tabasco
2 cuillerées à soupe de concentré de tomate
40 cl de bouillon de bœuf
800 g environ de haricots rouges au naturel (2 boîtes)
3 cuillerées à café de chili (variété de piment)
6 branches de persil plat
Sel et poivre

Pelez et émincez les oignons, l'ail et le poivron. Faites-les revenir dans un peu d'huile pendant 10 minutes.

Ajoutez le lard haché au robot et la viande. Laissez rissoler à découvert pendant 5 minutes.

Ajoutez les dés de tomate préalablement égouttés (réservez leur jus). Parsemez d'origan, de cumin, ajoutez quelques gouttes de tabasco, du sel et du poivre.

Délayez le concentré de tomate dans le bouillon et versez-le sur la préparation, ainsi que le jus des tomates. Laissez cuire pendant 30 minutes.

Ajoutez les haricots rincés et égouttés. Mélangez, ajoutez le chili et laissez cuire encore de 30 à 40 minutes. Décorez avec le persil.

Servez ce ragoût très chaud...

Attention aux flatulences, rires assurés...

C'EST LE JOUR
DU CHÂTEAU MARGAUX 64

Dieu n'avait fait que l'eau mais l'homme fit le vin.
Victor Hugo

Voilà 40 ans que le grand cru se la coule douce à l'ombre du vieux fût... Et c'est le départ à la retraite de Monsieur qui le sort de sa torpeur pour expédier illico dans la vie active ce grand millésime ! Oui, mais avant de faire sauter le bouchon, il va falloir se creuser le caisson et répondre à LA question : Qu'est-ce qu'on mange avec ???
Être sous pression peut avoir du bon : d'un premier coup de fourchette, je vous répondrai :

Château Margaux → Plateau d'escargots !
Château Margaux → Tournedos d'autruche !
Château Margaux → Carré d'agneau !
Château Margaux → Rôti de biche au porto !
Château Margaux → Veau Marengo !
Château Margaux → Bombe Tutti Frutti

Bon, ça devrait aller, non ?

PLATEAU D'ESCARGOTS

🏃 6 personnes　　🕐 3 jours　　🔥 2 h 15

6 douzaine d'escargots
Vinaigre
2 carottes
1 oignon

Clous de girofle
Vin blanc (chablis)
Laurier
Thym
Persil
Gros sel et poivre en grains

Pour la persillade
250 g de beurre
6 ou 7 gousses d'ail
Persil plat
Sel et poivre du moulin

Plus qu'à aller ramasser les escargots ! C'est fait ? C'est vrai, vous faites partie des prévoyants, de ceux qui ont connu la guerre et qui connaissent la valeur des choses ! Donc, la dernière fois qu'il a plu, vous avez chaussé vos bottes, enfilé vos cirés et en avant toutes, dans les fourrés ! Il ne faut pas le dire devant tout le monde : les petits-gris sont protégés, les escargots de Bourgogne sont élevés, donc disponibles à la vente... Mais avouez que lorsque vous passez derrière la maison, située dans un coin de campagne bien isolé, et que vous marchez sur des gastéropodes en vadrouille, il est normal que vous vous baissiez pour les ramasser ; marcher sur les limaces... non, mais rassembler une famille de coquilles grenues, curieuses de la vie et sortant les antennes à la première averse... c'est tentant ! En revanche, je vous avertis : il ne suffit pas de regarder ces goitres mousser, il faut les aider à se débarrasser de l'écume des gourds. Ah ! ils vont en baver – vous aussi – et longtemps, au moins 3 jours... avec force **vinaigre (10 cl)** et **gros sel (plusieurs poignées) !**
Oui, il va falloir leur forcer la main, qu'ils crachent tout ce qu'ils savent, autant dire qu'ils ne vont pas prendre leur pied longtemps ! Il est terrible, le petit bruit de la coquille dure frottée sur l'écaille chagrinée du voisin, il est terrible !

Protégez vos mains de la bave visqueuse et collante de ces bestioles spumescentes ! Les gants en latex, pour cette opération chirurgicale, sont parfaitement adaptés, et prévoyez deux rouleaux de papier absorbant pour enrouler le dégueulis gluant !

Je vous préviens, c'est dégoûtant, long et astreignant, vous le ferez une fois, vraisemblablement, mais pas deux !
Vous l'aurez compris, après avoir répété plusieurs fois ces opérations, rincez-les à grande eau. Trois, 4, voire 7 jours de jeûne pour ces créatures hors du commun...

Rincez-les avant de faire exécuter, dès que l'eau bout, le saut de l'ange à vos hermaphrodites, qui frôleront la mort 3 secondes plus tard exactement. Quand ils auront tous bu le bouillon quelques minutes, pleurez-les à l'eau courante ! Paix à leur âme !
Après lavage de cerveau et refroidissement des esprits, récupérez les cadavres flétris, plus petits et gris que jamais, exhumez les corps de leurs coquilles. Mais vous n'êtes pas au bout de vos peines : en voyant l'appendice noiraud, ne tordez pas le nez, tirez doucement dessus pour le couper.
Une fois que vous avez porté cette estocade, avisez un grand faitout, remplissez-le à demi d'eau agrémentée des carottes, de l'oignon, de clous de girofle, de vin blanc, de laurier, de thym, de persil, de gros sel et de grains de poivre... Ils sont coriaces, les cuirassés ! Ils ne livreront pas leur testament comme ça : ils ne s'assoupliront sous la dent – même emmaillotés de beurre et agrafés de persil – que si vous leur laissez 1 h 30 à 2 heures de répit dans le bouillon *post mortem !*

Donc largement le temps de travailler en pommade le beurre, les gousses d'ail (n'hésitez pas : c'est ce qui va identifier cette entrée !), du persil plat, du sel et 5 tours de moulin à poivre. Nettoyez les habitacles de vos victimes, puisque vous allez les remettre dans leur tombeau familial scellé par la plaque de beurre couronnée de persil !

Réchauffez-les pendant quelques minutes pour rendre cette entrée savoureuse plus digeste...

Évidemment, si vous êtes aussi avisé(e) et préparé(e) que je le présume, vous aviez tout fait lors de vos soirées tranquilles, loin de l'agitation du jour J, et vous aviez tout remis aux soins de votre gardien à la tête froide : votre congélateur – alors, vous pouvez vous réjouir de n'avoir qu'à allumer votre four... quelques minutes avant de servir !

Mais nous ne sommes pas rendus ! À présent, vous voulez faire sensation ?

TOURNEDOS D'AUTRUCHE, ANANAS POIVRÉ ET SAUCE AU VIN

(🚶) **6 personnes**   (🍳) **45 min**   (🔥) **20 min**

12 tranches fines de jambon de Bayonne
6 pavés d'autruche
3 ananas Victoria (variété de petits ananas savoureux : très doux et très sucrés, provenant de l'île de la Réunion)
60 g de beurre
30 cl de vin rouge
2 feuilles de sauge
20 cl de fond de veau (instantané)
1 cuillerée à café de poivre mignonnette (poivre grossièrement concassé)
Sel

Pliez les tranches de jambon de Bayonne en deux (dans la longueur) et entourez chaque pavé de 2 de ces tranches, en les maintenant en place avec de la ficelle de cuisine.

Vous n'en avez pas ?!... quoi ? vous n'avez pas fouillé dans le barda de l'Inventaire des ustensiles de première nécessité ?!

Enlevez l'écorce des ananas et coupez-les en tranches de 1 centimètre d'épaisseur environ. Poivrez-les et couchez-les sur un plat, sous le gril du four, à mi-hauteur, pour qu'elles dorent de chaque côté. Réservez au chaud.

Faites fondre 40 g de beurre dans une poêle et saisissez-y les pavés d'autruche pendant 1 minute de chaque côté, puis prolongez un peu leur cuisson de quelques minutes (de 2 à 4, selon votre goût et leur épaisseur).

Retirez-les de la poêle tout en les gardant au chaud.

Jetez la graisse de cuisson et déglacez avec le vin.

Prenez le poivre mignonnette, ajoutez-le avec la sauge et laissez réduire.

Incorporez le fond de veau.

Attendez que le tout réduise, puis passez la sauce au chinois.

Ajoutez le reste de beurre en petites parcelles en remuant et relevez l'assaisonnement.

Servez les tournedos d'autruche avec l'ananas doré, nappés de sauce au vin. Vous apprécierez ce mélange subtil sucré-poivré.

Ah ! Un petit légume qui me donne toujours envie de croquer... **les CROSNES.**

Ils constituent un accompagnement très fin avec une viande.

Si vous ne détenez pas de brosse à légumes, pas de panique :

Faites tremper quelques minutes **500 g de crosnes** dans de l'eau tiède et salée. Égouttez-les, coupez les pointes dures et frottez les crosnes avec du **gros sel** pour les éplucher, avant de les rincer une dernière fois à l'eau claire et fraîche.

Séchez-les dans un linge.

Faites-les sauter à la poêle dans un peu de **beurre fondu.**

Épongez-les et continuez à les cuire à feu doux, dans une casserole, avec **10 cl de bouillon.**

Laissez cuire à découvert pendant 10 minutes. Salez **légèrement,** poivrez et parsemez de **cerfeuil ciselé !**

Vous n'êtes pas tout à fait sûr(e) de votre choix, vous voulez en savoir plus avant de vous décider...

CARRÉ D'AGNEAU ET POMMES AU MIEL DE CHÂTAIGNIER

Le carré, pièce onéreuse mais goûteuse, est l'ensemble des côtes qui constituent un savoureux rôti. Le boucher peut dégraisser un peu le train de côtes et entailler les os des vertèbres pour faciliter le service.

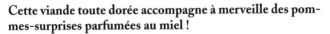

Cette viande toute dorée accompagne à merveille des pommes-surprises parfumées au miel !

🏃 **6 personnes**　🍶 **30 min**　🔥 **1 h 10**

6 pommes cox's orange pippin
30 g de beurre
1 petit verre de cidre
100 g de riz basmati
100 g d'abricots secs
1 bouquet de persil plat
50 g de raisins secs
2 cuillerées à soupe de pistaches
2 cuillerées à soupe de pignons
6 cuillerées à soupe de miel de châtaignier
2 cuillerées à soupe de vinaigre de cidre
1 carré d'agneau
Sel et poivre concassé

Lavez les pommes, essuyez-les et découpez un chapeau au sommet de chacune d'elles. Évidez la chair à l'aide d'un couteau courbé et coupez-la en petits dés.

Mettez le beurre dans une poêle, ajoutez les dés de pomme, arrosez de 1 cuillerée à soupe de cidre et faites cuire à feu doux pendant 10 minutes. Faites cuire le riz dans un peu d'eau salée. Coupez les abricots en dés et ciselez le persil.

Mélangez les abricots, les raisins, les pistaches, les pignons préalablement grillés à sec et le riz égoutté aux dés de pomme.

Salez, poivrez, ajoutez 3 cuillerées à soupe de miel et le persil, puis garnissez les pommes évidées de la préparation.

Allumez le four à 200 °C (th. 7).
Disposez les pommes dans un plat, nappez les couvercles avec 1 cuillerée à soupe de miel, versez le reste de cidre dans le plat et faites cuire pendant 40 minutes.
Mélangez le vinaigre de cidre, le reste de miel et 1 cuillerée à soupe de poivre concassé, puis ajoutez un peu de sel.
Badigeonnez le carré d'agneau de miel au vinaigre, à l'aide d'un pinceau.
Lorsque les pommes sont cuites, réservez-les au chaud et placez le carré d'agneau dans le four. Laissez cuire pendant 20 minutes environ, jusqu'à ce qu'il soit doré, en l'arrosant souvent.
Accompagnez-le des pommes garnies.

Le carré d'agneau, vous l'avez servi à Pâques ? Qu'à cela ne tienne, foncez sur la BICHE, enfin, sur son CUISSOT !

RÔTI DE BICHE AU PORTO

Oui, oh !... ne cherchez pas à vous justifier, vous avez au congélateur une pièce de biche dont il faudrait faire quelque chose... à la longue.

J'espère que vous êtes quelques-uns, parce que c'est un beau morceau, le cuissot ! Le plus simple est d'abord de le désosser, le ficeler et le faire... **mariner pendant 24 heures au frais.**

🏃 **8 personnes**   🍴 **40 min**   🛑 **24 h**   🔥 **2 h**

50 g de beurre
1 cuissot de biche
50 g de cerneaux de noix

Pour la marinade
2 litres de vin rouge (bordeaux ou bourgogne)
10 cl de porto
1 branche de céleri coupée en lamelles
3 échalotes émincées
3 gousses d'ail émincées
10 baies de genièvre
4 clous de girofle
Graines de coriandre
Sauge, thym, romarin et laurier
Sel et poivre

Pour la compote d'airelles
400 g d'airelles
40 g de beurre
1 filet de vinaigre balsamique

Pour les champignons sautés
1 bocal de cèpes
Huile
Persil

Préchauffez le four à 200 °C (th. 7).
Beurrez un grand plat aux bords « remparts » pour recevoir le cuissot et la marinade.
Enfournez et laissez cuire pendant 2 heures.
Pendant ce temps, si vous avez quelques cèpes sous la main, faites sauter le caoutchouc du bocal pour les faire revenir dans un peu d'huile, avec du persil. Ils seront servis avec la viande coupée en tranches et la compote d'airelles, que vous ferez confire doucement dans une casserole avec le beurre et le vinaigre balsamique pendant 15 minutes.
Passez le jus de cuisson du cuissot au chinois avant de le servir sur les tranches de viande. Parsemez des cerneaux de noix.
Servez avec les champignons et la compotée d'airelles.

Soit vous vous la jouez « grand repas » qui n'en finit pas, histoire de marquer cette journée, soit vous battez en retraite... En selle !

VEAU MARENGO

... Justement, la recette du veau Marengo a été créée au XIXe siècle, très exactement le 14 juin 1800, par le chef cuisinier de Bonaparte (excusez du peu !), avec les ingrédients disponibles lors de cette bataille de Marengo, en Italie. Quand je vous dis KIT de SURVIE... c'est pas du flan ! Il s'agit donc, à l'origine, d'un sauté de veau cuit dans une sauce au vin blanc avec tomates et ail. Depuis, les variantes ne manquent pas.

🚶 **8 personnes**   ⏱ **30 min**   🔥 **1 h 30**

800 g d'épaule de veau désossée
700 g de flanchet (autre morceau recommandé pour un ragoût)
3 oignons
4 tomates
300 g de champignons de Paris frais
4 cuillerées à soupe d'huile d'olive
30 g de beurre
2 gousses d'ail
1 bouquet garni
40 cl de vin blanc
2 cuillerées à café de concentré de tomate
1 morceau de sucre
20 olives noires
Persil ciselé
Sel et poivre

Dégraissez et coupez les viandes en cubes.
Pelez et émincez les oignons.

Ébouillantez les tomates quelques secondes, afin d'enlever plus facilement la peau, et écrasez la chair.

Enlevez la peau des champignons en la soulevant à partir du bord, sous le chapeau (en tirant doucement, elle vient toute seule) et coupez-les en lamelles.

Faites-les suer à sec dans une poêle, à couvert. Videz l'eau qu'ils exsudent, puis versez 2 cuillerées à soupe d'huile pour les faire revenir. Salez et poivrez.

D'une façon générale, étant donné que les champignons de Paris n'ont pas un goût très prononcé, je préfère les faire rissoler à part avant de les livrer à mes préparations ou sauces, c'est plus fin... Alors, je ne vous parle pas des boîtes industrielles où ils nagent dans la flotte, beurk !

Faites fondre le beurre dans une cocotte avec le reste d'huile et faites-y revenir les cubes de viande pendant 10 minutes environ.

Retirez-les, pour mettre à leur place les oignons. Cinq minutes plus tard, ils seront rejoints par les tomates, les gousses d'ail pelées et écrasées et le bouquet garni. Salez et poivrez.

Déglacez avec le vin blanc. Ajoutez le concentré de tomate, le sucre (pour confire) et faites réduire pendant 10 minutes.

Replacez les morceaux de veau dans la cocotte, couvrez et laissez cuire pendant 45 minutes.

Ajoutez les olives et prolongez la cuisson de 10 minutes. Saupoudrez de persil avant de servir.

Servir ce sauté de veau avec des **pommes-frites !**

Ensuite, une salade de **roquette à l'huile d'olive,** minée des **graines de 1 grenade...** Feu !

Trêve... de plaisanterie : et le dessert... **Bombe glacée !**

Restons en Italie et concevons une pyramide tutti frutti avec deux ou trois alliés : deux ou trois sortes de glaces, de consistances différentes, moulées ensemble. Le moule est chemisé de glace ou de sorbet et l'intérieur est rempli d'un autre parfum ou d'un parfait (entremets glacé et onctueux, composé d'une forte proportion de crème fraîche, traditionnellement au café).

Le décor est agencé de fruits confits, de marrons glacés, si vous êtes en période plus hivernale, de grains de café au chocolat ou à la liqueur et... de chantilly !

BOMBE TUTTI FRUTTI

🚶 **6 personnes** 👐 **30 min** 🛑 **24 min** 🔥 **pas de cuisson**

50 cl de glace vanille
5 cuillerées à soupe de fruits confits coupés en petits morceaux
2 cuillerées à soupe de liqueur de framboise
50 cl de glace à la framboise
Framboises fraîches
Pétales de rose

Pour la chantilly
40 cl de crème fleurette très froide
4 sachets de sucre vanillé

Prenez un moule à charlotte et laissez-le au réfrigérateur pendant 30 minutes. Sortez la glace à la vanille du congélateur, afin qu'elle ramollisse.

Étalez-la en couche épaisse au fond et contre les parois du moule, à l'aide d'une spatule en caoutchouc.

Remettez au congélateur pour 10 minutes environ, afin qu'elle durcisse.

Éparpillez au milieu les fruits confits et arrosez-les de liqueur. Remplissez la fosse restante de glace à la framboise, en la tassant.

Laissez au réfrigérateur jusqu'au moment de servir.

Préparez votre chantilly avec des ustensiles placés au préalable au congélateur. Mettez des glaçons au fond d'un saladier supportant le récipient où vous battez la crème légèrement sucrée et vanillée, au fouet, jusqu'à ce qu'elle mousse et marque l'empreinte du fouet !

Au dernier moment, démoulez la glace, ornez de chantilly et déposez des framboises et des pétales de rose...

Mama mia, la bombe est prête à être amorcée !

En bon officier, posez le Château Margaux et débouchez un champagne rosé pour fêter cette retraite, avant de vous replier ! Vous avez fait honneur à votre grand vin et à votre carrière : même si vous êtes passé(e) près de la mutilation en frôlant un plan de restructuration – on n'est jamais à l'abri dans les tranchées –, vous partez maintenant avec les distinctions civiles et militaires conformes à votre rang, mon colonel ! Nous sommes fiers de vous !

La rigueur a toujours été votre cheval de bataille, aujourd'hui vous êtes récompensé(e), vous pouvez vous abandonner à vos dadas...

Repos !

L'EX-CORDON-BLEU ITALIEN DE MON MARI VIENT CHERCHER SON FILS...

Je suis toujours aux quatre cents coups quand Anna, son ex, débarque de sa Vénétie natale, Vénus au sourire aussi large que la baie de Naples ! Alors qu'il achevait ses études d'architecture, cette créature en fusion, férue d'archéologie, avait ébloui mon futur mari, faisant irruption dans son existence au printemps de sa vie d'homme. Séduit par cette nature indomptable, avant d'être fatigué par ce phénomène toujours en activité ! Non contente d'être toujours sur la brèche, œuvrant pour son entourage avec une énergie débordante, elle faisait feu de tout bois, cherchant ce qui pouvait attiser son insatiable suractivité. Rapidement, de la bouche de ce Vésuve, une lave de reproches avait jailli. Cette attitude strombolienne avait fait sortir mon homme de ses gonds, lui d'un tempérament plutôt stoïque, quand elle avait placé sur le cratère leur petit garçon né peu de temps après leur rencontre. Sa paternité dénigrée, il avait pris peur : l'impact des roches filiales pourrait être dévastateur. Sous les projections de semonces, il s'était vu propulsé dans la tombe avant l'heure. Ne maîtrisant plus ce séisme destructeur, il avait préféré renoncer à la beauté incandescente de sa chevelure vénitienne ignée plutôt que de succomber aux flammes de son caractère volcanique.

Quelques années plus tard, alors qu'il prenait du recul en France, vivant dans son minuscule deux-pièces-cuisine encombré de livres, je l'avais croisé au hasard d'une conférence sur l'art gothique en Catalogne... Il m'avait fallu beaucoup de temps pour apprivoiser cet homme redevenu taciturne et solitaire après ce premier mariage sous les bombes fleuries *e tutti quanti* !

Depuis que leur union avait débouché sur une collision, leurs relations semblaient en sommeil, les tensions avaient disparu, laissant place à un soleil radieux... Et force m'est de constater, chaque fois qu'elle presse le bouton de ma sonnette et arrive en trombe chez nous, que cette femme est une bombe toujours aussi magnifique sous les braises qui couvent.

Je ne peux m'empêcher de mesurer mes talents à ceux de cette rivale... Je veux avoir raison de cette *salse*. Aussi, je me targue de cuisiner à l'italienne pour défier la maîtresse en ce domaine. L'air de rien, je sors quelques ***antipasti***, amuse-gueule préparés la veille pour faire taire la grande gueule... Cela permet de grignoter agréablement, et surtout autre chose que les cochonneries habituelles, tout en buvant un verre.

POIVRONS ROUGES AUX ANCHOIS

🏃 6 personnes   🍴 15 min   🔥 30 min

4 poivrons rouges
15 filets d'anchois
Huile d'olive

Préchauffez le four à 220 °C (th. 8).
Lavez les poivrons et placez-les entiers dans le four, sur la lèchefrite. Laissez cuire pendant 30 minutes environ, en surveillant : la peau des poivrons va peu à peu se plisser, se boursoufler et presque se décoller.
À la sortie du four, armé d'une fourchette et d'un couteau, prélevez la peau, pour ne garder que la chair, que vous allongerez en larges pans sur une assiette.
Étalez par-dessus des filets d'anchois conservés dans du sel ou de l'huile d'olive. Arrosez d'huile, et puis c'est tout.

À déguster enroulés sur une pique en bois, ou allongés sur une tranche de pain.

PARMESANES D'AUBERGINES

(🏃) 6 personnes   (🍸) 15 min   (🔥) 10 min

2 aubergines
Huile d'olive
Origan
Sauce tomate
Mozzarella
Parmesan
Fleur de sel

Taillez les aubergines **non pelées** en tranches de 1 centimètre d'épaisseur. Profitez de la chaleur du four (après les poivrons, par exemple).

Disposez-les sur la tôle habillée de papier d'aluminium, barbouillez-les d'huile et saupoudrez de fleur de sel.

Encastrez la tôle sous le gril (pas trop près, à une dizaine de centimètres, pour ne pas les brûler) et faites griller les tranches d'aubergine pendant 5 minutes, jusqu'à ce qu'elles soient bien dorées. Mi-temps. Retirez la tôle, retournez les tranches, badigeonnez à nouveau d'huile, égrenez un peu de sel et effeuillez de l'origan. Remettez au four pour quelques minutes de bronzage.

Sortez la tôle du four, étalez sur chaque tranche 1 cuillerée de sauce tomate, 1 hostie de mozzarella et 1 pincée origan-parmesan.

Un mot sur l'**origan,** tout de même, qui est une des rares herbes aromatiques meilleures séchées que fraîches. En fait, c'est une variété sauvage de marjolaine, et sa saveur est plus prononcée, entre la menthe et le basilic. Il épouse la tomate à toutes les sauces ! Et vous, adoptez-en une branche pour la marier à votre huile d'olive, entente assurée ! Et ajoutez-le plutôt en fin de cuisson, pour profiter de son doux parfum…

COURGETTES GRILLÉES AU THYM FRAIS

🏃 6 personnes   ☕ 10 min   🔥 10 min

5 petites courgettes
Huile d'olive
1 cuillerée à soupe de thym frais
Fleur de sel

Même procédé que pour les aubergines. Préchauffez le four à 200 °C (th. 7) pendant 15 minutes.

Coupez les courgettes en fines lamelles dans le sens de la longueur, puis allongez-les sur une feuille de papier d'aluminium sur la tôle du four. Aspergez-les d'huile, saupoudrez de grains de sel et faites cuire au four pendant quelques minutes.

Quand elles sont dorées, retournez-les avec des pincettes ! Resalez et remettez dans le four de 3 à 4 minutes.

Quelques gouttes d'huile et saupoudrez de thym.

Oui, il ne me restait qu'à exceller avec **un risotto... au safran, pour accompagner, fidèle à la tradition, un osso-bucco !**

OSSO-BUCO

🏃 6 personnes   ☕ 25 min   🔥 1 h 55

90 g de beurre
4 cuillerées à soupe d'huile d'olive
6 rouelles de jarret de veau très épaisses (arrière, si possible : plus riche en moelle)
2 échalotes émincées
1 branche de céleri émincée
2 carottes coupées en fines rondelles
1 litre de bouillon de volaille
6 tomates pelées, épépinées et concassées
1 cuillerée à soupe de concentré de tomate
Sel et poivre du moulin

GREMOLATA

Le zeste râpé de 2 citrons
3 gousses d'ail coupées en tout petits morceaux
Persil plat ciselé

Faites fondre le beurre dans une grande sauteuse, avec l'huile, à feu doux.

Dès que le mélange est bien chaud, déposez-y les rouelles et faites-les dorer quelques minutes de chaque côté. Réservez-les dans un plat. Salez et poivrez.

Faites revenir les échalotes, le céleri et les carottes dans la sauteuse.

Ajoutez alors 20 cl de bouillon de volaille (maison) et laissez cuire à découvert, jusqu'à ce que le liquide ait réduit.

Remettez les rouelles de jarret dans la sauteuse, ajoutez les tomates, le concentré de tomate et du bouillon (au-delà du niveau de la viande), avant de couvrir (mais pas complètement).

Fichez-lui la paix pendant 1 h 30, jusqu'à ce que la chair se détache presque des os.

Veillez cependant à ce qu'il y ait toujours suffisamment de bouillon, quitte à en ajouter : le feu doit être très doux, pour que la sauce soit onctueuse.

Je débouche une bouteille de chianti riserva pour apprécier ce plat d'hiver.

Pas pressée pour préparer la **gremolata :** pour hacher ensemble les zestes de citron, l'ail et du persil, il ne me faut pas 2 heures ! Mais je préfère que tout soit prêt à assembler au dernier moment !

Après plus de 1 heure de cuisson de l'osso-buco, je lance le risotto !

RISOTTO

3 règles fondamentales pour réussir le risotto :
– ne pas trop ajouter de liquide à la fois ;
– ne pas ajouter de liquide avant que ne soit absorbée la quantité précédente ;
– et, surtout, remuer encore et toujours !
Pour le risotto, **ne rincez jamais le riz :** vous perdriez l'amidon nécessaire à la réussite de ce plat !

🚶 **6 personnes**   🍴 **25 min**   🔥 **30 min**

1,5 litre de bouillon de volaille
2 pincées de safran en filaments
2 cuillerées à soupe d'huile d'olive
2 échalotes
300 g de riz italien *arborio*
60 g de beurre
Parmesan râpé
Fleur de sel

Très riche en gluten, le riz *arborio* est cultivé dans la vallée du Pô… Une variété de riz à grains moyens qui absorbent de grandes quantités de liquide – sans se transformer en bouillie – pour donner un risotto à la fois *al dente* et crémeux à l'extérieur. Bref, considéré comme l'un des plus fins, ne cherchez pas !

➜ Versez le bouillon dans une grande casserole. Faites chauffer et maintenez à température pendant la cuisson du risotto. Prélevez la valeur d'un bol (20 cl), auquel vous ajouterez le safran, que vous laisserez infuser.
Mettez l'huile dans une poêle à fond épais. Dès qu'elle est chaude, ajoutez les échalotes émincées et laissez cuire jusqu'à ce qu'elles deviennent translucides.
Ajoutez quelques grains de sel, puis le riz, que vous mélangerez

sans vous arrêter les premières minutes, pour bien enrober les grains d'huile, ce qui évitera qu'il ne colle.

Ajoutez du bouillon lorsque le riz est brillant et translucide à son tour, et faites cuire sans cesser de tourner, jusqu'à ce que le riz ait tout bu.

Ajoutez 1 nouvelle louche de bouillon et remuez régulièrement, toujours à feu doux.

Surveillez et goûtez en permanence, pour savoir si vous devez renouveler le geste remue-bouillon. Normalement, moins de 20 minutes sont nécessaires à la cuisson.

Ajoutez le bouillon safrané en fin de cuisson : le risotto doit avoir une consistance crémeuse.

Incorporez le beurre par petits morceaux, hors du feu. Couvrez et laissez reposer pendant 2 minutes.

→ **Profitez des 5 dernières minutes de cuisson pour ajouter de la gremolata sur les rouelles de veau.** J'en saupoudre toujours après, sur les assiettes une fois garnies.

Pendant ce temps, rectifiez l'assaisonnement du risotto. Servez aussitôt, en couronnant le tout de parmesan !

Si je ne me sens pas d'humeur à tant d'attention, j'opte pour une **POLENTA,** aussi typique et simple à préparer en utilisant une polenta précuite de bonne qualité. Il suffit de suivre les instructions livrées sur l'emballage...

POLENTA PRÉCUITE

(🏃) **4 personnes**   (🍲) **5 min**   (🔥) **10 min**

**60 g de polenta précuite par personne
Sel**

Faites bouillir 4 volumes d'eau salée pour 1 volume de polenta. Versez-y lentement la polenta, en remuant sur feu vif, jusqu'à ce qu'elle épaississe.

Mais si je suis un peu plus courageuse, je pratique préparation et cuisson traditionnelles :

POLENTA TRADITIONNELLE

🏃 **6 à 8 personnes** ✋ **55 min** 🔥 **50 min** 🛑 **1 h**

1 litre d'eau
150 g de farine de maïs à grosse mouture
1 1/2 cuillerée à soupe de sel de mer

Versez l'eau dans une grande casserole à fond épais et portez à ébullition sur feu vif.
Ajoutez le sel et remuez vigoureusement.
Saupoudrez de farine de maïs en brassées régulières, en remuant sans cesse avec un fouet, tout en veillant à maintenir l'ébullition. Si des grumeaux pointent leur nez, écrasez-les aussitôt contre les parois de la casserole !
Une fois que toute la farine est imbibée, baissez le feu et remuez constamment avec une cuillère en bois, en soulevant le fond de la préparation vers la surface.
Continuez à remuer de 40 à 45 minutes, jusqu'à ce que la bouillie forme une masse qui se détache des bords.
Pour servir la polenta, mettez-la, chaude, dans un bol rincé (ou des ramequins), attendez quelques minutes et démoulez pour obtenir un joli dôme (ou de petits pâtés) de bouillie dorée.

Vous pouvez la préparer à l'avance, la couper en carrés et la faire griller ou rissoler.
Habillez d'un film alimentaire une plaque à pâtisserie (ou celle du four). Versez la polenta toute chaude sur la plaque et étalez-la à l'aide d'une spatule. Couvrez et, une fois refroidie, placez-la au réfrigérateur jusqu'à 1 heure avant de la servir. À ce moment-là, allumez le gril du four et chantournez dans la polenta des pièces de 8 centimètres de diamètre, que vous

placerez sous le gril pendant 3 minutes, pour qu'elles dorent de chaque côté : 1 galette par personne et le tout le monde est content !

Je ne vous cache pas qu'il faut un peu de temps et de vin pour éteindre le feu des histoires passées, et, enfin comblés, laisser décanter les aigreurs fielleuses pour laisser place aux douceurs...

Lorsque mon regard se pose sur *Anna*, l'admiration me tire par la manche : la blancheur de sa peau, comparée à ma peau mate, me fait penser au dessert dont mon tendre se régale, le **TIRAMISU** – qui, par ailleurs, veut dire « tire-moi vers le haut » ! Oui, cet entremets me remonte aussi le moral : cette réussite tient à l'équilibre parfait entre le moelleux de la crème, le chocolat poudré et le café corsé : un trio harmonieux...

TIRAMISU

L'avantage est qu'il se prépare – tout comme moi à cette occasion – la veille. Bien protégé sous un film alimentaire – moi, sous mon masque « détente » –, il prend le temps de fondre ses parfums et ses textures, tandis que moi, je fais le point...
Et nous sortons du *froid* – le tiramisu et moi – au moins 10 minutes avant de servir...

🚶 6 à 8 personnes   🍴 45 min   🔥 10 min   🛑 2-3 h

5 jaunes d'œufs
180 g de sucre en poudre
4 cuillerées à soupe d'amaretto (liqueur d'amande italienne)
35 cl de crème fraîche entière très froide (les allégées ne montent pas en crème fouettée)
300 g de mascarpone à température ambiante
Cacao non sucré
600 à 700 g de biscuits à la cuillère
30 cl de café non sucré et très corsé

Battez les jaunes d'œufs et le sucre dans une jatte étroite, pour obtenir une crème pâle qui retombe en ruban.

Faites chauffer de l'eau dans une casserole. Lorsqu'elle frémit, posez le saladier dessus et continuez à fouetter, afin que le mélange soit mousseux. Parfumez avec l'amaretto. Fouet et bain-marie permettent à la crème de devenir plus ferme.

Puis enlevez le saladier du bain-marie et continuez à remuer. Versez la crème fraîche dans un récipient reposant sur un lit de glaçons. Faites-vous remplacer par le fouet électrique pendant 5 minutes !

Pendant ce temps, battez le mascarpone, pour l'assouplir, puis ajoutez-lui la première préparation et la crème fouettée, en tournant de bas en haut.

Je préfère proposer le tiramisu en ramequins individuels, plus présentables qu'en grand plat familial...

Étalez un peu de la crème obtenue dans vos petits plats. Poudrez d'un film de cacao.

Trempez les biscuits à la cuillère dans le café froid, juste pour les imbiber, avant de les placer, serrés, sur la crème cacaotée. Recouvrez ladite préparation encore d'une averse de cacao et de une nouvelle couche de biscuits imbibés... Crème, cacao... Il n'y a plus qu'à placer au réfrigérateur avant de servir...

Je vois déjà l'homme de MA vie fermer les yeux pour savourer ce dessert fait avec amour ! Ah !... je respire !

Plus qu'à préparer un **CAPPUCCINO CREMOSSO** :
Faites un espresso (une tasse de café remplie aux 3/4 par personne).

Faites mousser du lait en le chauffant à la vapeur du percolateur. Ensuite, versez (sur le café) le lait chaud **liquide,** en retenant la mousse avec une petite cuillère. Laissez la mousse glisser et se déposer à la surface du nectar. Saupoudrez de 1 pincée de cacao.

Chacun trempe ses lèvres dans cette écume des bons jours...

MES VOISINS ME RENDENT SERVICE... JE LEUR OFFRE L'APÉRITIF !

Rien ne m'énerve plus que d'être incapable de me débrouiller toute seule pour bricoler. Quand je dis bricoler, je pense surtout à mon vélo qui, non content d'être devenu mon moyen de locomotion depuis un certain mois de décembre..., me joue des mauvais tours...

À la malchance de crever en plein boulevard parisien et de traîner, le pneu en déroute, la carcasse de cet engin devenu impotent s'ajoute l'effort ultime de le hisser au cinquième étage... sans ascenseur, puis la honte de ne plus avoir de ressort, littéralement à plat, pour démonter cette roue de mauvaise fortune ! Impossible de donner le tour de vis nécessaire pour déboulonner la chaîne de transmission, les pignons sur les dents, depuis que ma mésaventure m'a fait dérailler. Je jette un coup d'œil à mon balluchon à cran... autant que moi ! Déroutée, il ne me reste qu'à tirer la sonnette d'alarme de mes plus proches et non moins serviables voisins ! Penaude, j'explique que la poigne me fait défaut à mesure que la colère m'envahit et que j'aurais bien besoin d'un petit coup de main... Le grand monsieur du dessus me répond aussi spontanément que mon pneu a éclaté, le pas emboîté par le jeune homme d'en face, toujours disponible pour rendre service.

Heureusement pour moi, leur bonne humeur est proportionnelle à mon agacement. Avec un sourire concurrençant le plus plébiscité des dentifrices, les voilà sur mes talons pour expédier en un tour de main la chambre à air dans mon évier... encore encombré de ma dernière tasse de thé, l'humiliation me poursuit ! C'est l'engrenage ! Arrive le moment de sortir mon attirail de réparations, et là, le bât blesse encore : j'extirpe la vieille trousse dans laquelle mon fourbi est enfermé, verrouillé à jamais par... la glu à Rustine ! Je m'acharne, le rabat résiste, avant de me céder un pauvre tube de colle déformé, vidé de sa substantifique moelle... à sec !

Sur le point de déjanter, il m'est terrible d'avouer mon impuissance, combinée à mon incompétence crasse. Craignant que, déroutés, ils ne me clouent sur place, je les suis d'un regard perdu partir et revenir d'un pas aussi alerte que mon boyau est à vif... les mains pleines d'accessoires aussi astucieux que pratiques ! En un rien de temps, je vois mon biclou remis sur pied ! En perte de vitesse totale, je ne sais plus où me mettre, incapable même de remplir un rôle d'assistante, débordée par la recherche de remerciements à la hauteur de leur dévouement. Que faire pour me dédouaner de cette aide aussi généreuse que gênante ? Je ne vois qu'un apéro bien ficelé en retour de leur service après pente...

Je retrouve mes esprits à temps, une seconde avant de les voir disparaître dans leurs appartements si bien tenus, pour les convier à partager la gourde du minable Tour du boulevard Sébastopol !

Mes neurones se reconnectent, un brainstorming avec moi-même m'amène sur les traces d'un **cake salé chèvre, menthe et raisins secs.**

Un p'tit coup d'œil à mon horloge, 10 minutes de préparation et, pendant la cuisson, je pourrai peut-être mettre un curry d'agneau sur le feu, au cas où l'apéro se prolongerait...

CAKE SALÉ CHÈVRE, MENTHE ET RAISINS SECS

🏃 **6 personnes**   🍽 **25 min**   🔥 **45 min**

Pourquoi 6 ? mais parce que les moitiés de mes voisins vont se joindre à nous et que mon tendre et cher, sur qui je n'ai pas pu compter pour mon dépannage, lui, comptera bien manger sa part de cake, donc le... compte est bon !

20 g de beurre
60 g de raisins secs
3 gros œufs
220 g de farine
1 sachet de levure chimique
10 cl d'huile d'olive
10 cl de lait
200 g de chèvre frais (vous savez, genre Petit Billy)
10 feuilles de menthe fraîche
100 g de comté râpé
Noix muscade (facultatif)
Sel et poivre du moulin

L'efficacité qui vous a manqué tout à l'heure vous submerge à nouveau : allumez le four, braqué sur le thermostat 6 (180 °C) et, de l'autre main, habillez votre moule à cake de papier sulfurisé.

Le gimmick consiste à beurrer d'abord le moule, puis à y placer du papier sulfurisé, de préférence aux dimensions : appuyez sur toutes les surfaces avant de décoller le papier, que vous retournez, face non beurrée, contre les parois...

➜ Cherchez le fond de raisins qui n'en finissent plus de se dessécher dans leur Cellophane non étanche et ranimez-les dans un peu d'eau au fond d'une casserole : l'urgence exige de faire bouillir jusqu'à évaporation.

Mélangez – au fouet électrique si vous êtes sur la jante, ou au robot – les œufs entiers avec la farine, la levure, l'huile, le lait, du sel et du poivre dans une jatte.

Désagrégez le chèvre au-dessus de la pâte, ajoutez la menthe taillée, les raisins regonflés et le comté râpé grossièrement.

Réajustez l'assaisonnement : sel, poivre, pointe de muscade, si vous ne craignez pas de percer le chèvre à jour...

Rassemblez le tout délicatement, déversez votre pâte à modeler dans son moule et laissez gonfler au four pendant 45 minutes. Servez tiède... Ça tombe bien !

Une recette de canapés vite expédiée me revient en mémoire.

PETITS PALMIERS AUX PISTACHES

🏃 **20 palmiers**   ⏲ **25 min**   🔥 **15 min**

150 g de pistaches
5 cl d'huile d'olive + supplément pour la plaque
250 g de pâte feuilletée (1 rouleau)
Fleur de sel

Réduisez en poudre les pistaches, ajoutez peu à peu l'huile, pour obtenir une pommade que vous maintiendrez au frais.
Déroulez la pâte (il est évident qu'elle reposait toute prête dans votre réfrigérateur, achetée lors de votre dernière escapade coursière).
Puisque rien ne tourne rond aujourd'hui, essayez de lui redonner une forme carrée, mais non, je n'ai pas que l'esprit tordu, vous allez comprendre...
Tartinez ce grand carré avec la préparation aux pistaches.
Roulez maintenant un côté du carré jusqu'à la moitié, puis roulez l'autre côté. Vous y êtes ? Remettez au frais un moment, pour que le rouleau se tienne.
Préchauffez le four à 240 °C (th. 8).
Découpez délicatement des tranches de 1 centimètre d'épaisseur dans la pâte. Disposez ces petits palmiers sur une plaque à pâtisserie légèrement huilée, saupoudrez-les de fleur de sel et enfournez pour 15 minutes environ. Surveillez tout de même...
Dégustez chaud ou tiède !

Vous voyez, tout se met en place !
Je commence à me ravigoter et je me dis qu'en cas de manque

de pistaches, je leur propose des **blinis** pour tartiner les **foies de morue** qui se morfondent depuis des lustres dans leur vieille boîte. S'ils sont allergiques à la morue ? Je ne sais pas, moi, alors... peut-être des **œufs de lump,** des **anchois,** une **tapenade** qui marine dans son petit pot, un reste de **tarama** que mon amoureux avait failli cravater en douce, un **dip...** ? Allez, on a toujours quelque chose à étaler dessus... !

BLINIS

🏃 **24 pièces**   ✋ **15 min**   🛑 **1 h**   🔥 **2-3 min par pièce**

350 g de farine
20 g de levure de boulanger (la moitié de 1 cube acheté chez le boulanger !)
50 cl de lait tiède
3 œufs
3 cuillerées à soupe d'huile de pépins de raisin
1/2 cuillerée à café de sel

Préparez le levain : mettez 75 g de farine et la levure délayée dans 1/2 verre de lait, dans un grand bol.
Ajoutez du lait jusqu'à ce que la boule soit molle.
Couvrez jusqu'à ce qu'elle double de volume (dans un endroit chaud, pour aller plus vite, sinon à température ambiante).

Un peu plus tard, mettez le reste de farine dans une terrine.
Séparez les blancs d'œufs des jaunes. Ajoutez ceux-ci, 1 grosse pincée de sel et le levain à la farine.
Délayez – et il y en a bien besoin ! – avec le reste de lait (tiède, toujours) jusqu'à obtention d'une pâte bien lisse.
Incorporez l'huile.
Battez les blancs en neige et ajoutez-les à la pâte.
Couvrez d'un torchon et laissez reposer (mais ce n'est pas nécessaire : l'huile de pépins de raisin assure une bonne homogénéité).

Versez 2 cuillerées à soupe de pâte, pour chaque blini, dans une poêle antiadhésive bien chaude (sans courir acheter une spéciale blinis !) ; 2 ou 3 peuvent cuire en même temps par poêlée, à condition d'espacer les louchettes...
Surveillez attentivement, comme pour les crêpes : 2 ou 3 minutes de cuisson suffisent !

Vous savez que ce n'est pas la mer à boire de faire du tarama, le plus difficile est de harponner des œufs de cabillaud fumés, à débusquer plus facilement dans les épiceries grecques !

TARAMOSALATA

🚶 6 personnes   🍺 10 min   🔥 pas de cuisson

300 g d'œufs de cabillaud (ou de mulet) fumés
100 g de pain de mie
2 cuillerées à soupe de lait
Huile d'olive
2 ou 3 cuillerées à soupe de jus de citron
Poivre

Mettez les œufs de poisson dans une terrine.
Émiettez le pain de mie dans le lait, humectez-le, puis pressez-le pour l'ajouter aux œufs.
Versez de l'huile au-dessus en mélangeant assez vivement, comme pour la préparation d'une mayonnaise, à l'aide d'une spatule.
Ajoutez le jus de citron, pour assouplir encore la consistance de la préparation.
Poivrez et maintenez au frais jusqu'au moment de la dégustation. (Proposée avec des rondelles de citron).

Maintenant que mes batteries sont rechargées et pendant que le cake soulève de bonnes odeurs, je m'engage sur la route d'un...

CURRY D'AGNEAU

Toujours pareil, après avoir farfouillé dans le bac de mon congélateur, j'en ai ressorti pour 6 :

(飛) 6 personnes **(🖐) 45 min** **(🔥) 1 h 30**

1 poivron rouge
1 poivron vert
4 tomates bien mûres
6 gousses d'ail
2 à 3 cuillerées à soupe d'huile d'arachide
1,2 kg de gros cubes d'épaule d'agneau dégraissée
2 oignons
3 cuillerées à soupe de pâte de curry *mild* **(« doux »)**
    (ou poudre de curry)
1/2 cuillerée à café de curcuma
1/2 cuillerée à café de coriandre en poudre
1/2 cuillerée à café de piment de Cayenne
1 pomme verte
3 cuillerées à soupe de crème fraîche
50 g d'amandes mondées
Sel

Occupez-vous d'abord des légumes. Retirez l'appareillage des poivrons (pédoncule et graines), lavez-les et réduisez-les en petits carrés.
Ébouillantez les tomates pour les peler et les charcuter en éliminant les graines.
Pelez les gousses d'ail, avant de les hacher.
Faites chauffer l'huile dans une cocotte et faites-y revenir les morceaux de viande.
Pendant qu'ils dorent, pelez et émincez les oignons. Ôtez la viande, réservez-la et faites cuire doucement les oignons.
Ajoutez la pâte de curry (ou la poudre), que vous délaierez dans un peu d'eau chaude.

Remuez et remettez la viande. ajoutez les tomates, la pulpe d'ail et toutes les épices.
Salez, ouvrez la vanne d'eau jusqu'au niveau de la viande, couvrez et baissez le feu : vous avez 1 h 15 devant vous...

Largement de quoi mitonner un petit dessert...
Ah ! juste 15 minutes avant de servir, dispersez la pomme pelée et coupée en dés et versez la crème fraîche et les amandes mondées.
Servez très chaud, avec un riz basmati persillé de bribes de brocolis cuits à la vapeur et assaisonné de graines de sésame.

Vous pouvez aussi bidouiller un condiment souvent apprécié.

BROUSSE AU CONCOMBRE RESSAISI DE MENTHE FRAÎCHE ET BASILIC

🏃 **6 personnes**   ✋ **10 min**   🔥 **pas de cuisson**   🛑 **1 h**

2 petits concombres
1 cuillerée à soupe de moutarde (facultatif)
200 g de fromage frais de brebis (brousse) (à défaut, de la ricotta)
2 branches de menthe fraîche
2 branches de basilic
Sel et poivre concassé

Pelez les concombres et détaillez-les en petits cubes. Disposez-les dans une assiette et saupoudrez-les de sel. Laissez reposer au frais pour qu'ils rendent leur plus grande réserve d'eau.
Si vous voulez un goût plus relevé, ajoutez la moutarde au fromage frais (moi, je préfère nature). Ciselez la menthe et le basilic, et incorporez-les. Poivrez généreusement. Gardez au réfrigérateur.
Lorsque vous aurez éliminé l'eau des concombres, ajoutez les dés de concombre essorés.

Qu'est-ce que vous avez ? Vous adorez le curry, mais vous n'avez pas d'agneau à la maison ?

Faites les poches de votre congélateur, et si vous trouvez des **crevettes crues, sortez-les (au moins 800 g, voire 1 kg !).**

Attention, ça va chauffer : voilà une petite recette qui ne manque pas de piquant :

CURRY DE CREVETTES AU GINGEMBRE ET AU LAIT DE COCO

🏃 **6 personnes**   🖐 **30 min**   🛑 **1 h**   🔥 **20 min**

1 kg de crevettes crues
2 petits piments séchés
1 cuillerée à café de graines de cumin
1 cuillerée à café de graines de coriandre
2 gousses d'ail
1 petit morceau de gingembre frais (3 centimètres)
15 cl d'huile
1 oignon
1 cuillerée à soupe de graines de moutarde
1 cuillerée à soupe de curry en poudre
1 cuillerée à café de curcuma en poudre
Quelques fleurs d'anis étoilé
6 graines de cardamome
20 cl de lait de coco
Sel et poivre

Décortiquez les crevettes. Passe-les sous l'eau chaude pour décoller leur carapace plus facilement.

Écrasez les piments en éliminant les graines. Disposez-les, avec le cumin et les graines de coriandre, dans un plat creux. Pelez l'ail et le gingembre, que vous râperez très finement, alors que vous écraserez l'ail, pour les ajouter dans le plat, auquel vous mélangerez 12 cl d'huile et les crevettes décortiquées.

Laissez mariner 1 heure au réfrigérateur.

Faites revenir l'oignon émincé dans une sauteuse avec le reste d'huile. Expédiez les graines de moutarde et la poudre de curry, le curcuma, l'anis étoilé, les graines de cardamome et remuez.

Égouttez les crevettes en collectant le plus d'épices de la marinade, et transportez le tout dans la poêle de cuisson.

Versez le lait de coco et chauffez pendant 5 minutes à feu doux.

Vérifiez l'assaisonnement et préparez un riz d'accompagnement.

Je vous avais parlé d'un dessert, vous y avez pensé ? Non... Moi, oui ! Il me semble qu'un bol de **shirkhand** tomberait à pic !

SHIRKHAND

🏃 **3 personnes**   🕐 **5 min**   🔥 **pas de cuisson**

3 yaourts liquides
1 pincée de safran
2 cuillerées à soupe de sucre en poudre
3 gousses de cardamome décortiquées et pilées

Pour la déco :
1 pincée de pistaches concassées
Filaments de safran

Mélangez tous les ingrédients.
À garder au frais avant de servir.

Rajoutez du *red mukhwas,* mélange indien de graines de courge, de pétales de rose séchés, de carvi... coloré et parfumé, si vous en avez (pensez surtout à vous fournir dans les épiceries cosmopolites !).
Si c'est l'été !

MELON ET OREILLONS D'ABRICOT
À L'AMARETTO

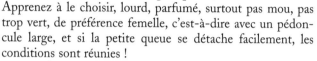

(🚶) **3 personnes**   (⏱) **15 min**   (🔥) **pas de cuisson**

1 beau melon bien mûr (ou 2 plus petits)
Apprenez à le choisir, lourd, parfumé, surtout pas mou, pas trop vert, de préférence femelle, c'est-à-dire avec un pédoncule large, et si la petite queue se détache facilement, les conditions sont réunies !
1 grosse livre à 700 g d'abricots à la joue rouge
1 poignée de raisins secs blonds
Amaretto (liqueur d'amande)
65 g d'amandes effilées

Si vous avez une cuillère parisienne, détaillez des billes dans le melon coupé en deux et débarrassé de ses pépins (autrement, une classique fera l'affaire en creusant de grosses cuillerées).
Lavez les abricots et coupez-les en deux (s'ils sont gros, recoupez chaque oreillon en deux). Ajoutez-les aux billes de melon.
Parsemez des raisins blonds.
Arrosez les yeux fermés d'amaretto et laissez les 24 degrés d'alcool enivrer les fruits, couvrez et gardez un moment au réfrigérateur.
Juste avant de servir (avant, elles ramolliraient), faites griller à sec, dans une petite poêle, les amandes effilées et dispersez-les sur les fruits grisés...
À consommer sans modération : puisque, voisins, ils n'ont pas à reprendre la route !
Bien entendu, ce dessert se réalise de juin à août seulement.

Sinon, au cas où 3 pommes se battent en duel dans votre corbeille, un **gâteau** tout simple mais qui se laisse dévorer et vers lequel on revient sans se faire prier est un classique gâteau aux pommes.

GÂTEAU AUX POMMES

(🚶) 6 personnes   (🍵) 15 min   (🔥) 20 min

150 g de farine
100 g de sucre en poudre
1/2 paquet de levure chimique
2 sachets de sucre vanillé
3 œufs
1 verre de lait
120 g de beurre + supplément pour le plat
3 pommes
1 pincée de sel

Préchauffez le four à 180 °C (th. 6).

Mélangez la farine, le sucre, le sel, la levure, le sucre vanillé et les œufs entiers.

Délayez avec le lait et ajoutez le beurre préalablement fondu.

Beurrez un plat à gâteau (antiadhésif ou porcelaine à feu) et versez-y la pâte.

Épluchez les pommes et coupez-les en lamelles épaisses. Disposez celles-ci sur la pâte.

Enfournez et laissez cuire pendant 20 minutes (th. 6, si votre four se tient bien...).

Gâteau basique que je sers tiède ou froid !

Question boissons... Quand je redescendrai mon vélo dans le local des engins poussifs (poussettes, pousse-pousse, bicyclettes, tricycles et autres), je pousserai plus bas, jusqu'à la cave. Avec un peu de chance, je trouverai un petit chinon, ou un saumur-champigny, bref, un vin léger qui conviendra à tous.

Et en remontant, les bras chargés mais le cœur léger, je sonnerai une seconde fois chez mes voisins, pour leur accorder réparations autour d'un verre. Grâce à eux, j'ai retrouvé mon assiette : je pourrai dès le lendemain m'installer sur ma selle et, mon panache recouvré, chevaucher ma monture à travers tout Paris !

APRÈS PLUSIEURS REPAS TRÈS SÉLECTS, JE DOIS RENDRE L'INVITATION...

Je ne voudrais pas y passer la semaine, mais prouver que je peux être à la hauteur sans me charcuter la tête, vous savez, le genre très simple mais très chic qui donne l'impression que c'est votre quotidien tellement c'est sans prétention, niveau préparation ! En revanche, j'ai pris un acompte sur les produits que j'économisais pour Noël, parce que c'est pas mon style de jeter l'argent par les fenêtres, mais là, je ne peux pas y couper, ce sont eux qui m'ont trouvé le job, et peut-être un plan pour un appartement qui appartient à l'oncle de la sœur de...

Vite ! Des idées ! Je n'en ai pas, alors je fais valser mes livres, le dernier reçu à Noël : *Tout sur la pomme de terre*, magnifique, mais JE NE PEUX PAS leur préparer des patates, à ces gens-là, ils ne savent peut-être pas ce que c'est... à part une idée de menu pour cochons, s'ils savaient...

Me voilà dans *les Volailles de la plus grande basse-cour de France*, et les éloges du terroir ; même celle d'Europe ne me serait d'aucun secours, élevons-nous un peu, sinon je n'y arriverai jamais !

Je verrais quelque chose de léger, comme du champagne... malheur, il va en falloir, et combien de bouteilles ?! Je suis ruinée avant d'avoir commencé à travailler... Ah... ! Je viens de tomber sur une magnifique photo, un gros plan qui tue : « Coquilles Saint-Jacques sur plongeoir de truffes avec filet d'algues perlé de caviar sevruga au-dessus d'une piscine de Noilly-Prat » ! Du jamais-vu ! Tout à coup, je m'inquiète : pourquoi, lorsqu'on réalise une recette, cela ne ressemble jamais à la photo qui l'illustre sur le beau livre ? Et bonjour les accessoires, vendus seulement sur catalogue…

Je voue une admiration indéniable à des maîtres en cuisine, mais je leur en veux de feindre un élan vers nous, piètres cuisiniers du quotidien, en mettant prétendument à notre disposition leurs recettes et leur savoir-faire ! Lorsque vous feuilletez ces livres magnifiques et que vous décortiquez la recette qui vous fait succomber, vous êtes tout de suite débouté(e) : déjà deux ingrédients dont on vous avait jusque-là caché l'existence ! Et pas moyen d'en découvrir plus : vous interrogez votre dico qui demeure muet comme une carpe ! Et là, franchement, j'ai le sentiment d'avoir toute ma scolarité à reprendre, de n'avoir aucun avenir devant moi tant que je n'ai pas percé le secret de cet aliment mystérieux ! Pour finalement apprendre, 100 pages plus loin, résignée à manger le livre des yeux, à défaut de pouvoir l'éprouver sur mes propres fourneaux, que l'énigmatique *kacha* n'est autre que du sarrasin ! Puisque le maître a fini par lâcher le morceau page 182, sa toque n'aurait pas perdu de son plissé s'il avait daigné nous rabâcher quelques notions peu répandues. On ne lui en aurait pas voulu…

Et, avez-vous remarqué que les rares fois où un grand toqué concède à nous livrer, via le tube cathodique, une recette très pointue, il s'arrange pour brouiller les pistes, omet de montrer, détaillée, l'opération qui permet de passer du cru au cuit, par le *saint-cuisti* sans doute, mais nous n'avons pas été intronisés… alors, nous restons en plan, notre bout de recette bredouillé sur un coin de papier arraché à la revue que nous venions d'acheter, seul support tangible sous la main. Et maintenant, énigme, vous avez entre les doigts une recette tronquée, donc irréalisable, combinée avec un article sur les prochaines catastrophes naturelles et inévitables. Immangeable !

Moi, j'appelle ça une **tocade ésotérique !**
Bon alors, là… qu'est-ce que c'est… ?

CARPACCIO DE SAINT-JACQUES AU CURRY

🏃 6 personnes   ⏱ 15 min   🔥 pas de cuisson

3 cuillerées à soupe d'huile d'olive (ou de noix)
1 cuillerée à soupe de vinaigre de xérès
1 cuillerée à café de curry
18 noix de saint-jacques
Fleur de sel
Poivre du moulin

Je lis : « Avantage : ce plat peut se préparer 6 heures à l'avance ! » Il faut bien ça... Imaginez une vinaigrette enrichie du curry. Assaisonnez.
Coupez chaque noix de saint-jacques en 3 lamelles.

Zoom : éliminez toujours le filament noir autour des noix.
Agencez les lamelles en carpaccio au centre d'un grand plat rond. Versez la vinaigrette dessus.
Saupoudrez de fleur de sel et de poivre.

Bon... pourquoi pas ?! Je mets de côté !
Mais je voudrais quelque chose qui, dans la présentation, soit original, inattendu... Ah ! ça y est !

SAINT-JACQUES AU BEURRE SALÉ SUR GALETOUS CROUSTILLANTS

🏃 4 personnes   ⏱ 15 mn   🔥 25 min

Les galetous, ce sont les crêpes de sarrasin, en Limousin...

4 noix de saint-jacques (pour gourmands et argentés ; sinon, faites illusion en les coupant en deux dans l'épaisseur)
Beurre au sel de Guérande
Fleur de sel
Poivre

Pour la pâte à galetous
250 g de farine de blé noir (un peu grise, avec des petits points noirs…)
3 œufs
30 cl de lait
15 cl de crème fraîche
1/2 cuillerée à café de sel

Comme pour une pâte à crêpes classique, versez la farine et le sel dans une jatte. Tournez pour former un puits au milieu, prêt à accueillir les œufs.
Délayez avec le lait et la crème. Ajoutez de l'eau pour obtenir une pâte assez fluide et laissez reposer (si vous pouvez) à température ambiante.

Faites cuire les crêpes à l'avance (dans l'après-midi pour le dîner) avec un peu de beurre salé, dans la plus petite poêle que vous trouverez sous la pile des gamelles, puisque les noix de saint-jacques seront couchées sur ces galettes qui, badigeonnées de beurre au sel de Guérande, passeront au dernier moment quelques minutes sous le gril du four pour dorer tout à fait et être croustillantes.
Prévoyez donc 2 à 3 galetous par personne, selon vos finances, le nombre de noix dont vous disposez et le nombre de cravatés-robe de soirée qui passeront la porte… (vous avez compris : il faut étager noix sur crêpe, crêpe sur noix, et ainsi de suite…).
Quant aux noix de saint-jacques, elles ne demandent pas grand-chose, si ce n'est de se faire dorer dans une noix… de beurre salé de Guérande, il va sans dire !
Poivrez (à mort) et servez votre pièce montée aussitôt. Parsemez de fleur de sel. Succès assuré !

Dites, puisque j'ai une belle plaque de beurre aux cristaux de sel, j'ai bien envie d'en profiter.

BEURRE AUX HERBES

Basilic
Cerfeuil
Ciboulette (Ne prenez que des herbes fraîches ; au pire,
    quelques-unes surgelées, mais surtout pas séchées !)
Coriandre
Estragon
Persil
100 g de beurre au sel de Guérande

Comptez 1 belle poignée pour chaque plante lavée et essorée.
Mixez toutes ces herbes avec le beurre dans un hachoir
électrique.
Déposez votre mixture au centre d'une grande feuille de
papier d'aluminium, recouvrez de l'autre pan et étalez à l'aide
d'un petit rouleau à pâtisserie (le papier permet de ne pas vous
en mettre plein les doigts et, surtout, de tout conserver au
frais, protégé).

Et qu'est-ce que je vais faire de ce beurre vert...?

SCAMPI OU CREVETTES GÉANTES TIGRÉES

(🦞) **4 personnes**   (🍳) **15 min**   (🛑) **30 min au frais**   (🔥) **8 min**

Beurre aux herbes
1 scampi par personne (environ 80 g pièce)
1 feuille de basilic
1 brin d'estragon
Poivre

Faites fondre doucement du beurre aux herbes et déposez-y
les crustacés.
Laissez-les cuire recto verso, jusqu'à ce qu'ils aient changé de
couleur : dès qu'ils ont viré au rose-rouge, ils sont à point.

N'insistez pas plus, après la chair devient cotonneuse.

Poivrez et servez-les avec un disque de beurre aux herbes découpé avec... enfin, ne vous cassez pas la tête : prenez un petit verre au diamètre adapté ! (je n'ai pas d'emporte-pièce, là !)

Décorez avec la feuille de basilic et le brin d'estragon.

Rapide, facile, et classe, non ?
Je voudrais les épater, élaborer un mets personnel...

AUMÔNIÈRES DE CHOU FARCIES AU FOIE GRAS

Comme je ne veux pas y laisser mon salaire du mois, je compte le faire moi-même, qu'est-ce que vous croyez ! On en trouve cru auprès des éleveurs, sur les marchés au gras, parfois sous vide. Moi, j'ai un faible pour le canard et j'achète un foie entier ou en lobes.

Pour 4 (ce jour-là, mais vous pouvez voir plus grand, jusqu'à 8 ; c'est généreux en feuilles, le chou, et si le foie a le dos large...)

🏃 **4 personnes**   🕐 **45 min**   🛑 **3-4 jours**   🔥 **1 h**

1 beau foie gras de canard mi-cuit (500 g)
5 g de sucre en poudre
2 pincées de quatre-épices (poivre moulu, cannelle, muscade
   et clou de girofle en poudre)
2 cuillerées à soupe d'armagnac
1 chou vert cabus
1 botte de ciboulette
30 g de beurre salé
1 betterave crue
1 oignon violet
Vinaigre de xérès
10 g de sel
5 g de poivre concassé

Pour travailler le foie (qui doit être souple sous les doigts), grattez la fine pellicule qui le recouvre avec un couteau pointu et traquez les traces vertes laissées par le fiel et qui donneraient un goût amer.

Séparez les 2 lobes et tirez doucement sur les veines pour les enlever (c'est toujours désagréable de les trouver en mangeant!). Parfois, incisez pour en venir à bout!

Plongez-les ensuite dans un bain d'eau froide salée. Sortez-les, égouttez-les et essuyez-les.

Mélangez le sel, le sucre, le poivre et le quatre-épices. Enrobez les lobes de ce mélange et arrosez-les d'armagnac.

Puis cherchez-lui un récipient digne de le recevoir : une terrine que vous confierez au réfrigérateur pendant 24 heures.

Le lendemain, préchauffez tout doucement le four à 80 °C (th. 1) et placez un récipient d'eau pour accueillir la terrine au bain-marie de 45 à 50 minutes.

Sortez votre terrine de son bain, videz délicatement l'excédent de graisse (que vous garderez dans un bol), enlevez le sang, pressez le foie en posant sur la chère terrine une feuille de papier d'aluminium, avec un poids par-dessus (une boîte de conserve, par exemple), et attendez qu'elle refroidisse pour la coffrer au réfrigérateur pendant 24 heures.

Ôtez le poids le lendemain, faites fondre la graisse gardée et versez-la dans la terrine.

Mettez au réfrigérateur pour 24 heures. (Vous avez 2 ou 3 jours pour déguster le foie.)

Je ne sais pas ce qui me retient de m'en payer une tranche... – un casse-dalle au foie gras, ma vieille, tu ne te refuses rien ! –, mais j'ai pour mission de mener à bien mes aumônières... et mon Pygmalion et sa garde rapprochée ne vont pas tarder à envahir mon territoire : c'est le jour J.

Avant de me paumer définitivement dans mes divagations ventrales, j'ausculte mon chou vert cabus.

Volez-lui ses plus belles feuilles (8) pour les **blanchir** avec 8 brins de ciboulette (pendant quelques secondes seulement), qui serviront de liens. Blanchir : les splonger dans un bain d'eau bouillante salée pendant quelques minutes, et les plonger dans l'eau glacée tout de suite après, pour leur conserver, justement, leur couleur de gazon anglais.

Faites revenir les feuilles précuites dans le beurre salé fondu, recto verso, pour noyer leur fadeur, et poivrez !

Après avoir coupé de jolies portions de foie gras, prenez 1 feuille de chou pour en faire l'écrin de ce bijou, que vous refermerez en nouant les cordons de la bourse, 8 liens de ciboulette.

Résultat garanti avec ces petites bourses bien pansues, c'est sans doute ce que l'on appelle faire chou gras...!

Quelques secondes au micro-ondes avant présentation devant les juges, histoire de les faire fondre en même temps que le foie...

Pour gagner quelques galons supplémentaires, improvisez une présentation haute en couleur : asseyez chaque balluchon sur 1 rondelle de betterave crue (découpée par votre robot préféré – j'aime autant que ce soit lui qui ait les gencives en sang de betterave que mes doigts, pour faire le service, j'aurais l'air fin !) et mettez la barre encore plus haut en barrant l'assiette de 3 brins de ciboulette, fraîche cette fois-ci, à côté de 1 coque lie-de-vin d'oignon violet, minivasque pleine de vinaigre de xérès !

Je pose solennellement devant chacun mon assiette au beurre, espérant qu'elle sera source de faveurs, qu'elle contribuera à mon entrée dans le monde des affaires...

Je les observe, j'attends les appréciations, tout sourire qui ne tarde pas à se flétrir devant la tronche fermée de Philippe-André, qui doit avoir un bœuf sur la langue. Cinq minutes qu'il ne décroche pas un mot, écoutant la conversation animée entre Claire et Françoise, qui en ont vu d'autres et méprisent mes efforts. J'envoie balader les pluches de légumes qui me restent en travers, ma confiance se déballonne plus vite que ma création, la débâcle totale, pour ne pas dire le bide... et finalement, il articule : *Délicieux, ces petits lingots, Laure... ces portefeuilles bien garnis nous font goûter ton aptitude à gérer intelligemment les affaires, moi qui pensais te donner des responsabilités, je compte te confier la communication avec la comptabilité... Banco ?* Il me daube ou quoi ? Je ne sais pas si ça ne me déprime pas plus que s'il ne m'avait fait aucune remarque. Il ne perd rien pour attendre : je lui montrerai bientôt quel panier percé je suis... ! J'esquive les regards des deux pécores, que je sens moqueurs, et je file en cuisine...

Ils vont me le payer !

SALADE DE FICOÏDE GLACIALE, CORDIFOLE ET POURPIER

Pour les semer un peu, ces gens classe qui connaissent tout ! Moi aussi, je peux les glacer, si je veux !

100 g de chaque salade assaisonnée d'huile de colza (bio) mélangée à de l'huile de noisette, sel aromatisé aux légumes, copeaux de parmesan détaillés grâce à mon épluche-légumes, pognons – ventrebleu, lapsus révélateur, M. Philippe-André –, **pignons de pin, grillés à sec et parsemés** à la volée !

Ils m'ont retournée, les sagouins !
Ils mangent...
Je suis tentée de lancer : *Vous les connaissiez, toutes ces variétés de salades... ? Étonnant, non ?! Moi, non, je les ai découvertes en allant pour la première fois à la...*
Mais je me mords plutôt la langue ! Qu'est-ce que cela peut bien me faire ? Me comporter comme si j'étais accoutumée à ce genre de mets et de plantes ! Que je m'occupe de faire avancer la conversation sur ce qui m'importe – maintenant

que je vais me morfondre à un poste d'observation... –, à savoir ce plan d'appart' plutôt que ceux des salades !

Pour le moment, ils éclatent de rire, je me demande encore s'ils ne pilent pas du poivre sur mon dos, je vais, je viens, je reviens de ma souillarde, rouge de les faire attendre, inquiète d'avoir oublié à quelque chose, et les surprend, toujours hilares. C'est désobligeant à la fin, je vais perdre mon humour si ça continue... Qu'ils le disent s'ils me trouvent trop plouc !

Je suis sur les dents ! Ma bruxomanie en prend un coup, cette nuit, je vais déguster, pas question d'oublier ma gouttière pour dormir si je veux qu'il me reste un peu de dentine demain matin ! Je peux, d'ores et déjà, laisser un message à mon dentiste-psy-masseur-et-médiateur pour que, au pied levé, il m'aménage 1 heure de consultation pour réparer les éclats de dents et recoller les morceaux ! Qu'est-ce que je raconte ? La vérité ! Et tant pis si ça fait du bruit dans le landerneau ! Je vous avais dit que j'avais à mon actif pas mal de bricoles cassées, eh bien, Brise-fer, entre autres bricoles, se ronge les sangs et, au propre comme au figuré, s'est cassé les dents sur les os de la vie ! Mais mon sourire érodé par le sel de la vie tient solidement accroché grâce à l'optimisme obstiné d'un dentiste hors pair !

Qu'ils se tiennent à carreau, les huppés, sinon je leur sors **la CANCOILLOTTE** ! La quoi ?! Non, un nom pareil, malgré la situation, ça me fait rire, pas vous ? Avouez que ça titille la curiosité, oui, et ça ne va pas tarder à leur titiller les narines aussi ! Vendue en pots, elle peut être consommée... tiède ! Port du masque obligatoire ! J'en fais mon casse-croûte quand je n'ai pas grand-chose à me mettre sous la dent !

Ouh... là, là !... les bouteilles de champagne, elles sont percées ? J'arrive plus à fournir ! Excusez-moi, mais j'ai bien remarqué que Claire, l'assistante du DRH, a la dalle en pente... Elle ne va quand même pas rouler sous la table ! Eh, je cale, moi, parce qu'ils vont me faire manger la grenouille !

Je crois que la solution aurait été de les assommer... avec une bûche bien glacée, hommage à l'héroïne d'Almodovar qui se dit : *Qu'est-ce que j'ai fait pour mériter ça ?* baisse les bras et tue son mari à bout portant avec un gigot congelé derrière les oreilles, le coup du lapin, quoi ! Mais ce n'est pas de saison, impossible d'en trouver : à Noël, on trébuche dessus, mais là... En attendant, si Claire finit les fonds de bouteille, moi je coule le fond de mon commerce dans cette boîte décidément fermée à mon univers !

Je n'ai plus de punch, je tourne une dernière fois les talons pour retourner dans ma cuisine bidouiller un dessert...
Je regarde les **gros macarons** (j'avais proscrit les financiers...) que j'ai achetés chez M. Hermé, maître pâtissier dont j'apprécie, non seulement les délices, mais aussi l'humour, parfaitement ! Redoutant d'être ostentatoire, je n'ai pas osé, compt tenu de la situation, choisir « La cerise sur le gâteau », monument érigé aux ambitions gourmandes.

Découragée, je pleurerais comme une madeleine si je me laissais aller... Je suis marron devant **ces macarons,** ne sachant que faire, démotivée, et voilà que mon regard se pose sur la confusion de ma cuisine…
J'attrape 1 gousse de vanille qui avait échappé à ma vigilance : elle est devenue raide et se casse entre mes doigts désœuvrés. De rage, je la plante dans 1 macaron à la pistache – mes préférés – et, à ma grande surprise, **elle tient,** mât orgueilleux sur mon radeau d'amandes tenant sa place **à côté de la demi-fraise** que je lui colle au pied.

Je cherche autour de moi ce qui pourrait compléter mon rafiot et je tombe sur le bouquet de **roses** du jardin de ma mère qui fait la même gueule que moi : je chope **1 pétale** de couleur encore vive et, sans réfléchir, je pique son velours sur le **mât de bois de vanille.**

Je prends au sérieux cet équipage et j'accroche contre la voile rose de pétale **1 grappe de groseilles,** que je plonge dans la mousse de **sucre** qui prend une trempe de **caramel.**

Je suis ainsi faite que je pousse le bouchon encore plus loin : je saisis la **noix de coco** qui dépérit loin de son île et je lui fracasse le crâne avec un marteau pour en extraire 1 copeau, iceberg dérivant à 1 mille de mon voilier.

Oh... là, là !... j'avais sorti un bac de glace au calisson pour qu'elle ramollisse un peu, dans l'espoir de leur en servir sans tordre le cou de la cuillère... ! Ce n'est plus qu'une flaque blanche ! Qu'à cela ne tienne : j'appareille, je mouille l'ancre de **chaque macaron de 1 vague d'écume glacée au calisson** et je quitte le port de ma cuisine pour naviguer en haute mer et haute société : retrouver la jet-set surfant sur mon minijet-ski ! Attention aux éclaboussures...

Moi qui achoppais à l'indigeste accueil de mon dîner, j'arbore courageusement ma composition où le mât de cocagne, droit comme le I de l'Imaginaire, dresse son raffinement orchidéen et force l'admiration.

Apparemment, ils sont baba, ou plutôt médusés, devant mon radeau... et n'ont plus goût à me casser du sucre sur le dos ! Toujours est-il que ça leur plaît...

Moi, arrimée à ma cuillère, je mets les voiles, je me dis que je n'ai plus rien à leur demander, finalement je me sens bien dans mon petit deux-pièces-cuisine. Quant au boulot, je vais suivre mon chemin de traverse au bord duquel j'éprouve ma résistance de survie !

Peut-être trouverai-je un jour une paire de bottes de sept lieues...

C'EST LA FÊTE DES MÈRES !

Vous parlez d'un jour ! Première urgence : leur jeter à la figure la ribambelle de cadeaux inacceptables qu'on cherche à vous fourguer, pour vous enchaîner un peu plus aux tâches qui vous incombent depuis longtemps ! Le genre de présent qui n'est là que pour parfaire les plaisirs de votre tribu en aliénant vos services : le gaufrier, qui vous rappelle la minivague qui vous a ruiné les cheveux ; le service à fondue, alors qu'ils devraient voir que vous êtes sur le point de *fondre* les plombs ; le couteau électrique, qui, à une époque heureusement révolue, a fait fureur dans les chaumières ; le dessous-de-plat en liège tellement léger qu'il vous semble ne pas y avoir eu de cadeaux ! Pourquoi ne branche-t-on pas directement l'attirail à raclette à monsieur : après celle des mères vient la fête des pères... non ?!
Sans être langue de lézard, il faut révolutionner les mauvaises habitudes enracinées depuis des lustres avec des nanars que les plus vieilles mémés du siècle dernier ne voudraient plus !

Faites comme moi : entassez sous l'évier les horreurs qu'on vous a décernées *un jour de fête* ! Ma collection en ferait pâlir plus d'un(e), mon placard d'évier vaut le détour : la visite comprend Jeanne d'Arc moulée sur son cheval de bronze, flanquée d'un mineur en cuivre poussant son wagonnet – ne relevant pas la tête, il ne s'est pas aperçu qu'il était au placard –, un panier en porcelaine, grandeur nature, qui refroidissait les fruits qui osaient s'approcher de ce faux cul, une tripotée de petits pots en faïence tous cucul, un cœur de boîte en faux satin s'ouvrant sur des alvéoles à bijoux que je n'ai pas, une flopée de bourses marquées du sceau de chaque halte de la plus vieille voyageuse de la famille qui survolait les chutes du Niagara pour ses 80 balais. Facile de donner les porte-monnaie publicitaires quand on a des oursins dans le sien ! Si elle n'a plus trop d'idées à l'aube de ses 93 ans, elle ne manque pas de ressources...! Je vous cache encore quelques merveilles, autrement, je n'aurai plus de clients pour mes visites guidées ! Mais l'imagination débordante des proches n'a pas dit son dernier cadeau...

Échappez : on n'est jamais à l'abri d'un accident..., et la casse n'est pas réservée aux plus maladroits... Ou faites don à Emmaüs de tous ces articles. Cela me passionne de déambuler entre leurs tables offertes, chargées d'objets d'un autre monde ! Participez à la prochaine brocante de votre village : ces petits marchés où l'on bouscule le grenier fleurissent l'été. Quelques Hollandais, conciliants et pleins de compassion, prendront sans rechigner vos reliques pour meubler leur ferme en ruine...

Et balancez le chauffe-plats et ses bougies qui auraient noirci les fesses plates de votre service. Comme vous ne l'auriez pas sorti de son emballage, exclamez-vous tout de suite : *Oh, c'est drôle, c'est le troisième qu'on m'offre, vous pourrez sans doute le changer contre l'œuvre complète de Simenon dans la Pléiade ?!* S'ils ne comprennent pas que vous avez d'autres pôles d'intérêt que la palanquée de bibelots accrochés à l'élingue du stand de tir, on va leur mettre les points sur les **non, merci !**

Restez toute la matinée sous la couette. Étonnez-vous à voix haute de ne pas voir passer le plateau du petit déjeuner. Quand ils comprendront qu'il fallait descendre chercher les viennoiseries, coulez-vous dans un bain pour en ressortir détendue. Et lorsque, l'heure du repas approchant à grandes fourchetées, ils s'inquiéteront de savoir *Qu'est-ce qu'on mange ?* vous leur répondrez avec votre plus beau sourire : *Mais je ne sais pas, mes agneaux, il est temps d'aller consulter la carte du restaurant que j'ai réservé à **votre** nom !*
Une journée comme celle-là, rideau, la boutique est fermée et cette rubrique aussi ! Pas une seule recette : laissez-vous inviter !

MA MEILLEURE AMIE EST VÉGÉTARIENNE

Nous en avons maintes fois parlé et nous ne comptons plus les affrontements sur ce sujet épineux : je ne partage pas la doctrine diététique de Julie, mais je tiens à notre amitié, autrement dit, je reste diplomate (du moins, je l'espère) et prépare toujours de petits plats, certes non carnés, mais bourrés de saveurs...

CARPACCIO DE LOTTE AU CITRON

👤 4 personnes   🕐 15 min   🛑 3 h   🔥 pas de cuisson

1 queue de lotte de 1 kg très froide
1 touffe d'aneth
1 mélange de baies (douces et plus poivrées)
2 cuillerées à soupe d'huile d'olive
2 citrons
Fleur de sel

Posez la lotte sur une planche et, avec un couteau long et très aiguisé, émincez-la en petites tranches très fines, en coupant presque à la verticale et parallèlement à l'os.
Parsemez une grande assiette très froide de pluches d'aneth. Saupoudrez dessus des baies mélangées moulues au moulin. Enrobez les tranches de lotte d'huile et couchez-les sur l'assiette. Prélevez les 3/4 du zeste de 1 citron en lanières, avec un couteau zesteur. Répartissez-les sur le poisson et saupoudrez de baies moulues.
Pelez les 2 citrons à vif sur une assiette. Prélevez les quartiers sans la peau. Posez-les sur le poisson, arrosez avec le jus récupéré dans l'assiette.

Saupoudrez de fleur de sel.
Fermez avec un film alimentaire puis laissez mariner au moins 3 heures.

Je lui montre que je peux m'adapter à son mode d'alimentation – contrairement à elle... – et comme j'aime bien la surprendre...

CONFITURE DE BETTERAVES

🚶 **6 personnes**   🕙 **10 min**   🔥 **1 h**

500 g de betteraves crues
50 cl de vin rouge
75 g de sucre en poudre
Graines de sésame
Sel et poivre

Enfilez des gants en latex fin pour éplucher les betteraves – surtout si vous avez un rendez-vous professionnel après – et coupez-les en grosses lamelles, que vous placerez dans une casserole à fond épais.
Ajoutez tout de suite le vin et le sucre et laissez confire à feux doux pendant 1 heure.
Quand cette confiture est cuite, salez et poivrez.
Faites griller une poignée de graines de sésame à sec, pour en saupoudrer la préparation.

Cette confiture mettra de la couleur à l'assiette de blé que je voulais lui proposer.
C'est vrai, avec les légumes secs, pas de soucis, pas de querelles...
Même si on se crêpe un peu le chignon à propos d'alimentation, on n'en reste pas moins copines comme co... Aïe, mon penchant carnassier reprend le dessus.
Tiens, à un prochain dîner, je lui ferai goûter le

VELOUTÉ DE LENTILLES AU CUMIN

(🏃) 4 personnes   (🕐) 15 min   (🔥) 35 min

150 g de lentilles vertes
1 carotte
80 g de céleri-rave
1 cuillerée à soupe de vinaigre de vin
1 cuillerée à café de graines de cumin
2 cuillerées à soupe de crème fraîche
2 cuillerées à soupe de pignons de pin
Sel et poivre

Mettez les lentilles dans une casserole d'eau froide, dont le niveau doit dépasser de 1 centimètre les légumineuses. Chauffez, laissez bouillir pendant 3 minutes, puis égouttez.
Faites chauffer 50 cl d'eau. Plongez-y les lentilles, la carotte et le céleri coupés en petits morceaux. Laissez chauffer à tout petits bouillons, sans couvrir, pendant 25 minutes. Salez et cuisez encore 5 minutes.
Mixez très fin. Pour parfumer, ajoutez le vinaigre et les graines de cumin. Poivrez.
Chauffez pendant 2 minutes à feu très doux.
Hors du feu, ajoutez la crème fraîche et tournez pour la faire fondre. Ajoutez les pignons de pin.
Au moment de servir, vous pouvez déposer dans l'assiette quelques moules justes cuites, décoquillées, sur lesquelles vous verserez la soupe bien chaude.

Ou, si vous ne connaissez pas de guerre intestine et que vous faites partie des gens pour qui, *dans le cochon tout est bon,* **appelez quelques tranches de lard maigre fondues et dorées sans graisse dans une poêle antiadhésive,** mais chut...

Sans doute son éducation anglo-saxonne, elle adore ces confitures sucrés-salées, alors, je varie les goûts et les couleurs..

CHUTNEY POMME-POTIMARRON ET GINGEMBRE

(🚶) **4 personnes**   (✋)**10 min**   (🔥)**1 h**

2 pommes granny-smith
250 g de potimarron (la valeur de 1 bol rempli de morceaux)
10 cl de vin blanc
3 cuillerées à café de sucre de canne
2 échalotes
Gingembre râpé

Coupez les pommes et le potimarron en dés tout en conservant leur peau et faites-les cuire dans une casserole, avec le vin blanc.
Sucrez, puis ajoutez les échalotes émincées et le gingembre.
Laissez confire pendant 1 heure.

Cette compotée est indiquée avec des **graines de quinoa,** qui sont plutôt fades...

En revanche, ce qui me réjouit, c'est que Julie est, comme moi, une amatrice de salades, et quand on sait que le catalogue français recensait 190 variétés en 1994, je pose une question : *qui les a bouffées ?!*
Rien à faire pour sortir des sentiers battus, les maraîchers ne nous donnent pas souvent la primeur de nouveaux plants... heureusement, Francis, pas loin de la rue Saint-Denis et des paniers à salade des flics qui ont un p'tit creux, me réserve, dans son verger carrelé, quelques trouvailles, *n'est-ce pas, madame **Canasta ?!*** qu'il m'appelle... du nom de ses magnifiques pieds craquants d'un vert rougeâtre dont je ne peux plus me passer, moi, ça me déplaît pas, cette familiarité chlorophyllienne. Et Julie et moi ruminons nos différends, une feuille de **lollo rossa** entre les dents, remontée d'un ton de **ciboulette**... Quelquefois vaches l'une vis-à-vis de l'autre, mais pas cloches !

SALADE CANASTA AU BRAS DE SON AVOCAT

🏃 **2 personnes** 🕐 **10 min** 🔥 **pas de cuisson**

1 salade canasta (à exiger auprès de votre fournisseur, il y en a régulièrement à Rungis !), **agrémentée de quartiers d'avocat (1, arrosé de jus de citron), parsemée d'œufs de saumon, irriguée d'un ruisseau d'huile de sésame et bourgeonnant de fleur de sel** (mais point trop n'en faut : les œufs de saumon sont toujours salés...)

LOLLO ROSSA EN GALA

🏃 **2 personnes** 🕐 **15 min** 🔥 **pas de cuisson**

1 pied de lollo rossa
1 pomme gala
2 kiwis
Le jus de 1/2 citron
1 pamplemousse rose fractionné en quartiers
Graines de grenade
Huile de pépins de raisin
8 tomates cerises
Feuilles de menthe
Sel et poivre vert

Lavez moult fois la chevelure frisée de la **lollo rossa,** elle aime bien jouer dans le sable...
Coupez en morceaux la pomme et les kiwis (l'une et les autres pelés), et arrosez-les d'un peu de jus de citron.
Enlevez la peau de chaque quartier de pamplemousse.
Une fois la grenade désamorcée, récupérez 2 poignées de graines rouge sang...
Présentés sur la salade verte et crépue, fatiguée de tourner avec un peu d'huile de pépins de raisin et chatouillée par une poignée de tomates cerises, les fruits sont distribués au hasard, assaisonnés de poivre vert et de feuilles de menthe

lavées, essorées et ciselées. Salade fraîche et vitamines garanties ! Au moins, vous aurez la pêche !

Et, s'il y a une chose sur laquelle nous tombons systématiquement d'accord, c'est le fromage ! Nous ne nous faisons pas prier pour nous pencher sur le vacherin sanglé dans son écorce d'épicéa (AOC, s'il vous plaît !) que nous dégustons à la petite cuillère... La Franche-Comté nous conte là sa plus belle tranche, franchement !

Aïe, la semaine dernière, on a rouvert la plaie : elle n'avait pu soutenir son regard devant un documentaire sur l'élevage des porcs, qui lui donnait raison, il faut bien le dire...
Vite, un plat complet qui devrait lui plaire...

SALADE TIÈDE DE HADDOCK ET POMMES DE TERRE, CRÈME FOUETTÉE AU CURRY

🏃 **4 personnes**   ⏲ **30 min**   🔥 **25 min**

30 cl de crème fleurette
500 g de pommes de terre (charlottes ou rattes)
2 bottes d'oignons nouveaux (ou de ciboules)
1 cuillerée à soupe d'huile d'olive
2 cuillerées à soupe de curry en poudre
1 litre de lait
500 g de haddock
4 brins d'estragon
Sel

Disposez au préalable tous les ustensiles (le saladier, le fouet), ainsi que la crème fleurette au congélateur.
Pelez les pommes de terre et gardez-les dans de l'eau froide, histoire qu'elles ne s'oxydent pas.
Hachez les oignons (ou les ciboules) et arrosez-les d'huile additionnée de 1 pincée de curry.

Faites cuire les pommes de terre dans de l'eau bouillante de 15 à 20 minutes.

Pendant ce temps, montez la crème en chantilly, en ajoutant le reste de curry au fur et à mesure. Replacez-la au congélateur sur-le-champ.

Faites bouillir le lait. Pochez-y le haddock pendant 5 minutes. Une fois cuit, détachez les morceaux et réservez au chaud entre deux assiettes.

Rincez et effeuillez l'estragon.

Répartissez les oignons à l'huile et les pommes de terre tièdes sur des assiettes. Continuez avec le poisson, l'estragon, 1 belle cuillerée de crème fouettée au curry, et faites-lui déguster !

Bon, cela ne nous a pas empêchées de nous engueuler : je lui ai envoyé en pleine poire qu'il ne fallait pas rêver – les poissons ne sont pas comme les porcs, enfermés dans des étaux pas plus grands que leur cage thoracique, mais ils marinent dans des bassins de pisciculture. Leur vie ne tient qu'à un fil... Que des paniers de crabes, partout... !

Quand on se reverra, je ne préparerai qu'un grand goûter : moins de risques de tomber sur une épine dorsale... Et autrement, va te faire cuire un œuf, ma vieille !

Oh ! en parlant d'œuf, je connais un dessert qui lui arrache, à chaque fois, un sourire de contentement :

ŒUFS À LA NEIGE MERINGUÉS AU CARAMEL

🏃 **2 personnes**   🍴 **15 min**   🔥 **10 min**

Pour la crème
75 cl de lait
1 gousse de vanille
160 g de sucre en poudre
2 sachets de sucre vanillé
4 œufs
2 cuillerées à soupe rases de farine de maïs

Pour le caramel
50 g de sucre en morceaux (roux de préférence)
1 cuillerée à soupe d'eau
Quelques gouttes de jus de citron

Faites chauffer le lait avec la gousse de vanille incisée, 130 g de sucre et le sucre vanillé, jusqu'au point d'ébullition.
Séparez les blancs d'œufs des jaunes. Mettez les jaunes dans un saladier et mélangez avec la farine de maïs.
Ajoutez le lait bouillant peu à peu sans cesser de tourner. Videz ce lait de poule dans la casserole et remettez à chauffer sans cesser de remuer, jusqu'à ce que le mélange épaississe : attention, retirez dès la première ébullition.
Remplissez une belle jatte de service et laissez refroidir.
Faites bouillir de l'eau dans une grande casserole, afin de pocher les blancs d'œufs dès qu'ils seront montés en neige bien ferme avec le reste de sucre (cela évite qu'ils ne se désagrègent et ne retombent en eau, justement).
Donc, dès que l'eau bout, à l'aide d'une écumoire, prenez des « paquets » de blancs pour les plonger recto, puis verso, sur l'eau (puisqu'ils flottent !).
Déposez-les ensuite délicatement dans le fond d'une passoire, les uns après les autres, pour qu'ils s'égouttent avant d'épouser la surface de la crème vanillée.
Dernière touche, le caramel : faites fondre les morceaux de sucre avec l'eau et le jus de citron. Lorsque la couleur vire à l'ambre, versez-le sur les monts de blancs !
Servez frais, c'est léger et d'une douceur... à finir le saladier sans s'en rendre compte ! Oh... mince, y'en a plus !

LA BOUTEILLE DE GAZ...
VIDE LE 14 JUILLET !

Le thermomètre s'envole, une bouffée d'air frais ! Le pudding citadin : pollution, stress, bruits, manque de place et couche d'ozone, ras-le-bol !

Le métro, un trajet de trop ; je suis encore montée sur mes grands chevaux en scandant « mort aux strapontins ! ». *Serrés comme des sardines* n'a plus de sens, comparé à *comprimés comme des quidams dans une rame*, sensations et odeurs en prime ! Les heures de pointe ne découragent pas les culs vissés sur leur siège, pourtant éjectable, guibolles outrageusement écartées, qui catchent sur leur portable pour décaniller la mouche qui est sur leur écran. Faute de pouvoir neutraliser cette satanée punaise, le bigophone crache son bip électronique poussant tout le monde, sauf l'intéressé, chaque fois un peu plus loin dans ses retranchements, jusque dans la structure métallique de la banquette, à l'extrême bord du self-control... Le troisième accordéon de la journée a juste la place de se loger sous mon menton pour se déplier jusqu'à ma cage thoracique. J'adopte une contre-respiration, pour éviter la collision entre touches blanches et côtes noires ! Tout irait bien, si la chevelure gominée de sébum de la jeune fille en fleur ne se collait pas à moi à chaque arrêt, et si le moustachu aux auréoles odorantes ne jouait des aisselles pour arborer sa grosse chaîne en or sur sa toison poitrinaire... Les slogans se bousculent au portillon de ma tête : «*Avec Déo, vous ne serez plus l'attraction du métro !* », « *Avec Déo, découvrez l'eau...* », « *Pschitte LAVETOI et ta nana reviendra...* »

En apnée, j'ai cherché la sortie ! Vivement le pont du 14-Juillet pour grimper dans un autocar et débarquer au vert ! Ouf ! Nous voici à la brocante qui réveille la vie du bourg et démarre sur les chapeaux de roue : de grand matin, les confiseurs tendent leurs paquets de pralines, faits, défaits et refaits sous notre nez pour nous mettre le sucre à la bouche, avec pommes d'amour et gaufres brûlantes qui vous envoient leur sucre glace à la figure quand on souffle dessus pour les tenir ! Agréable, cet avant-goût des vacances. Traînez entre les cartons poussiéreux des antiquailles, s'extasiez sur le charme de ces vieilleries, ce retour en arrière ralentit un peu le présent qui va si vite, trop vite, et que l'on ne sait plus apprécier. Du coup, on ne le voit plus passer, le temps...

La cloche de l'église prend son élan, midi sonne, et on n'a rien préparé pour le repas ! Acheter un rosbif : vingt minutes dans le four bien chaud, ce sera vite prêt... le plus long sera le tian d'aubergines, surtout que les tomates, même après avoir sué sous une traînée de sel, inondent le plat d'un jus qui dilue les autres sucs. Je les confis toujours avant de les intercaler entre les rondelles d'aubergine, d'oignon violet et de feta, plus goûteuse que la mozzarella...

Nous rentrons, comblés par nos acquisitions : vieux garde-manger, cassolette en émail bleu, saladiers gigognes, paire de draps bien raides, initiales brodées main...

Bon, mais qu'est-ce qu'il a, ce four ? À peine allumé, il s'éteint ! Il est pas prêt d'être cuit, le rosbif... ah !... j'ai compris ! La vacuité de la bonbonne de gaz me sidère : chaque année, elle nous lâche le jour de la Fête nationale ! Et mettre les gaz pour en trouver un jour férié...

Nous sommes à la campagne ; par chance, il ne pleut pas ; toutes les conditions sont réunies pour un pique-nique, tout le monde est content, y'a pas d'eau dans le gaz !

Oui... maintenant, il faut se mettre à la recherche de petit bois, on ne va pas se laisser abattre : le **rosbif,** on le débitera en tranches épaisses – c'est ça, avoir du cran – et on les fera griller quelques minutes sur les braises, **tournedos** aux herbes (il n'y a que ça autour de nous !) !

Vu qu'on est au cœur de l'été, pas la peine d'élaborer un feu « Yukon », brindilles et fagots suffiront, le temps de mettre la main sur une bûche...

TIAN D'AUBERGINES ET TOMATES

(人) **6 personnes**   (🖐) **35 min**   (🔥) **1 h**

8 tomates
1 cuillerée à soupe d'huile d'olive
1 cuillerée à soupe de sucre en poudre
3 aubergines
3 oignons
Feta
3 gousses d'ail
Thym
Parmesan râpé
Sel

Coupez les tomates en deux. Étalez-les sur du papier d'aluminium et salez-les.
Versez dessus 1 filet d'huile et saupoudrez de sucre, pour les confire.
Le temps qu'ils reviennent avec branches et herbes sèches...
Lavez et coupez les aubergines en tranches fines, épluchez et coupez les oignons en rondelles, et détaillez la feta en petits morceaux.
Dès que les premières flammes ont cessé de lécher la grille du four, que vous avez posée à cheval sur deux énormes pierres, déposez-y les tomates pendant 30 minutes.
Dans une autre feuille de papier d'aluminium, intercalez 1 tranche d'aubergine, de la feta, 1 rondelle d'oignon, etc. Glissez ensuite les moitiés de tomates confites, avec du sel, 1 filet d'huile et l'ail coupé en tout petits morceaux. Éparpillez du thym et du parmesan râpé, avant de recouvrir comme une papillote.

Laissez cuire pendant 20 minutes, puis enlevez la feuille d'aluminium qui couvre le tian, pour favoriser l'évaporation de l'eau qu'ont rendue les légumes. Que ce soit un peu gratiné, cette histoire !

Sympa, ce feu de camp, mais ce petit exercice de survie nous a mis en appétit... plus question d'attendre pour se caler un coin d'estomac avec des diablotins !

DIABLOTINS AU ROQUEFORT

(🚶) 4 personnes   (👐) 10 min   (🔥) 3 min

4 carrés frais demi-sel
50 g de roquefort
2 poignées de noix
2 cuillerées à café de crème fluide
8 tranches de bon pain (ou des crackers nature, si vous
    voulez absolument marquer l'apéritif...)
Poivre de Cayenne

Mélangez les carrés frais et le roquefort. Cassez les noix. Ajoutez-les au fromage, liez avec un peu de crème et assaisonnez de 4 pincées de poivre de Cayenne.
Tartinez le mélange sur des tranches de pain coupées en petits carrés. Posez les diablotins à côté des tomates.

Ces toasts au *bleu* sont craquants avec un petit ballon de *blanc* ou de *rouge* ! C'est vrai, c'est le 14 juillet, il ne faut pas oublier le petit bal musette, ce soir, sur la place du village !
On a eu chaud ! Les enfants, ivres de liberté, arrivent assoiffés (pour une fois, **on a pensé à mettre du gros sel sur la glace pilée autour des bouteilles d'eau !**).
Plus de gaz... mais des idées ! Je ne voudrais pas souffler sur le feu, mais par cette chaleur, manquerait plus que le congélateur tombe en panne !

VIVE LES VACANCES, POINT DE PÉNITENCE !

Prendre le temps ! Enfin se poser !
De temps en temps, j'épinglerais bien un avis de recherche :

A PERDU BEAUCOUP DE TEMPS, CHERCHE À LE RATTRAPER,
si vous avez des solutions, téléphonez au 01...

C'est le luxe suprême, le temps, celui qu'on prend et celui qu'on donne. C'est pourquoi je m'enflamme souvent quand, à la moindre occasion, notre temps est entaillé pour un cuit ou pour un non : les vendeurs sur le pouce nous vendent du pain pas cuit, pas le temps, désolés, pourtant on ne compte plus celui qu'on nous a fait perdre à piétiner dans la file d'attente ! Temps perdu et, contrairement au pain, jamais rattrapé, temps volé à des moments passés dans un cadre plus chaleureux et moins enchaînés... De quel droit faire perdre aux gens un bien si précieux ? Sait-on jamais ce qu'il nous reste comme temps de vie, alors nous en faire perdre, flûte !

Quelle bonne idée on a eu de partir tous ensemble entre potes, avec maris et enfants ! Sauf que quand on en a parlé, c'était au printemps, il y a 3 mois, on était euphoriques, dans le fantasme de villégiature, et on n'a pas compté nos ouailles – parce que, avec nos 2 couples d'amis, on dénombre pas moins de 7 angelots – et pas vu venir l'iceberg des problèmes...
... de couchage, pour commencer, parce que c'est sympa que les parents de Valérie mettent à notre disposition leur belle maison, mais ils n'ont pas l'habitude de loger 13 personnes !

Premièrement, dispatcher les chambres et dédoubler les lits en posant les matelas au sol : rien de tel que dormir sur un sommier pour vous refaire un dos ! Reprendre le boulot avec un dos en béton et quelques séances d'ostéo...

Deuxièmement, avant de répartir les tours de courses, il faut cogiter les menus et désigner ceux qui vont s'y coller d'entrée... Troisième étape, qui se révélera dans toute sa splendeur dès le lendemain, c'est l'aptitude au rangement de chacun...

Dans peu de temps seront dénoncés les séjours prolongés de certains dans la salle de bains... quand d'autres, apparemment, ne sont pas au courant de toutes les commodités de la belle maison... si ce n'est les plus jeunes qui ont liquidé le rouleau de PQ et oublié de tirer la chasse d'eau, sans parler des grands qui ne rabattent jamais la lunette !

Et je n'ai pas encore soulevé la couche de poussière et l'engagement individuel pour un ménage spontané...

Autant vous dire qu'une organisation s'impose, sinon on va s'entre-tuer dans pas longtemps. Et pour éviter les petits déjeuners à couteaux tirés, commencer par respecter les rythmes de sommeil des petits comme des plus vieux, ce qui ne va pas être une mince affaire, parce que les uns se couchent quand les autres se lèvent, et inversement ! Oh ! je sens que ça ne va pas être du gâteau tous les jours...

En fait, il faut trouver le bon rythme de croisière, même si nos vacances n'ont rien de plus terre à terre.

Se fixer des tâches réparties peut-être selon les inclinations de chacun – si tant est que chacun ait une propension à la vidange des cendriers, la sortie des poubelles, les consignes des bouteilles en verre, la plonge – puisque le lave-vaisselle est tombé malencontreusement en panne avant notre arrivée ! –, l'épluchage des légumes, et je vais finir par passer par le balcon le prochain qui me demande : *Qu'est-ce qu'on peut faire ?*...

Alors, vous pensez, mitonner des petits plats à partager, d'accord, mais quand j'aurai dégusté ceux qu'on doit me servir... !
Pour ce soir, on vient d'arriver, on va faire très simple.

SALADE DE TOMATES ET RIZ CANTONAIS

🏃 8 enfants   🕐 20 mn   🔥 30 min

600 g de riz parfumé (genre thaï)
3 poignées de petits pois surgelés
4 œufs
3 cuillerées à soupe d'huile d'arachide
3 tranches de jambon (épaisses)
Sel et poivre

Rincez et faites cuire le riz à la vapeur, avec les petits pois *(al dente !)*. Réservez-le au chaud.
Battez les œufs avec du sel et du poivre.
Faites chauffer l'huile dans une poêle. Versez-y la préparation et, lorsque l'omelette est cuite, réservez-la dans une assiette avant de la découper en fines lanières. Mélangez-les au riz.
Dans le même élan, détaillez le jambon en bâtonnets.
Réunissez tous les ingrédients dans un plat pouvant aller au four. Rectifiez l'assaisonnement, en tenant compte de la salaison du jambon, ajoutez un peu d'huile si c'est trop sec.

En cas de besoin, le riz cantonais se réchauffe au micro-ondes. Il ne reste plus qu'à distribuer une bonne portion à tous les affamés, mais je reste zen : en jouant cette carte, je gagne toujours l'estime de mes adversaires les plus sévères, les enfants... qui en redemandent !

Étant au bord de la mer, nous nous sommes promis de faire une cure de poissons... Aujourd'hui, activité « maquereau » !

TARTARE DE MAQUEREAU DE LIGNE, CRÈME LÉGÈRE À LA MOUTARDE

Rarement utilisée en tartare, la chair du maquereau mérite pourtant le détour. Elle fond dans la bouche !

Pour 6 adultes : parce que ce n'est pas du goût des enfants, on leur propose autre chose…

🚶 **6 personnes** ⏲ **40 min** 🛑 **15 min**

8 maquereaux de ligne
4 tomates
2 citrons
4 cuillerées à soupe d'huile d'olive vierge extra
40 cl de crème fraîche
4 cuillerées à soupe de moutarde de Meaux
Graines de moutarde
Sel et poivre

Levez les filets des maquereaux et éliminez les arêtes.
Retirez la peau et découpez la chair des poissons en petits morceaux réguliers. Réservez-les dans un grand saladier.
Plongez les tomates dans une casserole d'eau bouillante salée pendant 1 minute, égouttez-les, pelez-les et épépinez-les.
Coupez les citrons en deux et pressez-les.
Découpez la chair des tomates en petits dés et mélangez-les avec les morceaux de maquereau.
Salez, poivrez, ajoutez le jus des citrons et l'huile.
Laissez mariner au moins pendant 15 minutes.
Fouettez la crème fraîche en chantilly, ajoutez la moutarde, salez et poivrez.
Dressez le tartare dans des petits bols, disposez la crème légère à la moutarde autour, à l'aide d'une douille. Parsemez de graines de moutarde et servez avec des toasts chauds.

Pour la bande de mouflets : et si on leur faisait frire, un fois n'est pas coutume, des **éperlans ?**
Ça va les amuser, ils n'auront même pas l'impression de manger du poisson, en réclameront, et il y en a pour 5 minutes !
Avec une **ratatouille** bien confite (donc préparée *la veille* au soir entre deux parties de tarot), pour petits et grands !

FRITURE D'ÉPERLANS

🚶 8 enfants 🥤 10 min 🔥 2-3 min

1 kg d'éperlans
Lait
Farine
Huile de friture
4 citrons
Persil
Sel et poivre

Lavez les tout petits poissons et épongez-les dans du papier absorbant.
Rien à faire : on les laisse entiers. Salez et poivrez un peu.
Trempez-les, non pas dans l'eau, mais dans du lait. Égouttez-les, puis farinez-les.
Faites chauffer un bain de friture à 190 °C.
Plongez les éperlans dans la friture et égouttez-les dès qu'ils sont dorés. Déposez-les sur du papier absorbant pour les servir aussitôt avec des quartiers de citron et du persil.

Ce n'est pas la mer à boire, mais un petit cocktail poivré et stimulant :

BOISSON GINGEMBRE-CITRON VERT

🚶 6 personnes 🥤 20 min 🔥 15 min 🛑 2 h

1,2 litre d'eau
1 morceau de rhizome de gingembre
200 g de sucre de canne
5 ou 6 citrons verts

Faites chauffer l'eau avec le gingembre finement tranché et le sucre. Amenez à ébullition et laissez mijoter, à couvert, pendant 10 minutes.

Filtrez la préparation, pour ôter le gingembre.

Pressez les citrons verts (réservez 6 rondelles pour la décoration) et ajoutez le jus à la décoction.

Servez froid, avec plein de glaçons et 1 rondelle de citron vert !

Attention, ça réveille et pas de prise de tête : les migraines resteront bloquées dans les méninges au repos, mais c'est réservé aux adultes ! Ne vous cassez pas la tête pour les enfants : le bissap, décoction de fleurs d'hibiscus, réduit à petit feu, changera de l'éternelle grenadine. Les minots le siroteront sans souci, croyant faire comme les grands.

SIROP DE BISSAP

🚶 **10 personnes** 🍳 **10 min** 🔥 **25 min**

2 cuillerées à soupe de fleurs d'hibiscus (achetés en herboristerie)
75 cl d'eau
1 gousse de vanille
1 bâton de cannelle
350 g de sucre en poudre

Mettez les calices rouges à infuser dans l'eau bouillante de 5 à 15 minutes. Filtrez.

Ajoutez la gousse de vanille incisée dans la longueur, le bâton de cannelle et le sucre. Maintenez l'ébullition pendant 10 minutes, jusqu'à ce que le sucre soit dissous.

Faites réduire, pour obtenir la boisson sirupeuse souhaitée. Retirez la gousse et le bâton et laissez refroidir.

Servez le fond d'un verre et complétez avec de l'eau fraîche.

Oh ! j'ai une idée pour ce soir, vu qu'on a de la main-d'œuvre qui ne pense qu'à se jeter à la flotte : si nous accrochions un rocher de moules ? C'est la saison pour aller à la pêche aux moules, de juillet à janvier !

MOULES À LA BIÈRE BLANCHE

Préparation : ça dépend de l'équipe !

(🚶) **12 personnes**   (🔥) **20 min**

5 à 6 litres de moules de bouchot
6 échalotes coupées en rondelles
3 gousses d'ail pelées et écrasées
50 g de beurre
1 branche de céleri
1 bouquet de coriandre (ou de persil)
2 cuillerées à café de graines de coriandre
1 brin de thym
1 litre de bière blanche

Nettoyez les moules : jetez les stoïques, qui restent béantes devant leur sort. Préférez celles qui résistent à tout prix, celles qui, face à vos pressions, vous tiennent leur porte fermée !
Lancez les rondelles d'échalote et l'ail qui fricote déjà avec le beurre dans deux grands faitouts (cela cuira mieux et ce sera donc plus savoureux).
Détaillez le céleri en tronçons et la coriandre (ou le persil). Faites dégringoler les graines de coriandre et le thym.
Montez le feu et condamnez les moules à une mort violente. Calmez le jeu avec une tournée de bière et laissez mijoter à couvert pendant 10 minutes, en secouant de temps en temps.
Lorsque les moules sont ouvertes, et si vous n'êtes pas trop pressé, filtrez le jus de cuisson. Servez les moules recouvertes de ce philtre savoureux parsemé de feuilles de coriandre, si vous en avez, sinon de persil.

Les garçons avaient prévu large, question bière... Et si vous avez la nostalgie des célèbres moules-frites, rangez vos bottes en caoutchouc et distribuez les épluche-légumes !

GALETTES DE POMME DE TERRE CROUSTILLANTES

👤 **pour toute votre tribu**   🕐 **30 min**   🔥 **5 min**

20 pommes de terre
400 g de comté
6 œufs
8 brins de coriandre fraîche
8 cuillerées à soupe d'huile
50 g de beurre
Sel et poivre

Pelez les pommes de terre et râpez-les.
Épongez-les dans du papier absorbant.
Râpez le comté, battez les œufs et coupez la coriandre finement.
Salez, poivrez et mélangez.
Chauffez l'huile et le beurre dans une poêle. Déposez des petits tas de pomme de terre, pour former de fines galettes (de 13 centimètres environ de diamètre). Faites-les dorer pendant 2 minutes de chaque côté.
Intercalez une feuille de papier absorbant entre chaque galette.

Les journées se passent dans la bonne humeur ; certes, il faut fournir en activités ludiques et variées, mais on y arrive...
– Les enfants !... aujourd'hui, avant d'aller à la plage, atelier pâte à... pâtes ! C'est bien, non ? On va s'installer dehors : vous pouvez déjà enfiler vos maillots de bain et enlever vos tee-shirts ! – ça sera toujours ça de moins à laver : même si, ici, tout sèche en 2 minutes, c'est moyennement agréable de récupérer les socquettes sales sur les commodes, et les slips sous les lits, juste derrière les petits tas de sable qui s'accumulent dans les piaules !
Attention, la marée monte !
Bon, ils sont excités, pour une fois qu'ils peuvent se rouler dans la farine en toute impunité... De toute manière, on ne balaye même plus : une rafale du vent de l'ouest nous a tapissé la terrasse d'aiguilles de pin, en nous secouant le sable de la

dune ! Du coup, Stéphane s'est branché sur la météo marine, qu'il nous sert tous les soirs à l'apéritif : *Prévisions par zones, vents variables, dépression nord-ouest s'orientant nord en journée, vent force 8 fléchissant, mer agitée demain... !*

Laissons-les se réjouir, à condition qu'ils fassent une belle pâte, pourquoi vous assombrir ? Il n'y a pas de machine à découper les pâtes dans cette maison ? Oui, je m'en doute, mais on va leur faire étaler la pâte au rouleau et découper, grâce à des verres, des disques qui feront des ravioles honorables !

RAVIOLES DE THON ROUGE ET BLANC

(🚶) 13 manipulateurs   (🍵) 1 h   (🔥) 15 min

Pour la pâte, donnons à chaque enfant un saladier
100 g de farine (tant pis pour la semoule fine...)
1 œuf
1 minipincée de sel

Et en avant, les mains dans le pétrin jusqu'à modeler une belle boule chacun (ajouter 1 blanc d'œuf si c'est un peu sec).

Tant que les bonnes volontés sont à table, mettons entre leurs menottes une petite bouteille vide (ou pleine) en guise de rouleau pour aplatir la pâte le plus finement possible... (la pâte va gonfler un peu en cuisant, alors n'hésitez pas à écraser encore). Après la bouteille, il leur faut un verre, pour découper des disques dans la pâte. Fariner et la table et les disques !

Pendant que les mômes mettent la main à la pâte, les adultes se cassent les reins à l'atelier découpage de poissons crus.

Pour la farce
700 g de filet de thon rouge
20 cuillerées à soupe d'huile d'olive vierge extra
200 g d'olives noires dénoyautées
350 g de thon blanc au naturel

Le jus de 2 citrons
100 g de beurre demi-sel ramolli
Estragon, persil, basilic…
8 cuillerées à café de vinaigre balsamique
Gros sel et fleur de sel
Poivre du moulin

Découpez le filet de thon rouge en tranches très fines. Étalez-les sur une plaque recouverte de papier d'aluminium. Poivrez et badigeonnez d'huile.

Hachez les olives. Mélangez-les au thon blanc émietté avec le jus des citrons, le beurre demi-sel et 6 cuillerées à soupe d'huile. Goûtez et rectifiez l'assaisonnement.

Posez 1 lamelle de thon rouge sur 1 disque de pâte, garnissez-le de 1 petite cuillerée de farce et recouvrez-le d'une seconde lamelle. Refermez en pinçant les bords.

Hachez, sans râler, les parures de thon.

Mettez de l'eau à bouillir dans le plus gros faitout avec un peu de gros sel. Jetez-y les ravioles. Quand elles sont cuites, elles nagent à la surface.

Disposez 4 ravioles sur chaque assiette, dressez un petit dôme de parure de thon au centre de chacune, assaisonnez avec de la fleur de sel et du poivre. Ajoutez les herbes fraîches lavées et coupées en gros morceaux.

Nappez les ravioles de vinaigre balsamique et du reste de l'huile. (Et il faut sortir le parmesan pour les pitchouns !)

Dans cette épreuve, tout le monde a la banane, satisfait d'avoir retroussé les manches… Il n'y a plus qu'à rassembler serviettes, paillasses, masques, tubas et palmes, ballon, Frisbee.

Et s'il y en a un qui vient m'arroser quand je termine de lire mon *Fred Vargas,* je lui cuisine un plat avec son huile solaire ! Personne n'a vu mes lunettes ? Ah ! la collectivité…

Qui a osé chanter : « *Vacances, j'oublie tout, rien à faire du tout ?!* » C'est dit, l'année prochaine, on remet ça… mais à l'hôtel !!!

« BUNGALOW ÉQUIPÉ, CONFORT ASSURÉ », DISAIT LA PETITE ANNONCE...

L'an dernier, on s'était dit qu'on louerait un p'tit truc sympa au soleil... Mais j'avais annoncé la couleur : les trajets en bagnole, longs comme un jour sans pain, très peu pour moi, avec tous ces dingues qui testent leurs résistances au-delà de l'existence des autres, non merci ! Quitte à louer, louons tout : nos places dans le train, la voiture sur place et le bungalow *près de la mer...*, comme le disait l'encart. Le rêve !

Après un très long voyage, dans un compartiment plein comme un œuf, je faisais le bilan : un gros monsieur à la respiration de cafetière entartrée dormait en prenant de plus en plus ses aises ; le yorkshire de la dame blonde décolorée commençait à nous porter sur les nerfs, avec ses tics de chien trouillard ; je ne savais pas si la vieille dame au tricot rose fanée en avait encore pour longtemps à faire crisser le sac plastique qu'elle triturait depuis 2 heures ; la quatrième, bronchitique, s'enfilait bonbon sur caramel en dépliant chaque papier relissé machinalement entre ses doigts déformés par l'arthrose, ce qui ne manquait pas d'attirer la convoitise du petit garçon, qui ne tenait plus en place, normal, il n'en avait pas de place : on l'avait casé sur les genoux de sa maman, qui, de peur d'empiéter sur les panards du gros type, le tenait serré, le priant de tenir sa langue !

Et croyez-vous que celle qui n'avait pas la sienne dans sa poche aurait donné une de ses cochonneries à ce petit bonhomme !

Que dalle ! Tout ce beau monde serrait les fesses, excepté le Bibendum qui ne pouvait retenir les vesses de ses boursouflures !

Huit et demi à respirer le même air confiné... L'odeur du sandwich au pâté quand le monsieur s'est réveillé m'a précipitée dans la nausée, je n'osais même plus sortir mes carottes râpées/œuf dur, de peur de provoquer une implosion dans le compartiment, mon mari évitait de me regarder et ma fille me signalait qu'elle avait soif...

Évidemment que j'ai passé au peigne fin tout le convoi pour savoir si on ne pouvait pas s'expatrier ! Plutôt rêver, ils avaient tous fait comme moi : réserver depuis des plombes sans regarder le châtiment infligé : « *compartiment* », pourtant déclaré juste en dessous du numéro des box !

Je n'avais pas réalisé l'éternité de ce voyage, j'abdiquai : nous rentrerions en avion, à peine arrivés à Alicante, je réserverais le retour !

Ça y est, on descend ! De l'air frais... ou presque, dans les trains français, l'air conditionné, au-dessus des 35 °C, déclare forfait ! Ici, la fournaise nous assomme, eh ! il faut savoir ce qu'on veut ! Nous dégoulinons, mais nous sommes sains et saufs, tout le monde ne peut pas en dire autant, lors de l'exode de ces grands départs...

Pas d'états d'âme, maintenant, il faut s'enquérir de l'emplacement de la voiture de location : repérer le *pool* de la succursale... Le temps de mimer pour se faire comprendre, de récupérer les clés et nous voilà dans un véhicule propre et climatisé... plus qu'à trouver la Résidence Aljasmir !

Nous nous sommes arrêtés pour demander... 11 fois, à 7 reprises, nous n'avons rien capté aux explications et nous avons exécuté 5 demi-tours !

Deux heures et quart plus tard, nous franchissions l'arche du village de vacances aux allures mauresques... Ah ! ils ne m'y reprendront pas avec leurs petites annonces, très sérieuses ! Sur terrain arboré... tu parles, l'unique cactus avait bu toute l'eau du coin il y a 2 mois et ne savait plus comment s'orienter pour défier le soleil. Un peu plus loin, trois galets raplaplas délimitaient l'espace barbecue !

Les coquins, ils avaient annoncé 50 m², mais pas mentionné que c'était sur 3 niveaux, avec ciel de terrasse pour étendoir à linge... Ah, ils veulent jouer sur les *maux,* eh bien, je vais éplucher le contrat, et pour commencer, je mitraillais avec l'appareil *jetable* de ma fille pour avoir des preuves à l'appui ! Jetable, parce que, à l'agence, ils avaient insisté sur les touristes qui se font facilement plumer, je ne savais pas que les pick-pockets pouvaient aussi être derrière un bureau... je vois qu'ils se placent très bien dans le palmarès de la resquille !

Les vacances au bord de la mer s'annonçaient bien ! Au fait, elle est où, la mer ? le ciel indique qu'elle n'est pas loin, mais ce n'est pas le ressac de la Méditerranée qui va nous orienter ! Fagotés dans nos nouveaux maillots et entortillés dans nos serviettes pour cacher notre couleur d'évier parisien aux autochtones, mais surtout pour éviter l'élection du coup de soleil de l'année couronné par une insolation − c'est qu'il est torride, le cagnard ! −, nous descendons un escalier bordé de cannettes abandonnées, de matelas éventrés, mon dieu ! on est au bord d'une décharge... *qu'est-ce que c'est, ces cloches qu'on entend ?* des chèvres... debout contre les caroubiers pour carotter les gousses !... on traverse une petite route, *ça y est, je la vois !*

Mais il faut garder les tongs aux pieds et le moral : les pierres qui jonchent la côte écorchent nos talons encore tendres, je comprends pourquoi la plage est presque déserte, seulement occupée par des couples natifs du coin, à la retraite et en pleine sieste sur leurs chaises pliantes, baignant leurs durillons pour faire mariner leurs oignons dans l'eau polluée. − *On se met sur le gros rocher ou sur les cailloux ?!*

Tout ce voyage pour ça... *oui, mais on a beau temps !* Ouh !... malheur, mon écran total !!! Je sors mon coefficient 60 − c'est mon minimum − et je m'enduis scrupuleusement, sauf qu'il y en a un beau morceau à tartiner, ça me donne chaud, tout à coup, je sens que les degrés ont dépassé le raisonnable, alors je m'élance pour éteindre l'insupportable, c'était bien la peine de gaspiller un tube de crème, ah ! oui, c'est vrai, c'est water-proof... *Je mangerais bien une glace, pas vous ?*

S'il y a une chose que j'aurais bien rapportée d'Espagne, en dehors de la Casa Baltò, ce sont les **crèmes glacées à... la nata,** introuvables en France ! Pléonasme, me direz-vous, *la nata* étant la crème *fraîche !* Peut-être, mais cette spécialité résolu-ment blanche n'est pas confondue ici avec le parfum vanille, vendu par ailleurs ! Toujours est-il que cette redondance lac-tée me démangeait chaque fois qu'on approchait du troquet qui jouxtait le bungalow...
Eh... oui, c'est que nous ne nous sentions pas trop isolés dans ce quartier résidentiel ! Tiens, ça aussi, ils avaient oublié de le mentionner dans l'annonce !
¡Mama, tengo ambre! voilà que ma *chiqueta* parle espagnol à présent !

On était sur les rotules après cette première baignade, escala-de des rochers, remontée du sentier pentu au milieu de la décharge... et voyage à épisodes ! J'ai idée de préparer, pour nous calmer de cette journée découverte, un potage andalou à laisser macérer au frais dans le bas du réfrigérateur, on le boirait plus tard... Oh ! quelque chose me dit qu'on n'est pas couchés, d'abord remplir le frigo qu'on cherche à brancher, *pourquoi il s'allume pas...? ¡Ay... cariña! ¡Il va falloir se mettre à l'heure espagnole...!*

Pas de cuisson pour le gaspacho, ça tombe bien : il n'y a pas de gaz dans ce gîte ! Merci l'agence... En espérant que l'eau est potable, parce que je me vois mal sortir mes tablettes pour la purifier pendant 30 minutes avant de m'en servir et je n'ai que 10 comprimés dans mon kit de survie, on n'ira pas loin...! Mon dieu, j'ai oublié mon litre d'essence de citronnelle et je redoute une attaque de moustiques cette nuit...

GASPACHO

(🏃) **4 personnes**   (⏲) **25 min**   (🔥) **pas de cuisson**

6 tomates
1 petit concombre
1 branche de céleri
2 gousses d'ail
3 oignons
Civette (ciboulette)
Basilic
2 poivrons (1 vert et 1 rouge)
3 cuillerées à soupe d'huile d'olive
2 tranches de pain de mie (facultatif)
Sel et poivre

Pelez les tomates, concassez-les et filtrez les pépins.

Pelez le concombre et coupez-le en cubes, en éliminant le trop-plein de graines.

Effilez la branche de céleri, épluchez l'ail et les oignons. Ajoutez de la civette, du basilic et hachez le tout.

Même chose pour les poivrons, après avoir enlevé les graines (si je pouvais, je les ébouillanterais pour les peler).

Réunissez tous ces ingrédients dans un saladier. Salez, poivrez et ajoutez 1 litre d'eau froide avant de mixer.

Ajoutez l'huile et mélangez avant de laisser au frais au moins 2 heures.

Si vous préférez une consistance plus épaisse : humectez, avant de mixer, 2 tranches de pain de mie. Personnellement, je m'en passe !

Pssst ! ¡Cuidado! Une fois mixés, les légumes fermentent vite, très vite... Alors, ne faites pas comme moi : n'en faites pas pour une armée !

Bon, moi qui avais prévu du **poulpe sauté** pour ce soir, c'est cuit, oh ! je les avalerais tout crus ces employés d'agence affamés de petits profits ! Allez, un morceau de ***botifara*** – petits boudins – ou de ***sobresada,*** grosse saucisse molle, rouge chorizo, tartinée sur 1 tranche de pain insipide (c'est pas leur truc, le pain, hein...!), voilà ce qu'il y avait à manger à l'hôtel des 3 moineaux, tout est cuit et rien n'est chaud ! Et ouste ! sur les matelas pneumatiques... demain, il fera jour !

Oui ! Et on a eu le temps de le voir venir, le petit jour : on n'a pas fermé l'œil de la nuit... Faut-il préciser qu'avec 40 °C, on ne peut pas – normalement constitués – demeurer fenêtres fermées... alors, nous avons eu droit au karaoké non-stop du bar du coin – oui, celui des glaces à la nata –, qui, lui, avait le devoir de saboter notre première nuit sur la Costa Brava. Je croyais pourtant avoir expliqué au zig de l'agence au teint bistre que nous fuyions les encadrements in-dignes du club *Med...!*

Et quand ils se sont tous cassé la voix, la chaleur les ayant enfin étouffés, le chien de la voisine s'est réveillé d'un mauvais rêve pour devenir notre cauchemar ! Si ça recommence demain, je pique le baladeur de ma fille et j'enregistre sur cassette audio ces nuisances sonores – zizique et vocalises du cador – pour saisir le tribunal d'instance en rentrant !

Le lendemain, en suivant à la trace le chien... qui nous avait emmerdés toute la nuit – maintenant parti en vadrouille pour colmater les tongs de tous les vacanciers –, je me présentai à la première heure à l'entrée de la résidence pour acheter une bouteille de gaz. Mais au bout d'une plombe, j'ai compris qu'en Espagne, *la première heure* était plutôt calée sur *midi à 14 heures,* surtout après une nuit de radio-crochet !

Donc, à 15 heures bien tapées, mon doux et tendre, détenteur d'un reste de patience, nous revenait faisant rouler une énorme bombonne. Énervée en cette journée électrique et ventousée aux tentacules des poulpes, je les manipulai en pieuvre insatiable !

Si je devais me réincarner, ce type de créature me conviendrait bien, une sorte de shiva démoniaque... Et que ça saute !

POULPES SAUTÉS

🚶 **4 personnes** ✋ **25 min** 🔥 **10-15 min**

2 beaux poulpes
Huile d'olive
1 cuillerée à soupe de vinaigre de xérès
3 ou 4 gousses d'ail
2 feuilles de laurier
Picadillos
Sel et poivre

Lavez les poulpes monstrueux (600 g environ) et faites-leur les poches : videz celle contenant leur encre noire, enlevez le cartilage, frappez-les quelques minutes sur le bord de l'évier, pour les attendrir. Coupez-les en tronçons.
Faites chauffer de l'huile pour y saisir les morceaux.
Assaisonnez avec le vinaigre de xérès, l'ail coupé finement et les feuilles de laurier.
Salez, poivrez et piquez les picadillos dans les tronçons de poulpe.

Je prépare, comme Toni y Conchinta, nuestros amigos, des...

POUCE-PIED ET MOULES À LA FRESCA

Il n'est pas toujours facile de trouver ce crustacé, le pouce-pied étant une des nombreuses victimes, en Galice, de la marée noire causée par l'*Erika...* Qu'est-ce que vous voulez, chacun assaisonne comme il peut...!

🚶 **6 personnes** ✋ **15 min** 🔥 **5 min**

500 g de pouce-pied (si vous n'en trouvez pas, augmentez la proportion des moules !)
18 grosses moules... d'Espagne
1 feuille de laurier

1 poivron rouge
1 pépino (petit concombre)
1 citron
1 pointe de piment d'Espelette
Sel de mer
Sel et poivre

Lavez minutieusement les coquillages.

Faites chauffer de l'eau dans une casserole, avec la feuille de laurier et 1 petite poignée de sel de mer, et à l'ébullition, plongez-y les pouce-pied quelques secondes seulement, sinon ils durciront.

Cuisez les moules à la vapeur pendant quelques minutes. Dès qu'elles s'ouvrent, disposez-les dans une grande assiette.

Lorsque les pouce-pied sont froids, tournez légèrement le semblant d'ongle nacré de chacun d'eux, afin que la partie comestible sorte de sa gaine brune (la chair blanche est délicieuse) et dispersez autour le poivron et le concombre (pelé) coupés en petits dés.

Arrosez de jus de citron, salez légèrement, poivrez et saupoudrez d'un peu de piment d'Espelette.

C'est frais et annonce un plat de poisson...

Pour moi, l'espadon, c'est le héros du *Vieil Homme et la mer*, et je ne pouvais pas imaginer qu'on puisse manger ce blanc-bec, originaire des mers chaudes. Mais on me faisait comprendre que ce grand poisson à la chair rosée, moelleuse et ferme à la fois, est très goûteux.

À l'abordage, 1 000 sabords !

C'est bizarre comme de plus en plus de poissons apparaissent à la vente, des espèces inconnues il n'y a encore pas si longtemps : le perche du Nil, bien sûr, mais aussi l'escolier noir, ... ces animaux venus de l'océan Indien ou d'eaux douces et lointaines. Au goût parfois ni chair ni poisson, leurs noms varient au moins nos menus...

STEAKS D'ESPADON, SAUCE CATALANE

🏃 4 personnes   ⏲ 30 min   🔥 30 min

1 kg de tomates bien mûres
3 échalotes
2 gousses d'ail
2 cuillerées à soupe d'huile d'olive
1 feuille de laurier
Persil plat
1 pincée de piment d'Espelette en poudre
2 cuillerées à café de câpres
6 cornichons
4 pavés d'espadon de 120 g chacun
Fleur de sel

Plongez les tomates dans de l'eau bouillante, pelez-les, épépinez-les et concassez la chair.
Épluchez les échalotes et l'ail, émincez-les pour les faire blondir dans une sauteuse avec 1 cuillerée à soupe d'huile. Ajoutez les tomates concassées, le laurier, du persil et le piment. Salez. Laissez cuire pendant 20 minutes.
Au bout de ce temps, ajoutez les câpres et les cornichons coupés en rondelles. Mélangez.
Faites dorer les pavés d'espadon dans le reste d'huile 1 minute sur chaque face, puis installez-les sur les tomates et faites cuire de 5 à 8 minutes, selon que vous les aimez à point ou bien cuits. Comme le bungalow n'était pas suréquipé et n'était pourvu d'aucun couvercle, je mettais à contribution les 2 poêles *généreusement* mises à disposition : l'une sur l'autre, la seconde servant à couvrir celle de cuisson...
Heureusement : cette recette peut être servie chaude ou froide !

Il y a un accompagnement que j'avais mangé une fois en Espagne à l'occasion de Noël et qui est facile à faire où qu'on soit, c'est le...

CHOU ROUGE AU VIN ROUGE

(👤) **4 personnes**   (🕐) **10 min**   (🔥) **1 h**

75 g de raisins secs
25 cl de vin jeune rouge
1 chou rouge
4 cuillerées à soupe d'huile d'olive
75 g de pignons de pin
Sel et poivre

Mettez les raisins secs à macérer dans le vin.
Détaillez le chou en lanières assez fines.
Faites revenir le chou avec un peu d'huile dans une sauteuse quelques minutes, puis versez le vin et les raisins.
Salez et poivrez.
Couvrez soigneusement et laissez cuire à feu doux pendant 1 heure sans risques...
Quand cette étouffade est à point, éteignez et ôtez le couvercle, afin que l'eau de condensation s'échappe.
Grillez les pignons de pin à sec dans une petite poêle anti-adhésive, avant de les ajouter au chou. Servez aussitôt.

Un séjour en Espagne sans **paella** serait un voyage raplapa !
Et le temps que cela cuise, on a une bonne excuse pour se jeter sur *las TAPAS :* **le pain huilé et aillé, les moules à l'escabèche, les couteaux et les coques piqués d'un aiguillon en bois, un** *pallilo*... **les variantes.**

VARIANTES AU VINAIGRE

(👤) **pour tout le monde**   (🕐) **20 min**   (🔥) **15 min**

Lavez des bouquets de chou-fleur et de brocoli, coupez des carottes en rondelles, nettoyez des petits oignons nouveaux, épépinez des poivrons rouges, etc. Si vous avez d'autres idées de légumes à laisser mariner, ne vous privez pas...

Blanchissez séparément chaque légume dans de l'eau bouillante salée de 2 à 3 minutes (il faut que les légumes restent croquants).

Mettez-les en bocaux en alternant les couleurs.

Faites bouillir du vinaigre d'alcool et laissez-y infuser, selon les goûts, du poivre, des clous de girofle, des baies de genièvre, des graines de moutarde, de l'estragon, etc.

Versez le vinaigre refroidi sur les légumes, en les couvrant.

À garder à température ambiante pendant 1 mois et à consommer au gré de ses envies, en apéritif ou en accompagnement de viandes ou de poissons froids.

Mais attaquons la paella !

PAELLA

🧍 8 personnes 🍲 30 min 🔥 1 h 30 🛑 5 min

1 beau poulet (ou 1 lapin) à couper en 8 morceaux
4 petits morceaux de plat de côtes
1 carotte
3 oignons
2 clous de girofle
1 bouquet garni
Huile d'olive
1 tête d'ail
2 poivrons (1 vert et 1 rouge)
4 tomates
300 g de calamars (têtes, tentacules et rondelles)
1 grosse poignée de petits pois frais (ou de cocos plats)
800 g de riz à grains ronds
3 g de safran en filaments
8 langoustines crues
8 grosses moules d'Espagne
3 citrons
Sel et poivre

Traditionnellement, on fait cuire la paella dans une poêle du même nom (qui existe dans toutes les tailles), en fer-blanc, avec des anses, détail important car celles-ci sont le point de référence du niveau du liquide, lequel ne doit pas dépasser les vis qui les fixent.

Dans le cas présent, j'ai pris celle de 45 cm de diamètre...

Coupez la viande en morceaux et préparez un bouillon qui permettra au riz de cuire : immergez la carcasse du poulet dans un faitout rempli d'eau froide salée. Ajoutez la carotte, 1 petit oignon piqué des clous de girofle et le bouquet garni.

Faites chauffer de l'huile dans le plat. Ajoutez les oignons restants, détaillés en lamelles, et la tête d'ail (telle qu'elle) au centre du plat.

Cinq minutes plus tard, écartez ces ingrédients sur les bords du plat et ajoutez les poivrons, lavés et coupés en fines lanières. Dix minutes après, envoyez-les rejoindre les oignons, qui continuent doucement à cuire, et faites revenir, toujours au centre du plat, les morceaux de viande. Retournez-les souvent afin qu'ils dorent sur chaque face.

Les tomates, lavées et coupées en quartiers, croisent le chemin de la viande, qui saisit leur jus. Salez et poivrez.

Lorsque les viandes ont une belle couleur, écartez-les un temps aussi, pour laisser la place aux calamars au milieu des tomates.

Au bout de 5 minutes, mélangez et dispersez tous les ingrédients revenus dans la poêle – tête d'ail remise au centre – en ajoutant les petits pois ou les cocos plats. Versez le riz en pluie.

Diluez le safran dans un peu d'eau tiède (il est fragile et peut perdre sa saveur s'il est incorporé dans une préparation très chaude) et répartissez le tout sur les morceaux.

Quelques minutes après, couvrez de bouillon de volaille chaud.

Portez à ébullition puis baissez le feu. Posez les langoustines en étoile, en alternance avec les grosses moules.

Laissez cuire à feu doux pendant 20 minutes. Veillez à ce que le riz reste ferme.

Éteignez le feu et laissez reposer pendant 5 minutes avant de servir avec des quartiers de citron que chacun pressera, ou non (mais ils facilitent la digestion), sur son assiette, mais, comme le couscous, la paella se mange à même le plat !

Ça valait le détour ! Le dépaysement est complet quand on consomme ce qu'on ne trouve pas chez soi ! Abreuvés d'agua lemon par Nati (-vidad) la voisine de la tia, aux formes tout aussi généreuses…

AGUA LEMON DE NATI

🚶 pour 1 litre   ⏲ 20 min   🔥 2 h   🛑 3 h congélation

4 citrons jaunes non traités et bien mûrs
250 g de sucre en poudre
2 pincées de cannelle

Coupez les extrémités des citrons et râpez chaque fruit contre une mandoline pour récupérer les zestes limés.
Je la regarde : la chaleur espagnole n'a pas raison d'elle !
Versez 1 litre d'eau froide sur les zestes et les citrons désapés.
Laissez reposer pendant 2 heures, à couvert.
Ouvrez-les en deux et pressez-les comme des malheureux, jusqu'à ce qu'ils n'aient plus rien à avouer. Jetez leurs cadavres. Et comme il n'y a pas de presse-agrumes dans le gîte, enfoncez une fourchette dans chaque demi-citron et tournez le « couteau » dans la plaie, tantôt à gauche, tantôt à droite. Ajoutez le jus au mélange « eau-zestes », saisissez le sucre et saupoudrez sans hésitation : le froid va atténuer le sucre.
Jetez la cannelle dans la préparation. Mélangez avec énergie, et placez au congélateur. Remuez régulièrement la glace, pour éviter *qu'elle ne prenne trop vite* et ne se fige complètement : le but est d'obtenir une *glace* concassée baignant dans son jus…

Ma loupiote et moi, on en a descendu des litres, déglutis à la paille, alternant avec l'***horchata de chufa,*** ce lait issu du *souchet,* tubercule brunâtre écailleux, gros comme une noisette et dont le goût frise celui de l'amande, dont l'origine remonte à l'Égypte ancienne, imaginez un peu ! En fait, elle est cultivée dans la région de Valence, mais on peut en boire dans n'importe quel bar de la région et on ne s'en est pas privées !

Une virée à Barcelone, dans les étages sinueux de ses maisons gaudiennes, un petit pèlerinage dans le quartier de la Place du Diamant, en mémoire du livre poignant de la Catalane Merce Rodoreda, et nous voilà en route pour l'aéroport... une veine d'avoir eu des billets !

À peine la trouille incompressible du décollage est-elle ravalée qu'on nous colle sur les tablettes un plateau repas, 100 % à jeter ! Quelle que soit l'heure, on vous inflige un sandwich, non pas au jambon – comme on pourrait le croire à la couleur –, mais à la dinde – et un autre au *queso,* un mélange de Vache qui rit et de pâte à raclette sans tenue – et, tenez-vous bien à vos petits sacs plastique pour soulagements intempestifs, l'un et l'autre coincés entre deux tranches de pain américain barbouillées de mayonnaise... verte ! Si vous n'aviez pas eu de haut-le-cœur, là, vous étiez à deux doigts de... !

Entre les trous d'air, les *turbulences,* comme ils les appellent, et leurs collations dégueulasses, il faut avoir le cœur bien accroché ! Et tout à coup, l'envie irrépressible de faire pipi, réflexe instinctif de survie, cette impatience de retrouver le plancher des vaches et même d'aller brouter un peu, au moment même où vous ne pouvez plus y aller parce que vous êtes ceinturés par l'œil autoritaire de l'hôtesse qui, si elle ne comprend qu'un mot sur trois, vous somme de rester tranquille !

¡Mama! Je me demande si je ne préfère pas quand même la micheline...

C'EST L'ANNIVERSAIRE DE
MA CHÈRE TÊTE BLONDE...

Non, je ne tomberai pas dans le panneau : je ne louerai pas une salle de 150 m² pour les 8 ans de ma chérie !

Ne comptez pas non plus sur moi pour investir la terrasse d'un grand magasin, me garantissant de me décharger de tout, y compris de mon portefeuille ! Avec ce genre d'individus qui cherchent à vous faire croire que, pour encadrer une fête, il faut suivre une formation spécialisée, non, tant pis !

Laisser mon imagination et ma fantaisie s'amuser à l'avance d'un bon moment à passer ensemble, se réjouir à l'idée de proposer une virée qui enchantera les mômes ! Eh bien, oui, je l'avoue, je contribue au chômage de ce mono-étudiant-mauvais clown qui n'en pense pas moins de ces enfants de bourges ne sachant plus quoi faire pour rester in !

Alors, pour ma tête blonde à moi – qui est bien brune –, je fais le tour de mes capacités pour proposer une journée sympa pour tout le monde : espace et liberté pour les enfants, tranquillité et paix pour les parents ! Donc, je cherche dans un square ou un parc à proximité un parcours qui pourrait stimuler, défouler et fatiguer les enfants avant de rentrer dévorer le goûter ! Si le temps fait la gueule, le recours au cinéma avec vieux films cultes en noir et blanc fait toujours l'unanimité !

Par expérience, je sais que les enfants adorent... le **chocolat,** donc je cherche à leur faire un gâteau, joli comme un cœur, pour planter bougies et quenottes ! Et pour ceux qui ont une incompatibilité avec le cacao, comme les fruits sont appréciés pour leur simplicité et leur fraîcheur, je confectionne une cour de gourmandises : **petits choux** surmontés de **chantilly** où je plante des **fruits de saison** mais que les enfants pourront chiper en passant au gré de leurs envies. Et puis traîneront une série de **petits palets aux raisins, de rochers à la noix de coco** que je fais préparer à ma bougresse, très fière d'enfiler son tablier de petite fille modèle pour participer à 100 % à SA journée ! En revanche, je bannis crème au beurre écœurante et enrobage de pâte d'amandes au colorant alimentaire rose *Barbie...*

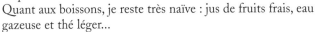

Quant aux boissons, je reste très naïve : jus de fruits frais, eau gazeuse et thé léger...

Mais revenons à nos bonbons, oh.., lapsus révélateur : si, en temps ordinaire, j'interdis toute sucrerie, je lève mon veto ce jour-là et je fournis moi-même torsades de réglisse, nounours enrobés de chocolat, guimauves pastel, boules de gomme, frites acidulées et roudoudous...

Cette fois, j'attaque le gâteau de résistance :

GÂTEAU CARAQUE

🏃 **8 à 10 personnes**　　✋ **20 min**　　🔥 **35 min**

Pour le gâteau :
4 œufs
100 g de sucre en poudre
2 sachets de sucre vanillé
30 g de cacao en poudre
30 g de poudre d'amandes
60 g de beurre + supplément pour le moule
20 g de farine
50 g de Maïzena
1/2 sachet de levure chimique

Pour la crème
100 g de chocolat à 60 % de cacao minimum
10 cl de lait
100 g de sucre en poudre
50 g de Maïzena

3 jaunes d'œufs
100 g de beurre
3 pincées de cannelle moulue

Pour la garniture
Chocolat de couverture (ou 1/2 plaque à croquer)
Sucre glace

Préchauffez le four à 180 °C (th. 6).
Séparez les blancs d'œufs des jaunes. Travaillez d'abord les jaunes avec les sucres et 1 cuillerée à soupe d'eau chaude.
Ajoutez le cacao, la poudre d'amandes, le beurre préalablement fondu, la farine, la Maïzena et la levure.
Montez les blancs en neige ferme. Incorporez-les avec délicatesse à la préparation précédente, en soulevant la pâte.
Beurrez un moule en forme de cœur. Versez-y la pâte (qui ne doit pas dépasser le niveau des 2/3), enfournez et laissez cuire pendant 30 minutes.

Pendant ce temps, occupez-vous de la crème. Dans une casserole placée au bain-marie, faites fondre le chocolat dans 2 cuillerées à soupe de lait. Hors du feu, ajoutez, en remuant, le sucre, la Maïzena délayée dans le reste du lait et les jaunes d'œufs.
Remettez au bain-marie. Dès que le mélange épaissit, retirez du feu et ajoutez le beurre par petits morceaux, tout en mélangeant. Incorporez la cannelle.
Lorsque le gâteau est cuit, démoulez-le, mais attendez qu'il refroidisse – sans le mettre sur le rebord de la fenêtre, de peur qu'un Renard ne vienne dérober ma galette... – pour ouvrir ce cœur en deux dans le sens de l'épaisseur. C'est toujours une opération délicate, qui demande de la patience...
Bichonnez la première tranche de crème refroidie, en en réservant un peu pour le dessus du gâteau – bien que, comme Boucle d'Or, je sois tentée de me régaler avant l'heure – une fois coiffé l'attrape-cœur de sa seconde valve.

Il ne reste plus qu'à décorer entièrement de gros copeaux de chocolat – débités grâce, encore, à l'épluche-légumes –, qui vont se poser en douceur sur la crème.

La cerise sur le gâteau : amusez-vous à découper dans une feuille de papier l'âge de la princesse, que vous placez sur le dessus du gâteau. Saupoudrez ce pochoir de sucre glace.

Et je fais une ravie qui reste bouche bée, n'osant plus camper ses bougies – pourtant c'est moi qui, si je devais dresser les miennes, en verrais 36 chandelles !

Contente de mon petit effet, je ne perds pas la main et m'occupe de mes bouts de chou ! On s'en fait une montagne, mais je vous assure que c'est bête comme chou !

PÂTE À CHOUX

🏃 **20 choux**   🕐 **15 min**   🔥 **25 min**

80 g de beurre
1 cuillerée à soupe de sucre en poudre
150 g de farine
4 œufs
1 pincée de sel

Versez 25 cl d'eau dans une casserole, faites-y fondre 60 g de beurre avec le sucre et le sel.

À ébullition, versez d'un seul coup la farine tamisée et mélangez énergiquement. Très rapidement se forme une boule de pâte qui se décolle des bords de la casserole ; alors, retirez du feu.

Cassez les œufs un à un dans la pâte, en remuant bien entre chaque adjonction.

Beurrez généreusement toute la surface de la tôle du four. Allumez le four à 210 °C (th. 7). Déposez des noix de pâte, assez espacées, que vous détacherez avec deux cuillères (si vous n'avez pas de poche à douille sous la patte !).

Interdiction d'ouvrir la porte du four pendant les 15 minutes (grosso modo) de cuisson : susceptibles à un léger refroidissement, les choux sont capables de retomber et de se ratatiner... Admirez-les à travers la vitre fumée qui vous ment sur la couleur véritable de vos p'tits choux...

Passons... pas trop vite : une fois cuits, attendez-les, la porte du four entrouverte, pour finir de les dessécher.

Il ne reste plus qu'à les investir de chantilly ou d'une légère crème pâtissière à la vanille avant de les éparpiller au gré de petites assiettes, afin que les Petit Poucet retrouvent leur chemin !

Mais laissez quelques choux non fourrés, avec des grains de sucre granulé collés dessus : les chouquettes ont toujours la cote auprès des enfants !

CRÈME PÂTISSIÈRE À LA VANILLE

🏃 **6 personnes**   🍶 **20 min**   🔥 **20 min**

1 litre de lait
1 gousse de vanille
6 œufs
2 sachets de sucre vanillé
120 g de sucre en poudre
125 g de farine
40 g de beurre
1 pincée de sel

Faites chauffer le lait dans une casserole avec la gousse de vanille ouverte sur toute la longueur, pour que les petits grains noirs plongent dans le bain blanc.

Cassez 2 œufs dans une terrine. Ajoutez 4 jaunes, en gardant 2 blancs pour les monter en neige avec le sel et 1 sachet de sucre vanillé (réservez les 2 blancs restants pour confectionner les rochers congolais). Agitez les cocos en omelette avec les sucres et faites mousser (tellement vous les fouettez fort). Incorporez doucement la farine tamisée et versez le lait bouillant au fur et à mesure, tout en remuant. (Enlevez la gousse de vanille avant !).

Transvasez de nouveau le mélange dans la casserole et faites chauffer tout doucement en remuant jusqu'au premier bouillon (après, ce serait bête de la gâter !).

Ajoutez le beurre, afin de parfaire le crémeux, par morceaux qui fondent d'aise, et incorporez la neige de blancs avec un doigté de fée.

Et, grande sœur du Petit Chaperon rouge, regardez votre petit pot de crème refroidir dans une grande coupe avant de planter vos choux !

Sélectionnez les fruits de saison qui ont toutes les chances de séduire les enfants : fraises, framboises, abricots, quartiers de nectarine (ils se tiennent mieux que les pêches), morceaux de melon.... Déposez-les sur un bonnet de chantilly.

En automne ou en hiver, choisissez un grain de raisin, une prune ou un pruneau, un quartier de clémentine, une rondelle de banane citronnée, un morceau de poire...

Je suis sûre que mes gourmandises seront les chouchous de l'après-midi ! Et là, à votre chère tête blonde d'agir.

PALETS AUX RAISINS

🏃 24 biscuits   🕐 15 min   🔥 10-15 min selon le four

80 g de raisins secs
1 c. à s. de rhum
125 g de beurre + supplément pour la plaque
100 g de sucre en poudre
2 sachets de sucre vanillé
2 œufs
150 g de farine

Elle rince les raisins à l'eau tiède, puis les met à tremper dans un petit bol avec le rhum. Comme vous aviez pris la précaution de sortir le beurre, elle n'a pas à attendre pour le mélanger aux sucres, avant de casser les œufs.

Après vérification qu'aucune coquille n'est tombée dans le récipient, elle touille. Petit exercice de maths pour remplir la mesure avec 150 g de farine, qu'elle a un peu de mal à mélanger. Un petit coup de main, et la voilà qui bascule les raisins : *hum, ça sent bon...*, dit ma Douce en se léchant les doigts, enchantée d'avoir mis la main à la pâte.

Pendant qu'elle barbouille de beurre la tôle du four et s'en donne à cœur joie pour déposer des petites crottes de pâte, préchauffez le monstre Four à 180 °C (th. 6). Comme les biscuits sont espacés sur la plaque (et heureusement, puisqu'ils vont s'étaler en cuisant), prévoyez trois fournées à ne pas quitter des yeux : les palets roussissent très vite, et il faut les surveiller comme Barbe Bleue, ses dames.

Ma Gretel y a pris goût, elle continue sur sa lancée et le four chaud n'attend que ses **rochers à la noix de coco,** qui, comme dans le conte de fées, seront grignotés par tous ces Hansel qui vont rappliquer avec cette douce odeur de sucré...

ROCHERS À LA NOIX DE COCO

(🏃) **6 personnes**   (🍵) **20 min**   (🔥) **15 min**

100 g de sucre en poudre
1 sachet de sucre vanillé
2 blancs d'œufs
200 g de noix de coco râpée
30 g de beurre
1 pincée de sel

Elle mélange les sucres avec les blancs d'œufs et le sel dans une terrine (vous avez récupéré les 2 blancs qui n'avaient pas servi dans la confection de la crème pâtissière). Elle ajoute la noix de coco et elle brasse le tout, avec sa spatule en bois.

Les mains couvertes de beurre... jusqu'aux coudes, elle enduit la plaque du four où elle dépose des cônes de pâte.

Au bout de 12 à 15 minutes de cuisson, toujours au four à 180 ° (th. 7), et les pyramides ressortent dorées à faire envie.

Et je crois qu'on va s'arrêter là avant que notre kitchenette de reine d'un jour ne se transforme en pâtisserie de Peau d'âne dans sa cabane, confinée entre le four et l'évier qui n'a rien à envie à celui des sept nains avant que Blanche-Neige ne vienne à la rescousse ! Et moi, je n'ai pas de marraine, Fée du Nettoie-là, pour balayer de fond en comble... parce qu'il a neigé de la farine dans ma cuisine de poupée !

Théoriquement, j'ai un an devant moi pour souffler et je me demande si, l'année prochaine, je ne ressortirai pas mes frusques de sorcière − vestiges du déguisement qui avait fait toute ma notoriété pavillonnaire lorsque, bien avant d'être maman, j'animais les goûters d'anniversaire. Gagne-pain qui m'avait poussé à planter les dents dans un ver de terre, histoire de prouver aux plus grands, très sceptiques, l'authenticité de mes gènes en matière de magie noire... Eh bien, ils avaient vu, par la bave de crapaud, que je n'étais pas une apprentie... sorcière ! J'avais fini par les mener à la baguette, mais je désespère un jour de faire manier le balai à ma princesse... Balai sur lequel les garnements avaient patiemment attendu que je reparte, en volant vers la pleine lune... moi qui avait su arriver à califourchon dans un nuage de fumigène. À mon grand dam, le démarrage s'était avéré poussif et terre à terre ! On ne pense jamais à tout...

JOURNÉE NOIRE :
APRÈS LA CÉRÉMONIE...

– Mais pourquoi il est mort ? il était bon vivant pourtant... ! Voilà bien toute la logique de ma grand-mère, qui n'en rate pas une et arrive à nous faire rire même quand l'humeur n'y est pas... N'empêche que ce n'est pas elle qui va nous donner un coup de main pour accueillir toute la famille dans cette épreuve. Comme un fait exprès, c'est moi la mieux placée, géographiquement, pour conduire tout le monde au cimetière et soutenir l'estomac des proches...

Dans de telles circonstances, qu'est-ce que je vais leur servir ? Pas vraiment festif, mais pas expédié non plus... c'est le début des condoléances... Prévoir quelque chose qui ne demande pas trop de surveillance, qui n'exige pas trop de manipulation, histoire de ne pas avoir les ongles plus en deuil que moi encore ! On ne peut pas se contenter de **croque-monsieur...** Un plat digne et funèbre à la fois... j'avais bien pensé à une **poularde demi-deuil,** mais je crains que ce ne soit trop appuyé...

J'abandonne tout de suite les abats...

cervelles en meurette, fromage de tête, foie de veau à la vénitienne, rognons au xérès, tripes à la mode de Caen,
non, non, non... trop chargé de sens et de sous-entendus déplacés, tout ça !

C'est terrible et inconvenant de devoir penser à ces obligations dérisoires. La mort nous prend à la gorge, suspend nos émotions, nous arrache êtres aimés et larmes, nous donne un haut-le-cœur, mais relâche son étreinte pour laisser la faim reprendre le dessus de nos ventres... même noués ! Est-ce cela, la vie qui finit par l'emporter... ?

Alors, on continue, on avance...
Un **ragoût de porc mariné** peut-être ?
Ou tout simplement un **BŒUF BOURGUIGNON**
qui, si nous nous retrouvons à **15,** restera très abordable.
Allez, il faut prendre des dispositions maintenant, entre les démarches administratives et les passages obligés du slalom cérémonial, on n'est pas au bout de nos peines...
Alors, le jour de la mauvaise nouvelle...

BŒUF BOURGUIGNON

(🏃) **15 personnes**   (👐) **30 min**   🛑 **1 nuit**   🔥 **2 h**

1 ou 1 1/2 bouteille de bourgogne rouge
2 kg de bœuf à braiser (gîte ou macreuse)
1 petit oignon
3 ou 4 clous de girofle
4 carottes
2 gousses d'ail
1 bouquet garni
20 g de beurre
1 cuillerée à soupe d'huile
4 échalotes émincées
300 g de lardons
Sel et poivre

Ouvrez 1 bouteille de bourgogne rouge, voire la moitié d'une autre : pas pour vous cuiter et éponger votre chagrin, encore que... –, mais pour faire mariner le... bœuf à braiser coupé en morceaux assez petits pour permettre une cuisson plus fondante.
Plongez 1 petit oignon piqué des clous de girofle dans la cuite.
Pelez et coupez les carottes en rondelles, et ajoutez-les.
Épluchez les gousses d'ail, dégermez-les et incorporez-les.
Plantez le bouquet garni au pied de la viande ci-gît (et au lit, pour ne plus penser à rien).

Le lendemain matin, je ne me chagrine pas pour une entrée, même si ce repas est en l'honneur de celui qui a cassé sa pipe, chacun aura sa douleur à ronger pour ne pas ajouter une entrée aussi froide que le défunt ! Si la saison et le mauvais temps le justifiaient, un potage de légumes proposé à discrétion serait le bienvenu. Je vous dis : un repas sans couronnes qui doit passer inaperçu et ne pas rappeler à quel point le cher disparu était un fêlé de la bouffe... mais de bons vins réconforteront sans conteste !

➜ Faites fondre le beurre dans une cocotte qui, soutenu par l'huile, va chauffer doucement pour consoler les échalotes émincées en pleurs et les lardons au bord de l'apoplexie. Salez un peu (les lardons le sont déjà) et poivrez.
Très vite, les morceaux de viande, égouttés de leur marinade, rappliquent et sautent dans la grande cocotte. Laissez revenir pendant 10 minutes avant de verser la marinade, de couvrir et de laisser mijoter à feu doux pendant 2 heures.

Et la garniture…
Pendant ce temps, faites braiser 1 douzaine de **carottes** dans 1 noix de **beurre** et un peu d'**huile,** avec plein d'**ail.** Ajoutez du **persil** en fin de cuisson. Elles accompagneront bourguignon et **pommes de terre vapeur persillées.** Je prévois au moins 2 kg de pommes de terre si nous sommes plus de 12...

Une salade verte – en évitant absolument les pissenlits : il se trouverait toujours quelqu'un pour dire que *le pauvre les mange désormais par la racine... –,* associée à du **roquefort AOC,** me dispensera de présenter un plateau de fromages plus exhaustif. Pour éviter la case « fromage » avec douze spécimens minimum, chargés de représenter la France, intégrez une spécialité laitière dans l'un de vos plats, de façon à ne pas réappuyer sur cette touche et sans être taxé(e) de manque de savoir-vivre. Je disperse des cerneaux de noix ici et là... négligemment.

Lors du repas, je ne reste pas muette comme une tombe, face aux têtes baissées qui se recueillent au-dessus des assiettes. Difficile d'oublier pourquoi nous nous retrouvons là : y compris pour les cousins, que nous n'avions pas forcément l'intention de revoir de sitôt ... Lorsqu'un ange passe, je le saisis pour parler de tous les angelots de la famille en culotte courte – sujet le moins dangereux, encore que je veille à ce que la belle-sœur qui ne peut pas en avoir se soit éloignée –, ... *eh oui ! ces enfants qui ont tout l'avenir devant eux...* J'avertis : tous les clichés vont couronner cette journée fleurie de force. Autre thème possible en cas de silence de mort : le jardin qui pousse bien et a pris tournure grâce aux boutures données par les uns et les autres... J'envoie paître ces fadaises, j'apporte le dessert : une **tarte fraise-rhubarbe** qui rajustera l'acidité renaissant entre les cousins...

TARTE FRAISE-RHUBARBE

J'ai prémédité le repas.
La veille, mettez à confire à froid les pétioles de rhubarbe pelés, effilés et coupés en tronçons de 2 centimètres, recouverts de 120 grammes de sucre. Couvrez et allez vous coucher.

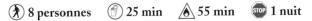 **8 personnes**   **25 min**   **55 min**   **1 nuit**

Pour la pâte brisée
250 g de farine
125 g de beurre à température ambiante
1 pincée de sel

Pour la garniture
500 g de rhubarbe
300 g de fraises
150 g de sucre en poudre
1 œuf
1 grosse cuillerée à soupe de crème fraîche
2 sachets de sucre vanillé

Mélangez la farine, le sel et le beurre coupé en morceaux. Pétrissez du bout des doigts et rapidement la pâte.

Lorsque le beurre a infiltré toute la farine, rassemblez en boule le levain avec un peu d'eau (1 à 2 cuillerées à soupe). Laissez reposer.

La nuit étant passée, laissez la rhubarbe s'égoutter pendant 1 heure. Lavez les fraises et réservez les 3 plus belles pour la décoration de la tarte (après cuisson).

Pochez le reste des fraises avec le sucre restant à feu doux pendant 30 minutes. Préchauffez le four à 200 °C (th. 7).

Étalez la pâte dans le moule et garnissez de rhubarbe mélangée aux fraises confites et égouttées.

Préparez l'appareil qui liera les fruits : battez l'œuf avec la crème fraîche et 1 sachet de sucre vanillé, et versez le mélange sur la tarte garnie.

Enfournez et faites cuire pendant 25 minutes.

Servez la tarte froide ou tiède, saupoudrée de sucre vanillé et décorée avec les 3 fraises entières...

Il y a toujours quelques réfractaires à la rhubarbe, aussi :

TARTE TATIN AUX POMMES CONFITES

Posées sur un lit de caramel au beurre salé, des pommes confisent lors d'une longue et double cuisson. Version sophistiquée de la Tatin ! Ils garderont de cette journée noire un goût de tristesse caramélisée qui leur fera retrouver un moment heureux avec le cher disparu...

🏃 **6 personnes**   ⏱ **25 min**   🔥 **1 h 20**

Pour la pâte brisée
140 g de sucre en poudre
90 g de beurre salé
1 kg de pommes

Pétrissez la pâte comme pour la tarte fraise-rhubarbe.

Le caramel :

Faites chauffer le sucre à feu moyen. Remuez jusqu'à ce qu'il fonde, puis laissez-le blondir. Baissez le feu, ajoutez le beurre morcelé : le caramel crépite. Tournez jusqu'à ce que le beurre soit fondu. Versez le caramel dans le moule et couvrez-en le fond.

Préchauffez le four à 180 °C (th. 6).

Pelez et coupez les pommes en quatre. Ôtez le cœur et les pépins.

Rangez les pommes bien serrées sur le caramel. Si nécessaire, coupez encore les quartiers en deux, pour occuper toute la surface et boucher les interstices.

Enfournez et laissez cuire pendant 50 minutes : les pommes doivent être tendres tout en gardant leur forme, et leur surface doit dorer sans brûler.

Sortez le moule du four et laissez refroidir.

Étalez la pâte et découpez-y un disque de 26 centimètres de diamètre, que vous poserez sur les pommes refroidies. Bordez légèrement en l'enfonçant à peine entre les fruits et les parois du moule. Placez au réfrigérateur pendant au moins 10 minutes.

Faites cuire la tarte pendant 25 minutes, après avoir piqué la pâte d'une vingtaine de trous bien répartis. Sortez-la du four et démoulez-la.

Hmm !...

Je surveille le caramel, une odeur de brûlé est bien vite déclarée et longue à se dissiper... Concours de circonstances qui met chacun sens dessus dessous ; derrière moi, la grand-mère s'exclame tout à trac : *C'était beau, tout ce parterre au cimetière, mais quand même, pour moi, j'ai choisi le crématorium... et vous disperserez les cendres de souvenirs dans le jardin de l'oubli...*

Mortelle, la grand-mère, elle n'en rate pas une, vous verrez qu'on en fera une centenaire ! Et sois sûre d'une chose, on n'est pas près de t'oublier !

WEEK-END À LA CAMPAGNE AVEC DES AMIS !

Revenir dans cette maison où les odeurs inimitables ont imprégné toute mon enfance et que je retrouve avec un bonheur qui me submerge à chaque fois ! Après deux tours de clé rouillée, les gonds râlent sous l'arthrose grippante, avant de céder et de nous laisser pénétrer dans la grande pièce commune.

La nuit est vite tombée ce soir, le feu ronronne dans l'âtre quand les phares de la voiture s'éteignent sous le vieux hangar, les copains mettent pied à terre sous un crachin habituel pour un week-end farniente...

Une mauvaise pensée me traverse l'esprit : et s'il pleut tout le week-end... qu'est-ce qu'on va faire ? Tout sourire, je passe en revue les activités validées : balades en bicyclette et Kway sur les petites routes où l'herbe a le toupet de pousser le bitume pour s'y implanter ; tournée des brocantes du coin ; même si ce n'est plus la saison des concerts baroques dans les petites églises alentour, il y aura sans doute une lecture publique dans une auberge toute proche ; et une virée à cheval avec le centre équestre d'à côté ?! Même par temps de chien, une balade à dos de canasson est toujours sensationnelle : souvenirs assurés !

La Creuse, en accord avec ses paysans muets comme des tombes, garde ses plats du pauvre à l'abri des bouches étrangères et ne livre pas ses recettes au premier venu.

Mais par une froide soirée d'hiver, une grande assiette de... **soupe de topinambours,** suivie du **pâté de pommes de terre** traditionnel, et des **quetsches du pré** (fraîches et pochées, si c'est la saison, sinon appertisées dans un grand bocal).

SOUPE DE TOPINAMBOURS

4 personnes   **25 min**   **30 min**

400 g de topinambours
75 cl de lait entier
25 cl de crème fraîche
200 g de tomme sèche
3 jaunes d'œufs
Sel et poivre

Épluchez les topinambours et coupez-les en dés.
Faites-les cuire doucement dans le lait et la crème pendant 30 minutes, jusqu'à obtention d'une purée. Mélangez régulièrement, afin que les topinambours n'attachent pas au fond de la casserole : la soupe doit rester très blanche.
Entre-temps, râpez la tomme, puis montez le sabayon : mélangez les jaunes d'œufs, 4 cuillerées à soupe d'eau et 1/4 de la tomme râpée, dans une petite casserole, et faites cuire au bain-marie en fouettant, pour rendre le mélange léger mais ferme.
Mixez la soupe et passez-la au chinois. Salez un peu (le fromage est déjà salé) et poivrez.
Répartissez la soupe bien chaude dans des assiettes creuses, ajoutez le sabayon au milieu, puis parsemez le reste de la tomme.
Placez les assiettes sous le gril du four, jusqu'à légère coloration, et servez aussitôt !

Je ne pourrais pas accueillir nos amis en Creuse sans leur faire goûter le **pâté de pommes de terre,** que je tiens de ma grand-mère paternelle, née dans la maison même où je reçois ! C'est toujours de saison : automne/hiver, il faut se barder contre le froid, et l'été, pour un dîner à la fraîche, sous le tilleul.
Tilleul dont je tire une infusion pour une digestion légère avec les bractées séchées et récoltées au tout début de l'été. Quand le froid pique, une tisane de sauge poivrée est la bienvenue.

Ma grand-mère Ernestine n'a jamais su me dire quel type de pâte elle préparait pour son pâté. Pour elle, tout est d'une telle évidence que cela se passe de noms, de questions même. À chaque fois que j'ai voulu lui faire préciser les quantités, elle a levé sur moi ses yeux sans jugement, mais sans compréhension non plus : *Je ne peux pas te dire, c'est toi qui vois...* Non, pas vraiment : j'arrive pour les dévorer, ses pâtés, pas pour l'assister ! Alors, je mime une ration possible pour évaluer, au soupeser imaginaire, les proportions. Ne connaître qu'une façon de faire, apprise à travers ses yeux de gamine rivés sur les mains de sa propre mère, lui donne un détachement aux choses et une propension à universaliser le plus naturellement du monde. L'argument qui ne peut que m'encourager à laisser parler ma générosité et qui est son leitmotiv : *Ça ne peut pas gâter ta pâte...,* en parlant surtout du beurre ou de la crème fraîche. Cette femme est pétrie dans une pâte d'habitudes qui la mène jusqu'au bout de ses 88 ans sans qu'aucune remarque diététique ne vienne contredire ses mesures au débotté. Elle est restée l'illustration parfaite d'une alimentation riche qu'aucune surcharge gastrique ou hépatique n'ont même essayé de faire fléchir. Une force de la nature paysanne.
Avec la poigne, car il en faut pour malaxer...

PÂTÉ DE POMMES DE TERRE

🏃 8 personnes   ✊ 45 min   🔥 1 h 15   🛑 2 h

350 g de farine
1 paquet de levure chimique
(Quand j'ai fait remarquer à ma grand-mère que je doutais fort que Jeanne, mon arrière grand-mère utilisât une telle levure – je lui suggérai qu'elle devait avoir oublié, qu'il s'agissait probablement de levure donnée par le boulanger lors d'une tournée qu'elle gardait au frais dans la cave, à l'abri d'un linge –, là, d'un ton égal, elle m'a souri pour me dire : *Oh... mais ma petite-fille, la levure alsacienne est plus vieille que moi !*

1 ou 2 œuf(s)
1 verre de lait
2 cuillerées à soupe de crème fraîche entière (là, je n'y coupe
   pas !)
1 kg de pommes de terre
150 g de beurre ramolli et en morceaux
   (Ma grand-mère,qui a toutes les audaces d'avant les
   frustrations à la mode, ouvre sa bouteille de lait entier
   et cru… moi, moins téméraire, je débouche le demi-écrémé !)
Persil
1 petite pincée de sel fin
Poivre

Pour la pâte levée (c'est son nom)
La farine et la levure fricotent, avant de se séparer momentanément en un trou béant prêt à accueillir le ou les œuf(s)
entier(s), le lait et la crème fraîche, dans un grand saladier.
Touillez, comme on dit chez nous, avant de l'abandonner sur
le bas-côté de la table, pour pétrir à la main soigneusement
enfarinée, mais modérément.
Trop travaillée, la pâte est moins souple.

Laissez reposer pendant 1 à 2 heures dans un linge sec, et
attaquez-vous aux pommes de terre.
Coupez-les en rondelles régulières et fines.
Lavez-les bien, pour enlever le maximum de fécule, et séchez-
les ensuite dans un torchon.
Préchauffez le four à température douce (170 °C, th. 5-6 maxi).
Lorsque la pâte s'est suffisamment détendue pour daigner
s'étaler dans un moule beurré, installez-la plus que délicatement, en lui amputant une parcelle pour le chapeau du pâté
en croûte !
Déposez une sous-couche de pommes de terre tranchées, poivrez, salez, parsemez de persil coupé bien fin et soulagez le
pot de crème fraîche d'une pellicule épaisse.

Je peux vous le dire : comme ma grand-mère, vous pouvez ajouter des noisettes de beurre avant d'abaisser une autre strate de pommes de terre. (L'enduit crémeux, au milieu de ces petites patates, fait office de lait hydratant, n'est-ce pas... !)

➜ Couchez enfin le drap de pâte restante, en prenant soin de découper une cheminée au centre, afin d'y faire couler de la crème à la sortie du four et de permettre à la vapeur de s'échapper durant la cuisson.
Enfournez en maintenant une chaleur moyenne : le danger est de saisir le pâté. Il faut que les pommes de terre cuisent durant 1 bonne heure.
À la sortie du four, remettez 1 lichette de crème et enveloppez bien le moule avec un gros torchon : cela permet de continuer à cuire à l'étouffée, donc prévoyez de sortir le pâté 1 heure avant de le servir.

Pourquoi, lorsqu'on s'acquitte d'une recette ancestrale, de renommée familiale, le goût n'est-il jamais celui que l'on a connu et que l'on garde sur le palais, souvenir à la recherche du goût perdu... à jamais ! Les goûts ne sont pas dans les gènes...

Je ne vous cache pas que le vent peut souffler avec ça, et quelques **prunes,** de belles quetsches joufflues ou des **mirabelles** à la joue rouge cuites dans leur eau parfumée de soleil tardif de septembre, fondent en douceur sur le palais comblé. **Je les fais cuire tout doucement, à couvert au début, afin qu'elles rendent leur eau, surtout je ne rajoute rien, ci ce n'est quelques gouttes de RATAFIA de prunes,** justement...

Comme votre éducation laisse à désirer, je vous souffle la composition de cette liqueur de ménage que mon père obtient par macération de prunes, en l'occurrence, dans de l'alcool de fruit additionné de sucre. Une vieillesse naturelle de quelques mois... Vous voulez tout savoir...

RATAFIA DE QUETSCHES

Pour tous ceux qui en veulent

(🖐) **2 x 15 min à 3 mois d'intervalle** (🔥) **10 min** (🛑) **2-3 mois**

500 à 600 g de quetsches
Alcool de fruit
300 à 400 g de cassonade

Ramassez les quetsches bien mûres, que vous couperez en deux pour les mettre dans une bouteille en verre de 1 litre.

Mais non, je ne me moque pas de vous, une bouteille à gros goulot, genre celle des jus de fruits frais que vous avez gardée pour mettre votre cidre en bouteille, ben oui, faut penser à tout, la gourmandise accélère le système « D » !

Quand la bouteille est remplie de prunes, versez de l'alcool de fruit : glouglou au maximum...

Oubliez la bouteille dans un coin de la cave pendant 2 à 3 mois...

Un jour où vous recouvrez la mémoire, grattez l'étiquette de votre fiole. Vous n'aviez pas mis d'étiquette ? oh ! à la vue des prunes un peu ratatinées, vous devez vous repérer.

Filtrez ce jus alcoolisé, récupérez les prunes pour en faire une délicieuse tarte... et préparez un sirop avec la cassonade dans un peu d'eau. Chauffez en remuant, afin que le sucre se dissolve, mais n'attendez pas l'ébullition. Laissez refroidir.

Mélangez le jus de quetsches dans le sirop, laissez reposer, faites-en autant, et vous reviendrez mettre votre ratafia en bouteille !

Dites, si c'est une bonne année et que vous croulez sous les prunes à tronche modiglianesque violacée (que vous avez plein de quetsches, quoi !), il faut que je vous donne cette modeste recette que j'ai suivie durant toute mon adolescence...

En la préparant récemment, j'ai poussé la concordance de la couleur en prenant le jus d'une orange... sanguine ! Réussi !

GÂTEAU AUX QUETSCHES ET FROMAGE BLANC

🚶 6-8 personnes   ⏱ 30 min   🛑 1 h   🔥 45 min

Pour la pâte
300 g de farine + supplément pour le moule
175 g de beurre+ supplément pour le moule
1 œuf
120 g de sucre en poudre
1 cuillerée à café de levure chimique

Pour la garniture
300 g de fromage blanc (du vrai, pas un truc blafard à 0 %
   de... sinon je n'ai plus rien à vous dire !)
2 œufs
20 g de fécule
75 g de sucre en poudre
Le jus de 1/2 orange
600 g de quetsches dénoyautées (ne vous plaignez pas, elles
   sont grosses, c'est facile !)

Pour la pâte, mélangez la farine, le beurre coupé en morceaux,
l'œuf, le sucre et la levure, pour obtenir une pâte lisse et ferme.
Laissez-la reposer au réfrigérateur pendant 1 heure, puis
enfoncez-la dans un moule à manqué beurré et fariné.

Mettez le fromage blanc dans une terrine, auquel vous ajoutez
les jaunes d'œufs (que vous aurez séparés des blancs), la fécule,
le sucre et le jus d'orange. Mélangez bien, avant d'incorporer
délicatement les blancs d'œufs battus en neige.
Versez la moitié de cette préparation sur le fond de la pâte
étalée, mettez une bonne couche de demi-prunes (500 g), versez
le reste de la garniture et décorez avec les oreillons restants.
Placez à four doux (180 °C, th. 6) et laissez cuire pendant
45 minutes environ.
Servez ce gâteau épais et moelleux tiède ou froid.

Le lendemain, après une nuit du sommeil du juste, un petit déjeuner consistant : morceaux de pain rassis noyés dans un bol de café au lait ou tartines de beurre à la baratte recouvertes de confiture à la rhubarbe du jardin, suivies d'un thé vert...

À midi, une **salade campagnarde avec pissenlits, mâche et bleu d'Auvergne,** et une **crème d'orties !**
Petit salé aux farcidures ou servi avec des **miques,** et **pompe aux pommes.**

SALADE CAMPAGNARDE

Pissenlits, mâche et bleu d'Auvergne...

(🏃) **6 personnes**   (🍲) **30 min**   (🔥) **10 min**

200 g de mâche
200 g de pissenlits
200 g de bleu d'Auvergne
3 poires
60 g de noisettes décortiquées
1 cuillerée à soupe de moutarde à l'ancienne
2 cuillerées à soupe de vinaigre de framboise
5 cuillerées à soupe d'huile (de tournesol et de noisette)
6 tranches très fines de lard fumé
Sel et poivre

Nettoyez minutieusement la mâche (quelquefois, j'en trouve de la sauvage autour de la maison) ainsi que les pissenlits (faciles à trouver au printemps : 1 filet de vinaigre dans la dernière eau n'est pas superflu... pour éliminer bestioles et parasites en balade bucolique !).
Détaillez le fromage en cubes.
Pelez les poires et coupez-les en lamelles.
Faites griller les noisettes à sec, dans une poêle, quelques minutes et laissez-les refroidir sur une feuille de papier absorbant.

Préparez la vinaigrette, dans un grand saladier en faïence, avec la moutarde, le vinaigre, les huiles, du sel et du poivre. Émulsionnez à la fourchette.

Faites griller les tranches de lard fumé à sec, mais à feu vif, afin qu'elles deviennent croustillantes.

Disposez la verdure, les poires, le fromage et le lard dans le saladier, et parsemez les noisettes juste avant de servir.

Et, dans un bol en terre, je propose avec la salade une...

CRÈME D'ORTIES

🚶 **4 personnes** 🗑 **15 min** 🔥 **5 min**

50 g de jeunes feuilles d'ortie (chic, il y en a plein les fossés !)
Vinaigre
10 g de beurre
10 cl de crème fleurette
Sel et poivre

Après les avoir cueillies (hors de portée des moutons ou des vaches, quoique ces énergumènes n'en laissent pas beaucoup sur leur passage) en les prenant gentiment à la base et à rebrousse-poil, pour ne pas vous piquer, lavez les orties avec 1 petit filet de vinaigre et essorez-les.

Faites fondre le beurre à feu très doux, et faites-y cuire les feuilles d'ortie quelques minutes en surveillant.

Mixez-les avec la crème fleurette et assaisonnez.

Remettez au réfrigérateur jusqu'au repas.

Et je fais suivre cette entrée agreste par la potée limousine, qui plaît aux amateurs de plats rustiques.

Je n'ai pas dit que c'était un week-end de remise en forme... ou plutôt si, bien manger pour reprendre du poil de la bête et affronter une semaine hivernale en pleine possession de ses moyens ! Si au printemps vous préférez un séjour en thalasso...

PETIT SALÉ AUX FARCIDURES

🏃 8 personnes   🕐 1 h   🔥 2 h 30   🛑 1 nuit

1 palette de porc demi-sel
1 petit jambonneau demi-sel
300 g de poitrine de porc demi-sel
2 feuilles de laurier
1 brindille de thym
4 carottes
4 navets
2 gousses d'ail
3 oignons
3 clous de girofle
1 beau chou pommé

La veille, mettez les viandes dans une grande bassine d'eau fraîche, et renouvelez-la deux ou trois fois.

Le jour même, mettez les viandes dans un grand faitout et couvrez-les très largement d'eau. Portez à ébullition, avec le laurier et le thym, à feu très vif.

Pendant ce temps, épluchez les carottes et les navets. Coupez-les en lamelles dans le sens de la longueur. Continuez avec l'ail et les oignons (piquez-en un avec les clous de girofle).

Préparez le chou en enlevant le trognon et prélevez 8 belles feuilles que vous réserverez pour les farcidures. Coupez le reste de la boule en 6 quartiers.

Lavez les légumes et réservez.

Lorsque les viandes parviennent à ébullition, écumez et plongez les légumes dans le faitout. Maintenez l'ébullition, à demi couvert, pendant 2 h 30.

Du temps... pour reboire un café avant d'aller casser du bois et admirer les couleurs automnales. Au bruit du vent dans les feuilles qui se déssèchent inexorablement, se perçoit l'inévitable basculement...

POUR LES FARCIDURES

8 grandes feuilles de chou
3 belles poignées de verdure mélangée (laitue, oseille,
épinards, blettes…)
250 g de lardons
1 oignon
Persil frisé
2 gousses d'ail
200 g de farine de blé noir
3 œufs
Sel et poivre

Immergez les feuilles de chou dans une casserole d'eau bouillante pendant 1 minute, avant de les étaler sur un torchon, pour bien les sécher.

Plongez les feuilles de verdure dans l'eau pendant quelques secondes, et envoyez-les rejoindre les feuilles de chou sur le linge.

Hachez les lardons, l'oignon, les feuilles de verdure et le persil, et écrasez l'ail.

Ajoutez la farine de blé noir et les œufs, et faites une farce homogène. Si elle semble trop compacte, ajoutez quelques cuillerées à soupe de bouillon. Assaisonnez.

Répartissez de la farce sur les feuilles de chou et ficelez-les.

Ajoutez les farcidures dans le faitout contenant les viandes 1 heure avant la fin de la cuisson.

Au terme des 2 h 30 de cuisson, allumez le four à température tiède (160 °C, th. 4-5). Sortez les farcidures du faitout, à l'aide d'une écumoire. Maintenez-les au chaud, puis retirez les légumes et les viandes.

Transvasez le bouillon dans une soupière.

Là, je suis fière de sortir la dernière recette que j'ai chinée et qui en a vu d'autres, des farcidures : plusieurs recettes circulent sur les petits chemins de ronces des ancêtres…

FARCIDURES DE POMMES DE TERRE

🚶 6 personnes 🖐 35 min 🔥 1 h

6 grosses pommes de terre
Ail
Persil
Oseille
Blancs de poireau
50 g de farine
Lardons gras
Sel et poivre

Pelez et râpez les pommes de terre. Épongez-les.
Préparez un hachis d'ail, persil, oseille et blancs de poireau.
Mélangez-le aux pommes de terre. Salez et poivrez.
Ajoutez la farine. Faites des boules de la grosseur d'une pomme. Piquez-les de 3 ou 4 lardons gras.
Mettez à cuire dans un faitout d'eau bouillante pendant 1 heure.
Ensuite, laissez refroidir. Coupez les farcidures en tranches. Passez-les à la poêle, pour servir avec une andouille...

À Bellegarde, dans la Creuse, on sale la chèvre, comme ailleurs le cochon ! Une « Confrérie des mangeurs de chèvres » tient chapitre annuellement, le dimanche qui suit le 8 septembre, et l'on sert, ce jour-là, dans tous les restaurants, de la **chèvre marinée en sauce poivrade** avec **une purée de marrons.** Et s'il reste de la sauce, on y casse des **œufs** pour les cuire comme des œufs sur le plat...
Doucement, ne vous cabrez pas, je n'ai pas dit que j'allais vous en servir ! Non, mon attrait pour les biquettes se résume à leurs fromages que je débusque en suivant à la trace le jeu de piste des planchettes à l'effigie d'une pensionnaire de monsieur Seguin « fromage à la ferme » clouées dans les marronniers de la région.

PURÉE DE MARRONS

4 personnes   **30 min**   **45 min**

500 g de châtaignes
75 cl de lait
Sel ou sucre !

Dépiautez les châtaignes de leur peau épaisse et cirée. Faites-les cuire dans le lait pendant 45 minutes. Puis tirez les marrons du feu, pour dire... comme les Anciens :
– *Après, t'as plus qu'à « bouérer » à la fourchette (écraser) dans le lait, et si t'en as pas assez : t'en rajoutes, la malice !*

Certains la mangeaient en dessert, quand ils manquaient un peu de force pour aller aux champs par temps de froidure.
Ernestine m'en a fait quelquefois, petite, je revois le lait se colorer aux roux : bourratif, mais un délice pour un soir sans pain !

MIQUE... je ne comprenais pas pourquoi ce mot m'était familier, alors qu'il ne représentait rien pour mes amis parisiens. Quand, à la fin d'un repas, je m'exclamais : *Eh... il n'en reste qu'une mique, on va finir !* Aucune réaction. Ou alors, lorsque, gentiment, on me proposait de me resservir, je n'osais accepter qu'une petite cuillerée seulement : *Oh ! mais une mique alors...* Deux yeux interrogateurs me mangeaient sans pouvoir dire quel goût j'avais... Cette incompréhension me turlupinait, à plusieurs reprises, je me suis jetée sur les pages appétissantes de mon dictionnaire, mais il restait muet : mot introuvable, je l'avais pourtant bien ramassé quelque part ! Et c'est en râtelant le chemin de mes aïeux qu'il a resurgi... sur la grande table : **les miques** que l'on mangeait avec la potée ! Oui, on trempait dans la soupe de haricots blancs – ou la soupe au chou qui vous fait des gentillesses dans la tête – de grands morceaux arrachés à la miche... parce que les miques se mangent en guise de pain avec le petit salé aux choux ou le civet.

MIQUES

(🚶) **3 miques de belle grosseur**   (🍳) **20 min**   (🔥) **30 min**

250 g de farine de maïs
250 g de farine de blé
1 cuillerée à soupe de graisse d'oie
1 pincée de sel

Mélangez, comme l'arrière-grand-mère, les farines. Pétrissez avec la graisse d'oie, le sel et 1 grand verre d'eau tiède.
Divisez la pâte obtenue en 3 morceaux. Roulez-les dans vos mains pour leur donner une forme ronde.
La mique cuisait dans le bouillon du petit salé ou, mieux, dans celui d'une andouille qui mijotait...

Et voilà une recette qui n'est pas de la gnognote !
Ici, les plus hardis « font chabrot » : une rasade de vin rouge dans la soupe, et la cuillère clique dans l'assiette jusqu'à la dernière lampée. La plupart des vieux, quand ils se régalent d'un plat, ne disent rien, mais il peut s'en trouver un qui lèche le creux !
Le fromage blanc épais et gras, à même l'assiette de soupe, et le lait de poule servi dans le verre « égoutté » : secoué au-dessus du sol en terre battue. Parce que la vaisselle dans la cuvette émaillée, ça ronge les mains, à la longue, *et puis, pourquoi faire des chichis, nous autres ?*
À table, c'est histoire sans paroles. On est là pour manger, pas pour parler. Un rythme de vie davantage ponctué par les odeurs que par les manières.
Chez moi, on est là pour se régaler... Et autour d'un café vient à point nommé le gâteau d'Aubusson aux noisettes, ramassées dans les chemins, derrière la maison :

Encore ?! Ben oui, à la campagne, si on se donne la peine de se baisser, y'a qu'à ramasser ! Attention tout de même, l'oiseau peut être dans le nid : gare aux véreuses...

CREUSOIS

(🏃) **6 à 8 parts**   (✋) **15 min**   (🔥) **20-25 min**

200 g de noisettes
100 g de miel
4 blancs d'œufs
100 g de farine
30 g de sucre en poudre
50 g de beurre + supplément pour le moule

Préchauffez le four à 180 °C (th. 6).
Mondez les noisettes, c'est-à-dire plongez-les dans de l'eau bouillante pendant 10 secondes, ce qui permet d'enlever la peau. Hachez-les. Mélangez le miel, les blancs d'œufs, la farine, le sucre et les noisettes.
Terminez avec le beurre en pommade.
Versez la préparation dans un moule beurré grassement et faites cuire au four de 20 à 25 minutes.
Laissez refroidir avant de démouler.

En automne, nous ne nous faisons pas prier pour aller aux champignons et fouiller durant tout l'après-midi les sous-bois en vue de l'omelette du soir.
Comment résister à ces moisissures de forêts ? Je me réjouis de tomber sur les seuls champignons que je repère sûrement parce qu'ils poussent toujours en famille nombreuse : un réseau d'hydnes bosselés couleur coquille d'œuf ! En parlant d'œufs, ici comme ailleurs sans doute, l'habitude est de mirer les œufs, ben oui, pardi : les examiner à contre-jour, à la lumière naturelle – ou artificielle, si l'autre commence à faire défaut –, *pour voir s'ils ne sont pas couvés, ma petite !*
Si le temps frisquet pétrifie les cocottes, rabattez-vous sur les œufs de cane, pardi ! Gros comme ils sont, ils vous profiteront, *« tiéto de yo bulli »*, « tête d'œuf bouilli » en patois !
Donc, pour notre…

OMELETTE AUX CHAMPIGNONS

(🚶) **4 personnes**   (🖐) **15 min**   (🔥) **23 min**

1 livre de pieds-de-mouton (vraiment un minimum !)
Huile
6 œufs frais (de la ferme d'à côté...)
Persil (du jardin)
Sel et poivre

Malheureux(se), ne lavez pas les champignons ! Grattez-les
avec la pointe du couteau seulement, pour décoller les feuilles
mortes et les brindilles ! Et puis, les pieds-de-mouton n'abritent
pas de vermine, ils sont très sains, de corps comme d'esprit !
Ensuite, tout dépend du temps : si vous venez d'essuyer plusieurs journées de pluie, il va falloir délester vos champignons
de la flotte qu'ils ont dans les bottes en les laissant seuls à seuls
(sans huile et avec couvercle) avec votre poêle, à feu doux.
Surveillez... enlevez le trop-plein, quand vous voyez qu'ils ont
tout avoué ou presque, découvrez et mettez un peu d'huile
(neutre). Si les sous-bois craquaient sous vos godasses, pas de
hammam préalable : huilez tout de suite et à la casserole !
Salez, poivrez et laissez à feu plus soutenu, pour les faire revenir.
D'un autre côté, battez les œufs pour les dégourdir... et ciselez
du persil, que vous parsèmerez sur les champignons en fin de
cuisson. Lorsque vous estimez qu'ils sont bien dorés (pas trop
pour ne pas les durcir), montez le feu et versez les œufs : faites
cuire recto verso, assaisonnez, et dégustez, ça n'attend pas !

Et si cèpes, girolles et pieds-de-mouton nous font un pied de
nez , nous nous rabattrons sur des mets plus accessibles :
un **potage de potimarron,** une **sanglette de volaille** (à défaut,
boudin noir aux oignons) accompagnée d'une **compote de
pommes-coings** et d'une **flognarde aux cerises.**

Ça c'est drôlement rafraîchi : une flamblée et un...

POTAGE DE POTIMARRON

ça sera pas de refus !

👤 3 personnes   ⏱ 30 min   🔥 35 min

1 potimarron (ou 1 giraumont, si vous aimez mieux...)
1 blanc de poireau
1 cœur de céleri en branches
50 g de beurre
Bouillon de volaille maison (ou 1 cube de volaille dans
     25 cl d'eau)
1 litre de lait (de vache ou de soja)
1 cuillerée à soupe de riz
1 pincée de noix muscade râpée
1 morceau de sucre
6 brins de persil hachés
60 g de copeaux de mimolette (pour sa couleur orangée !)
Sel

Découpez un couvercle sur le potimarron et creusez l'intérieur à la cuillère sans percer l'écorce, puisque ce potage est à
servir dans le légume évidé. Récupérez la pulpe, coupez-la en
morceaux et éliminez les graines.
Émincez le blanc de poireau et le cœur de céleri. Faites-les
revenir dans le beurre chaud dans un faitout, sans laisser colorer, de 4 à 5 minutes.
Ajoutez le potimarron, mélangez et salez légèrement.
Mouillez avec le bouillon et le lait.
À ébullition, versez le riz et la muscade, ajoutez le sucre.
Laissez cuire à feu doux pendant 30 minutes en remuant.
Préchauffez le four à 160 °C (th. 4).
Entre 2 touillages, enfournez le potimarron au ventre à l'air
pendant 20 minutes.
Au terme de la cuisson, mixez la soupe, rectifiez l'assaisonne-
ment, puis versez-la dans le potimarron préchauffé. Parsemez
le persil et les copeaux de mimolette.

J'aime bien quand les paysans d'à côté me demandent de faire **revenir des oignons ou des échalotes,** ça annonce une *sanglette :* lorsqu'ils mettent le poulailler à feu et à sang, comme ils ne peuvent se faire à l'idée de manger l'hémoglobine, ils viennent chercher ma poêle prête à la recueillir.

Je la fais cuire tout doucement à peine 10 minutes, je sale et poivre.

Et si vous ne connaissez pas René et Marie, achetez du boudin noir que vous ferez poêler après avoir piqué le boyau, pour qu'il n'éclate pas.

Le boudin noir s'accommode avec une **compote de pommes** maison – il va sans dire –, que j'aime bien agrémenter de coing. Je commence par peler **1 coing, que je mets à cuire avec un peu d'eau dans une casserole couverte :** comme c'est raide, je lui fais prendre de l'avance sur **8 pommes (pas forcément pelées) et coupées grossièrement.**

Je fais cuire pendant 30 minutes, à couvert seulement les 10 premières minutes.

L'honnêteté, du moins en apparence, est de rigueur dans les familles paysannes et je me dois de vous mettre en garde contre l'odeur tenace et particulière du boudin poêlé : cheveux, pièce et gamelles portent longtemps les relents de cet aliment chargé d'histoire et de discorde... Sans tourner en eau de boudin, vous pouvez trancher pour le déguster froid et non pas cru, comme certains le pensent, sorti de chez l'étal du boucher. N'empêche qu'il est une source de fer non négligeable !

Autour de moi, on piaffe pour avoir aussi 1 cuillerée de purée de pommes... de terre ! Mais je fais la sourde oreille, surtout quand j'ai promis... un **CLAFOUTIS,** dont le Limousin est le berceau, s'il vous plaît !

Bon, nous n'allons pas nous disputer pour savoir si le clafoutis est plutôt de par chez vous...

CLAFOUTIS

(🏃) **6 à 8 bons amis**   (🍶) **20 min**   (🔥) **45 min**

1 livre de guignes bien noires avec leurs noyaux
3 œufs
4 ou 5 cuillerées à soupe de cassonade
3 grosses cuillerées de farine
100 g de beurre + supplément pour le moule
50 cl de lait
Sel

Lavez et équeutez les cerises sans chercher à les dénoyauter !
Battez les œufs entiers en omelette, dans une jatte, avec du sel et 3 cuillerées à soupe de cassonade.
Lorsque le mélange commence à mousser, tamisez la farine au-dessus.
Faites fondre 60 g de beurre, que vous ajouterez en remuant bien (des fois qu'il nous cuirait la pâte sans prévenir, le saloupiot... !), et délayez avec le lait.
Beurrez votre moule.

Halte !
Je ne peux pas vous laisser faire n'importe quoi : la plupart des gens secouent leurs cerises au-dessus de leur plat beurré avant de les couvrir de la préparation et d'enfourner. Or, les noyauteux dont je fais partie vous diront que cette méthode à l'emporte-pâte vous portera la guigne : les cerises régurgiteront leur eau et inonderont le flan ! Et je préfère recracher le noyau que noyer le goût du gâteau ! Donc, pas d'empressement !

Préchauffez le four à 180 °C (th. 6).

➜ Dorlotez vos bigarreaux en les faisant d'abord revenir à la poêle, doucement, dans un peu de beurre. En attendant, ils vont perdre leur trop-plein de flotte (si vous osez, offrez-leur une larme de kirsch), avant de rouler, bien noirs, au fond de votre moule beurré. Une fois que le mélange les enveloppe, lâchez encore quelques noisettes de votre petit pot de beurre... Enfournez et laissez cuire pendant 30 minutes. Poudrez votre flognarde du reste de cassonade au sortir du four et laissez refroidir.

Elle est pas belle, la vie ?!
À la campagne, le jardinage, on n'y coupe pas ! Quand ce n'est pas la tonte, le désherbage, les plantations ou les greffes, c'est le tour de la cueillette... des pommes !
Et pour le goûter !

POMPE AUX POMMES

(qui vient plutôt d'Auvergne, région limitrophe), mais comme nous n'avons aucun souci pour trouver des pommes en Creuse...

🚶 **6 à 8 personnes**   🕐 **30 min**   🔥 **45 min**

200 g de farine
Rubinettes (hybride de la reinette)
75 g de beurre
2 cuillerées à soupe de crème fraîche
70 g de sucre en poudre
1 œuf + 1 jaune mélangé avec un peu de café nature
Lait (facultatif)
Sel

Préchauffez le four à 180 °C (th. 6).
Mélangez la farine, le beurre, la crème fraîche, 50 grammes de sucre, l'œuf et du sel.
Ajoutez un peu de lait, si cela est nécessaire, car la pâte doit être molette, c'est-à-dire pas trop consistante.
La pâte ayant reposé dans un endroit très frais, abaissez-en les 3/4 et donnez-lui une forme ronde.

Garnissez de pommes épluchées, épépinées, détaillées en morceaux pas trop épais et mélangées avec le reste de sucre.

Recouvrez avec l'abaisse faite avec la pâte restante.

Soudez bien les bords et dorez au jaune d'œuf battu, à l'aide d'un pinceau.

Enfournez et laissez cuire pendant 45 minutes.

Pour reprendre des forces, après une randonnée, buvez un...

VIN CHAUD AUX POIRES ET AUX MÛRES

🏃 **6 personnes**   🍵 **15 min**   🔥 **20 min**

1 orange ou 1 citron (non traités)
180 g de sucre en morceaux
1 bouteille de bordeaux rouge
1 cuillerée à soupe de miel
1 généreuse pincée de cannelle moulue
1 clou de girofle
1 poignée de feuilles de tilleul séchées
2 poires (du fond du pré)
1 petit bol de mûres (de la haie derrière la maison)
1 branche de menthe fraîche (du jardin)

Lavez l'orange (ou le citron) et essuyez-la (le).

Préparez un caramel avec les morceaux de sucre frottés sur l'écorce d'agrume, dans une petite casserole. Quand il commence à avoir une belle couleur ambrée, pressez le fruit et versez le jus dans la casserole. Remuez.

Faites bouillir le vin avec le miel, la cannelle et le clou de girofle dans une autre casserole. Lorsqu'une mousse se forme en surface, ajoutez le caramel à l'orange (ou au citron), les feuilles de tilleul et les poires coupées en quartiers.

Laissez cuire à feu doux pendant 15 minutes.

Au moment de servir (dans des verres résistants à la chaleur !), répartissez quelques mûres et 1 feuille de menthe pour la déco.

Attention, on peut être vite « pompette » avec ce genre de breuvage ! Proposez aux enfants du **sirop de sureau,** que vous aurez fait ensemble à la fin de l'été :

SIROP DE SUREAU

Où est-ce qu'on trouve ça encore ? Ça vous crève les yeux quand vous êtes à la campagne, oui, ces grappes de baies rouges virant au noir qui ne vous semblent pas fiables, oui, cet arbrisseau que vous coupez pour faire des sarbacanes à vos enfants ! Eh bien, vous pouvez le regarder de plus près et lui subtiliser des baies mûres (en coupant les ramures, vous égrènerez après).

🚶 **1 bouteille**   ✋ **20 min**   🔥 **20 min**

500 à 600 g de baies de sureau
300 à 400 g de sucre de canne

Faites éclater les baies dans une casserole, à feu doux. Passez cette soupe au moulin à légumes et filtrez, pour récupérer le jus.
Préparez un sirop en faisant fondre le sucre dans 10 cl d'eau (chauffez sans atteindre l'ébullition).
Mélangez le jus de sureau au sirop et chauffez encore (sans faire bouillir, bien entendu). Coupez le feu, laissez refroidir et écumez avant de mettre en bouteille. Préparez une belle étiquette de votre plus belle plume.

Tout le monde aura bien bu et largement mangé, je pense. Si, avec ça, ils gardent un mauvais souvenir de la campagne, la prochaine fois, emmenez-les à la chasse au dahu...

MON BEAU-FRÈRE M'APPORTE UN CUISSOT DE SANGLIER

Il ne me manquait plus que ça ! Ça part d'un bon sentiment, mais comment expliquer à mon beau-frère que j'ai **HORREUR** de la chasse, je lui ai dit cent fois, il me prend pour une bécasse ou quoi ! Ils me révoltent, ces olibrius, accoutrés de leur combinaison kaki, ceinturés de cartouches, chapeaux avec caches pour oreilles décollées, cuissardes jusqu'à l'aine remontées sur leur prétention meurtrière.

Excusez-moi, je les trouve pathétiques, lui et ses chasseurs d'escorte, à se faire croire qu'ils sont des hommes, des vrais, à jouer à *pigeon vole* pendant qu'un complice lâche perdrix et faisans d'élevage...

Ils battent la campagne et reviennent, poitrail bombé, tellement fiers de leurs trophées, pauvres victimes d'un orgueil viril bien mal placé, excités par les aboiements de leur meute en furie. S'ils pouvaient se canarder entre eux plutôt que de cribler mes oreilles de salves prétentieuses, moi et les petits oiseaux connaîtrions un peu de paix !

La dernière fois, cette tête de linotte m'a rapporté un cuisseau de sanglier : *C'est une viande... tu m'en diras des nouvelles...* C'est tout ce qu'il avait trouvé à dire pour se justifier.

Six heures, ça m'a pris, la plaisanterie ! L'épithète qu'il cherchait en vain pour qualifier sa venaison, c'est *coriace* – dussé-je me dessécher dans une réputation de carne –, mais le vin viendra à bout de ce malheureux porc attaqué par plus sauvage que lui...

CUISSOT DE SANGLIER EN DAUBE

🚶 **10 amateurs**   🛑 **24 h**   🍳 **30 min**   🔥 **6 h**

1 cuissot de sanglier de 2,5 kg
2 litres de vin de bordeaux
300 g de poitrine fumée
1 oignon
4 carottes
1 bouquet garni
Baies de genièvre
5 échalotes
4 gousses d'ail
Huile
15 gros pruneaux
1 verre de cognac
Sel et poivre

Le soir même, mettez l'énorme cuisse à macérer dans le vin, avec la poitrine coupée en lardons, l'oignon, les carottes, les aromates et les baies concassées, en la retournant de temps en temps.

Le lendemain, reprenez l'exécution du sanglier dans son bain ensanglanté...

Épluchez les échalotes et les gousses d'ail. Écrasez celles-ci. Faites-les revenir dans un peu d'huile, dans la plus grande cocotte que vous aurez pu trouver. Saisissez la cuisse pour la faire dorer des deux côtés.

Salez, poivrez, ajoutez les pruneaux. Enfin, versez la marinade et le cognac.

Laissez cuire pendant 1 heure, puis 2, 3, 4, 5 et 6 !

Comme je me suis impatientée douze fois par heure, j'ai tourné le jambon de sanglier. Il faut que je vous dise quand même que ma terrine était *lutée,* c'est-à-dire fermée quasi hermétiquement.

Remarquez, ça m'a laissé le temps d'appeler à la rescousse 8 copains qui n'avaient pas froid aux yeux, prêts à chasser les idées toutes faites et à accourir pour le dîner du lendemain. D'ici là, on n'allait pas se laisser abattre.

Comme nous serions nombreux, que c'était la saison et qu'il y avait longtemps que je n'avais pas mangé de gâteau de marrons – d'autant que, lui, ne demande aucune cuisson –, je n'ai pas tergiversé, j'ai fureté dans ma corbeille de fruits secs pour faire le point dans mes réserves d'écureuil :

GÂTEAU GLACÉ AUX MARRONS ET FRUITS SECS

(☝) 4 personnes   (⏱) 30 min   (🔥) pas de cuisson   (🛑) 1 nuit

2 kg de marrons au naturel (frais, en bocaux ou sous vide)
1 litre de lait
250 g de chocolat noir
150 g de beurre + supplément pour le moule
150 g de sucre en poudre
150 g d'amandes
150 g de noisettes
150 g de noix
3 cuillerées à soupe de rhum

Faites cuire les marrons dans le lait pendant 15 minutes. Gardez-en 1 grosse poignée pour les émietter en morceaux. Passez le reste au moulin à légumes, pour en faire une purée. Faites fondre le chocolat avec le beurre et le sucre, dans une casserole.
Hors du feu, ajoutez les fruits secs concassés.
Mélangez bien, avant d'ajouter la purée de marrons et le rhum.
Beurrez et garnissez de la préparation un moule à baba (creux), que vous consignerez au réfrigérateur toute la nuit.

Le matin, pour le démouler, placez-le un moment au bain-marie, quitte à le remettre au frais après...

Ce gâteau un peu spécial se bonifie au fil des jours.

Et un...

GRATIN D'ÉPINARDS
Cela sortirait des sentiers battus et rebattus par la marchande de quatre saisons.

🚶 **8 personnes**   🍲 **35 min**   🔥 **15 min + 15 min**

1,5 kg de pousses d'épinards (plus onéreuses, mais inutile de les équeuter, elle sont tellement tendres...)
60 g de beurre salé + supplément pour le plat
Huile d'olive
4 gousses d'ail
Noix muscade râpée
60 g de pignons de pin
2 œufs
20 cl de crème fraîche
30 g de copeaux de parmesan
Poivre vert

Préchauffez à 180 °C (th. 6).
Lavez les pousses d'épinards et essorez-les soigneusement.
Laissez le morceau de beurre salé s'évanouir dans 1 larme d'huile, dans une grande sauteuse (ou wok), et déposez-y les pousses. Couvrez au début seulement : laissez réduire et ajoutez l'ail coupé. Poivrez et muscadez sans retenue...
Faites griller les pignons de pin à sec, dans une poêle.
Fouettez les œufs et la crème fraîche dans un bol.
Beurrez un plat à gratin et étalez-y les épinards fondus, les pignons, l'appareil et les copeaux de parmesan.
Enfournez et laissez cuire pendant 15 minutes.

À réchauffer au moment de servir. Cela ne tient pas beaucoup au corps, ce gratiné de verdure...

Vous pouvez croire qu'après tout ce temps, je n'avais pas l'intention de m'éterniser pour une autre garniture complexe, et, laminée, j'ai attrapé ma boîte de **crozets au sarrasin** !

CROZETS DE SARRASIN AU BEAUFORT

🚶 **10 personnes**   👐 **10 min**   🔥 **30 min**

800 g de crozets au sarrasin
400 g de beaufort râpé
80 g de beurre
Gros sel et poivre

Faites bouillir la valeur d'un seau d'eau salée dans un énorme faitout.

Oui, il faut rester dans les normes : on ne peut pas être 10 à table et avancer 100 grammes de ces minipâtes, d'où leur nom en patois, *croe,* « petit »... !

➔ Semez les crozets à ébullition. Égouttez après 20 minutes de cuisson.

Alternez 1 couche de crozets, 1 couche de beaufort râpé, du poivre concassé, des crozets, des lamelles de beurre, du poivre, du beaufort... dans un *grand* – est-il nécessaire de le préciser – plat beurré.

Et servez-les, enfin !

Fort heureusement, je n'attendais mes invités que le soir, autrement, nous aurions dansé la gigue devant le fourneau !

En parlant de *gigue,* comme mes revendications glissent sur mon beau-frère comme sur les plumes d'un canard, il est revenu à la charge avec une... gigue de chevreuil ! Pas moyen de lui faire changer son fusil d'épaule ! Il avait dû battre les halliers et faire le guet en tapinois pour débucher ce brocard ! Alerté par son copain Hubert, qui, depuis qu'il savait qu'il portait le patronyme du saint protecteur des chasseurs, se sentait pousser des ailes et détectait les moindres ramures dans un fourré, à l'exception des siennes, qui, visiblement, ne lui pesaient pas... – *Bien le bonjour à Madame...* –, il l'avait tout de suite visé dans sa ligne de mire.

La chair de ce jeune animal est plus sapide et n'a pas besoin de mariner, et puisque la pauvre bête est tendre, j'ai tout de suite tranché...

GIGUE DE CHEVREUIL AUX FRUITS ROUGES ET CHAMPIGNONS

🏃 6 personnes ✋ 40 min 🔥 40 min

4 échalotes
1 brin de romarin
10 cl de vin rouge corsé
5 g de fond de veau
5 cuillerées à soupe de vinaigre balsamique
2 cuillerées à soupe de miel
250 g d'airelles
250 g de groseilles
700 g de champignons (chanterelles, girolles, pleurotes, morilles)
1 gigue de chevreuil découpée en 6 tranches épaisses (200 g chacune)
30 g de beurre
Huile de noix
Sel et poivre vert

Faites suer les échalotes hachées avec le brin de romarin et déglacez avec le vin rouge. Laissez réduire et ajoutez le fond de veau dilué.

Pour la sauce, mélangez le vinaigre balsamique et le miel, laissez réduire, salez, poivrez et ajoutez les fruits rouges, pour les faire éclater. Mélangez aux échalotes enivrées et réservez, de façon que les sucs s'imprègnent des fruits...
Faites sauter les champignons nettoyés. Salez et poivrez.
Poêlez les tranches de viande dans le beurre et l'huile pendant 5 minutes de chaque côté, sans les piquer, pour éviter qu'elles ne perdent leur sang.

Puisqu'il y était, dans les bois, il ne pouvait pas me rapporter les champignons, que je puisse la faire mijoter dans de bonnes conditions, cette pauvre biche, qu'elle ait une fin honorable !

À la prochaine ouverture de ce bal macabre, il a intérêt à détaler comme un lièvre, ou je lui envoie tout le plomb de ma carabine à injures comprimées dans ses fesses de faux cul ! S'il ose déposer à mes pieds la dépouille encore fumante d'une grive, je lui vole dans les plumes ! Je ne sais plus quoi dire pour lui clouer le bec ! Et que je ne revoie plus son braconnier d'ami rôder à la croule autour de la sauvagine, ou je l'attraperai au collet !

Bien que je reconnaisse la saveur de ces viandes, je ne tomberai pas dans le piège de leurs pratiques, *on contribue à l'équilibre de la faune...* je les écoute s'enferrer dans leurs discours, sans coup férir. Je préfère défendre ces animaux sauvages par la non-violence, le seul tort que j'ai sur la conscience dans ce domaine étant de relever ma souricière sous mon évier, objet de convoitise d'une musaraigne qui fouine dans ma poubelle pour la survie de sa famille...
Bref, il a eu raison de se déguiser en cerf, leur miroir aux alouettes ne m'abuse pas. Je préfère satisfaire ma gourmandise avec un abricoté, j'en salive déjà ! Une mignardise qu'on entame gentiment et qui de petites cuillerées en grosses bouchées se grignote jusqu'au bout !

ABRICOTÉ

(🏃) **6 personnes**   (☕) **20 min**   (🔥) **30 min**

80 g de beurre+ supplément pour le plat
50 g de sucre roux + supplément pour le plat
500 g d'abricots bien mûrs
3 œufs
60 g de miel
200 g de poudre d'amandes
1 cuillerée à café d'extrait d'amande amère
15 amandons d'abricots (noyaux cassés, c'est ça aussi, la survie !)

Beurrez un plat et saupoudrez-le de sucre.
Lavez les abricots. Ouvrez-les pour les dénoyauter, puis recoupez-les en quartiers plus fins.
Battez les œufs entiers avec le miel et le beurre fondu dans une jatte. Incorporez la poudre d'amande et l'extrait d'amande amère. Versez cette crème dans le plat.
Préchauffez le four à 180 °C (th. 6).
Disposez les quartiers d'abricot en étoile. Constellez-les d'amandons, récupérés en ouvrant, à l'aide de votre casse-noix, les noyaux d'abricot, eh oui ! système D...
Enfournez et faites cuire pendant 30 minutes.
Dès que l'odeur de miel embrassant amandes et abricots se dégage, ne résistez plus, abaissez la garde et dégustez encore tiède.

Je ne les ai pas revus de sitôt : ils se doutaient que je leur sauterais sur le paletot... Et je ne leur ai même pas proposé une part d'abricoté...
Qui va à la chasse perd sa place !

LA DINDE NE LOGE PAS
DANS LE FOUR...

Comment voulez-vous que je sois autrement : à Noël dernier, ma mère me dit d'un ton péremptoire : *Bon, cette année, je vous fait une dinde farcie !* Et voilà que cette petite femme alerte et sportive disparaît derrière un paquet étrange, qu'elle porte péniblement. J'approche pour la soulager de son fardeau et je m'effondre devant une réalité écrasante : le drap recouvre une dinde monstrueuse, estimée entre 10 et 12 kilos ! L'énorme boule de Noël se transforme en boulet ! Comment va-t-on manœuvrer une telle créature ? J'observe ma mère, qui n'a jamais eu trop le sens de la mesure – dans tous les domaines, d'ailleurs, ça m'a valu quelques hontes mémorables –, mais là, elle est sur le point d'admettre qu'elle est peut-être allée un peu loin... Pourtant, décidée à ne pas se laisser diminuer, elle étudie encore sa recette alors que je la soupçonne de la connaître déjà par cœur :

– *Tu permets ?* je jette un coup d'œil à son beau magazine, *on sera combien ce soir-là ?*

– *Eh bien, ta sœur est de garde, je ne compte pas Camille et la Nonna, qui mangent comme des oiseaux, donc il reste... nous quatre !*

– *Tu plaisantes ?!* Mon rire est incontrôlé, je n'y crois pas... *Tu as vu que la recette stipule :* « Pour 10 à 12 personnes, 1 dinde de 4 kg... » *? Tu as complètement inversé les données, mais c'est de la folie ! Écoute, on va la découper et la mettre morceau par morceau au congélateur...*

– *Impossible, elle est déjà congelée !*

– *Pardon ???*

– *Oui, les cousins nous l'ont apportée la semaine dernière* – il faut vous dire qu'on a la chance d'avoir des cousins agriculteurs,

dotés d'une ferme bien approvisionnée. *On n'avait pas le temps de s'en occuper, ton père l'a placée au congélateur...*
– Bravo, c'est réussi, cette organisation, être prévoyant, c'est bien, mais là, franchement, on est dans la dinde jusqu'au cou ! Et maintenant, qu'est-ce qu'on fait ?
– Je suis embêtée : la recette recommande de pocher la dinde avant de l'enfourner, je ne sais pas comment je vais faire...

Là, je me dis que le plus simple serait de se remettre à croire au père Noël ! Ah, c'est pas lui qui viendrait nous donner un coup de main ! Avec tout ça, je sens qu'on va oublier de lui laisser un verre de lait et des carottes pour ses rennes ! Maman, qu'est-ce qu'on fait dans ces cas-là ?

Sur ces entre-fêtes, mon père arrive, le sourire accroché aux oreilles.
– Tu tombes bien, on est dans la panade...
– Ah ! bon, vous en êtes déjà à la farce ?
– Tu vas moins rire quand je vais te dire d'aller chercher ta tronçonneuse pour découper la dinde...
– Mais non, la scie à bois va suffire...
Je rêve ! Il a dit ça sans aucune hésitation, ni gêne : quand je vous dis que je viens d'une famille de barges !
– Oui, mais il y a un autre problème..., dis-je prudemment, consciente de cette période de trêve des confiseurs et ne voulant pas déclarer la guerre...
– Quoi ? me répondent-ils, surpris.
– ... je ne vois pas comment elle va entrer dans le four...

Plus personne ne l'ouvrait, l'argument du four se passait de démonstration zélée, c'étaient nous qui le prenions, le four, et de plein fouet ! Gros blanc, donc... de dinde, si j'osais ! Mais bientôt, mes parents, qui en avaient vu d'autres, retombaient sur leurs pattes : *il faut la cuire dans le fournil !* Voilà, ils l'avaient, la solution : repartir à la campagne, où la maison natale de mon père présentait un avantage de taille, un four-nil avec un four à pain prévu pour la moitié d'un village : les proportions de notre famille, à l'époque ! Il nous restait à faire faire à cette bonne vieille dinde le voyage en sens inverse, pour retourner près de ses terres d'élevage, à quelques kilomètres des cousins si charitables !

Ah ! le repas de Noël, il s'annonçait costaud...!

Le temps de reprendre ma respiration, et je vous livre la recette de ma mère pour des quantités raisonnables.

À vos tables de multiplication ou de division, c'est selon !

DINDE FARCIE AUX MARRONS ET AU FOIE GRAS

(👤) 10 à 12 personnes   (🕐) 30 min   (🔥) 2 h 45   (🛑) 20 min

500 g de marrons au naturel
4 petits boudins blancs
1 dinde de 4 kg environ, avec son foie
100 g de foie gras mi-cuit
6 tablettes de bouillon de volaille
40 g de beurre
Sel et poivre

Hachez grossièrement les marrons, les boudins pelés, le foie de la dinde et le foie gras. Salez et poivrez.

Mettez cette farce dans la dinde et recousez avec du fil de cuisine.

Préchauffez le four à 210 °C (th. 7).

Diluez les tablettes de bouillon dans un faitout contenant 3 litres d'eau frémissante et faites pocher la dinde dans ce bouillon pendant 30 minutes à partir de la reprise de l'ébullition.

Égouttez la volaille, mettez-la dans un plat à four, parsemez de noisettes de beurre, mouillez de 2 louches du bouillon de cuisson et faites cuire pendant 2 h 15, en arrosant souvent la dinde avec le jus de cuisson et en la retournant de temps en temps.

Lorsque vous sortirez la dinde du four, couvrez-la de papier d'aluminium et laissez-la se détendre pendant 20 minutes avant de servir avec le gratin.

GRATIN DE CELERI

🚶 **10 à 12 personnes** 🍵 **35 min** 🔥 **1 h 30**

2 boules de céleri-rave
10 à 12 pommes à cuire
60 g de beurre
50 cl de crème liquide
Sel et poivre du moulin

Pelez les boules de céleri, coupez-les en quartiers puis en tranches.
Faites-les précuire à la vapeur ou blanchir dans de l'eau bouillante salée pendant 5 minutes.
Pelez et émincez les pommes. Retirez le cœur et les pépins.
Beurrez un plat à gratin. Disposez-y les tranches de céleri et de pomme, en les intercalant et en salant et poivrant au fur et à mesure.
Versez la crème et parsemez de quelques noisettes de beurre.
Faites cuire au four, avec la dinde, pendant 1 h 30.

Vous voulez savoir comment nous nous sommes sortis de cette histoire ?
Figurez-vous que ma mère s'est dégonflée : arrivée dans la Creuse, elle a décidé de replacer le monstre dans sa cage de congélation, préférant attendre la venue d'une armée d'amis au bec fin pour s'attaquer à cette bestiole, à fourchettes égales ! Et vous ne devinerez jamais ce qu'elle nous a servi pour le repas de Noël : des cailles ! Ouuiiii, ma main au feu si je vous raconte des salades ! Eh oui, qui peut le plus peut le moins, dit-on. Refroidie par l'énormité, elle fut sacrément inspirée par le tout petit.

CAILLES AUX RAISINS ET AUX AMANDES SUR UN NID DE TAGLIATELLES FRAÎCHES

🚶 **6 personnes**   🍳 **50 min**   🔥 **1 h**

6 cailles dodues
6 petits-suisses nature
6 fines tranches de lard maigre
2 cuillerées à soupe d'huile
400 g de raisin blanc italia
3 cuillerées à soupe de miel de lavande
60 g d'amandes effilées
4 cuillerées à soupe de bouillon de volaille
Sel et poivre

500 g de tagliatelles fraîches (ça, c'est mon affaire, mais il faut la machine pour les découper, évidemment)

PÂTE À TAGLIATELLES

400 g de semoule très fine (ou de la farine normale)
5 œufs
1 cuillerée à soupe d'huile d'olive
1 cuillerée à café de sel

Mélangez la semoule avec le sel dans un saladier. Ajoutez les œufs et mélangez d'abord avec une spatule en bois, puis venez-en aux mains ! Ajoutez l'huile et pétrissez jusqu'à ce que la pâte soit bien homogène. Attention, ne vous attardez pas : la pâte sèche très vite, elle est prête à l'emploi. En général, on la laisse reposer de 1 à 2 heures (roulée en boule et couverte d'un torchon humide), mais ce n'est pas indispensable.
Aplatissez la pâte et découpez-la en tagliatelles au moins 2 heures avant de les cuire, parce qu'il faut les faire sécher à l'air libre sur des torchons farinés ; après, ébouillantez-les !
De son côté, ma mère s'est occupée des cailles.

Préchauffez le four à 210 °C (th. 7).

Salez et poivrez le dos et le ventre des cailles (y compris à l'intérieur).

Farcissez le ventre de chacune d'elles avec 1 petit-suisse, et bardez-les avec 1 tranche de lard maigre, avant de les ficeler.

Disposez-les dans un plat à four, après en avoir huilé le fond. Enfournez.

Lavez le raisin. Pelez et épépinez les grains un à un !

Nappez les cailles de miel 15 minutes après le début de la cuisson et enfournez de nouveau.

Au bout de 15 minutes (soit à mi-cuisson), ajoutez les grains de raisin ainsi et les amandes effilées.

Sortez les cailles du four et gardez-les au chaud. Déglacez le jus de cuisson avec le bouillon de volaille, puis faites épaissir.

Plongez les tagliatelles (plus que fraîches) dans une casserole d'eau bouillante salée pendant quelques minutes. Bien entendu, goûtez avant d'égoutter.

Répartissez aussitôt dans chaque assiette les tagliatelles, sur lesquelles vous déposerez 1 caille. Nappez de sauce et régalez-vous.

Pour l'année prochaine, elle nous a promis une

OIE DE GUINÉE FARCIE AUX MARRONS ET AUX POMMES

(🏃) 8 personnes   (🖐) 45 min / 1 h 30   (🔥) 2 h 30

500 g de marrons frais
3 belles pommes cox's orange
1 belle oie de Guinée de 4 kg, avec son foie et son gésier
200 g d'échalotes hachées
8 gousses d'ail hachées
3 tranches de bacon
1/2 bouquet de persil plat
300 g de pain de mie trempé dans du lait et bien égoutté
2 œufs

1 cuillerée à soupe de marjolaine séchée
1 oignon
2 carottes
24 minipâtissons (jaunes et verts)
1 feuille de laurier
Sel et poivre

Conseil : si vous voulez vous épargner l'épluchage et la précuisson des marrons, attrapez un bocal de châtaignes au naturel.
Épluchez les pommes et coupez-les en petits cubes.
Enlevez l'épicarpe des marrons. Cuisez-les à la vapeur pendant 20 minutes, pour les dépiauter de leur dernière membrane. Les voilà enfin prêts pour la farce.
Préchauffez le four à 180 °C (th. 6).
Occupez-vous de l'oie : carottez-lui la graisse de réserve qu'elle a dans le ventre, surtout autour du croupion. Mettez-la de côté. Coupez le cou en petits morceaux.
Faites revenir les échalotes, l'ail et le bacon dans une casserole avec la valeur de 2 cuillerées à soupe de la graisse d'oie. Laissez rissoler pendant 10 minutes environ et parsemez de persil ciselé.
Versez cette préparation dans un grand saladier en terre et mélangez avec la mie de pain, les cubes de pomme, les marrons (ou les châtaignes), le foie de l'oie haché grossièrement à la main et un peu de la graisse de l'oie.
Malaxez le tout, liez avec les œufs entiers et battus, et assaisonnez de la marjolaine, de sel et de poivre.
Rembourrez le bide vidé du volatile et ficelez bien serré.
Enduisez la lèchefrite de la graisse d'oie restante. Faites-la fondre, et voilà votre oie qui prend son envol pour une cuisson au four de 2 h 30. Mais ne croyez pas que vous allez vous tourner les pouces : retournez la bête régulièrement et, dès qu'elle s'est allégée de sa graisse, ôtez-en 1/3, pour la remplacer par 1 tasse d'eau chaude. Arrosez la volaille toutes les 15 minutes.

À mi-cuisson, placez l'oignon coupé en quatre, les carottes coupées en larges rondelles, les minipâtissons, le laurier, le gésier de l'oie et son cou rompu. Salez peu et continuez la cuisson.

Au bout de 2 h 30, gardez le palmipède au chaud (mais il est indispensable de laisser reposer les viandes une fois cuites).

Pour hydrater la garniture, prélevez le jus de cuisson, pour le déglacer avec un peu d'eau, et maintenez cette sauce au chaud. Servez l'oie coupée en morceaux, accompagnée de chou braisé, de cèpes aillés et persillés, et de marrons chauds et glacés par le jus !

Simple, non, ce jeu de l'oie, et croyez que ces conseils sont à la graisse d'oie !

Je passe du coq à l'âne, mais pour le petit déjeuner du 25, je tiens à faire des **petits kouglofs individuels,** à picorer avec un **thé aux épices de Noël...** ou un **chocolat chaud aux épices !**

PETITS KOUGLOFS

🚶 **6 kouglofs**   ⏱ **45 min**   ⏹ **1 h**   🔥 **25 min**

Ustensiles : 6 petits moules à kouglof en terre

12 g de levure de boulanger
20 cl de lait tiède
500 g de farine (type 55)
1 gros œuf
150 g de beurre ramolli + supplément pour les moules
75 g de sucre en poudre
100 g de raisins secs
1 petit verre de rhum
4 cuillerées à soupe d'amandes effilées
Sucre glace
5 g de sel

Commencez par préparer le levain : émiettez la levure dans un saladier et versez 10 cl de lait, puis ajoutez 250 g de farine. Mélangez bien, pour obtenir une pâte consistante et lisse. Laissez reposer pendant 1 heure jusqu'à ce qu'elle ait doublé de volume. Cassez l'œuf dans une jatte, lancez le sel et battez en omelette. Tamisez le reste de farine par-dessus et délayez avec le reste de lait. Utilisez une spatule en bois pour mélanger, puis, très vite, laissez-la tomber pour pétrir à la main, en soulevant bien la pâte, pour l'aérer.

Ajoutez le beurre ramolli, le sucre et enfin le levain. Pétrissez à nouveau. Couvrez la jatte d'un linge humide et laissez reposer à température ambiante pendant 1 heure.

Pendant ce temps, requinquez les raisins dans le rhum.

Lorsque la pâte a levé, tapotez-la régulièrement et rompez-la en la tordant avec les mains. Incorporez-y, en l'ouvrant en plusieurs endroits, les raisins.

Divisez-la en 6 boules régulières et beurrez les petits moules à kouglof. *(Si vous avez changé d'avis, ou que vous n'ayez qu'un grand moule, ne vous prenez pas le chou : beurrez-le, plaquez bien les amandes effilées contre toutes les parois et mettez toute votre pâte.)* Appliquez les amandes effilées sur les flancs des moules et placez les boules de pâte dans leur compartiment. Laissez reposer à température ambiante pendant 1 heure – jusqu'à ce qu'elles envahissent tout le moule –, avant d'enfourner dans un four préchauffé à 180 °C (th. 6) pendant 25 minutes (45 minutes pour un tout en un !)

Démoulez et servez poudrés à frimas : le sucre glace les couvre dès leur sortie du four.

Je vous parlais tout à l'heure d'un chocolat chaud, mais j'entendais un chocolat onctueux, par ces grands froids d'hiver : pas un chocolat de jeune fille jouant du bout de sa cuillère avec la poudre restée au fond de la tasse fine.

Non, un chocolat épais aux épices !

CHOCOLAT CHAUD AUX ÉPICES

🚶 **6 personnes**   🍳 **15 min**   🔥 **20 min**

50 g de chocolat noir à 70 % de cacao
35 g de crème fraîche épaisse
1/2 cuillerée à café de café soluble
Extrait liquide de vanille
1 pincée de cannelle moulue
1 litre de lait
40 g de cacao non sucré

Obligez le chocolat à fondre au bain-marie. Faites chauffer, et même bouillir, la crème fraîche, à laquelle vous ajouterez le café soluble. Versez le tout sur le chocolat fondu. Mélangez avec une spatule en bois, faites pleuvoir quelques gouttes de vanille et dispersez la cannelle.

Une fois que le lait a bouilli, versez-y la préparation au chocolat et, enfin, la poudre de cacao. Faites à nouveau bouillir en fouettant sans arrêt.

Il n'y a plus qu'à servir ce chocolat mousseux qui nous fait des moustaches à la barbe du père Noël !

En revanche, je passe mon tour devant les bûches de Noël, ces pâtisseries lourdes, chargées de crème au beurre sur des génoises sèches qui ont bien du mal à descendre après la dinde aux marrons. Comment voulez-vous ingurgiter une bûche après ça ? Dès que le nom s'abat, il vous scie l'appétit ! Quand on est rendu là, on touche à la cime du repas, avant de dégringoler vers l'indigestion qui nous guette au bas de l'échelle gastronomique.

Voilà bien toute notre contradiction, à manger n'importe quoi durant l'année ! Les cloches de Noël ont à peine sonné qu'on se fait un point d'honneur d'enfiler les mets les plus raffinés

KIT REVOLTE

en un microlaps de temps ! Vous ne me direz pas, quand même : après les huîtres, on tasse le foie gras avec le saumon fumé, talonné par les escargots, juste avant les saint-jacques ! Léger, non ! Ça passe tout seul, n'est-ce pas ?!

Je préfère jouer avec les arômes de l'hiver, mais, une fois n'est pas coutume, avec des quantités mignonnettes et les **petits moelleux tièdes à la châtaigne,** chatouillés par un « tufet » de **chantilly** et accompagnés de **crème glacée au calisson.**

PETITS MOELLEUX TIÈDES À LA CHÂTAIGNE

🏃 **4 personnes**   🍵 **20 min**   🔥 **10 min**   🛑 **10 min**

150 g de crème de marrons
100 g de beurre en pommade
2 œufs + 3 jaunes
30 g de sucre en poudre
4 g de levure chimique
30 g de farine de châtaigne (autrement, de la farine de blé)
40 cl de crème fluide entière
2 sachets de sucre vanillé (la crème fluide est douce, la sucrer n'est pas obligatoire, mais du sucre vanillé ne peut pas la gâter...)
Glace au calisson ou au pain d'épice

Mélangez la crème de marrons avec le beurre dans un récipient. Fouettez avec un batteur.
Ajoutez les œufs entiers un à un, puis les jaunes et le sucre.
Battez pendant 10 minutes. Incorporez alors la levure et la farine tamisée, en mélangeant délicatement à l'aide d'une spatule.
Préchauffez le four à 180 °C (th. 6).
Garnissez quatre ramequins beurrés de mousse de marron, puis laissez-les au réfrigérateur pendant 10 minutes.
Enfournez les ramequins, laissez cuire pendant 10 minutes et servez aussitôt, avec 1 boule de glace au calisson ou au pain

d'épice... (Si vous n'en avez pas sous la main, prenez de la glace à la vanille, tout simplement, mais cherchez bien, vous en trouverez...).

Et le bonnet blanc de **CHANTILLY** :

La crème fluide entière, c'est indispensable pour monter une chantilly, nature, sucrée, voire parfumée. La crème allégée ne peut pas monter en chantilly, une crème épaisse non plus, sauf si on la délaye avec du lait, et l'on obtient un résultat plus acidulé qu'avec une crème fluide (sinon, on risque de faire du beurre, surtout si on fouette longtemps et si elle se réchauffe). La crème doit être très froide, pour qu'elle ne se décompose pas en beurre.

Versez-la dans un récipient étroit et haut (en Inox, si vous avez, que vous placerez au congélateur un moment avant d'entreprendre la chantilly), lui-même posé dans un saladier garni de glaçons.
Fouettez au fouet électrique pendant 5 minutes (autrement, vous ne vous en sortirez pas !). Je nous revois, ma mère et moi, à croupetons sur le seuil de la porte ouverte, dans le froid de la neige, à l'affût de la phase mousseuse avant de se raffermir tout à fait : des mordues !
La chantilly est prête quand la marque laissée par le fouet ne disparaît plus. Gardez au réfrigérateur jusqu'à la dégustation...

Pensez que la chantilly n'est pas seulement un péché mignon de mamie chapeautée et gantée attablée dans un salon de thé. Non, énervée de citron, d'herbes ou d'épices, elle escorte des viandes froides ou des poissons en grande pompe !
Nous voilà au terme de ce chapitre, nous terminons loin de la légendaire dinde de 11 kilos qui ne glougloute plus mais sera relatée dans les faits d'hiver de nos ripailles !

ON PEUT LA FAIRE
À LA MAISON,
LA GALETTE DES ROIS ?

Ou j'ai un tempérament de cochon – ce que je veux bien reconnaître –, ou vous admettrez que notre vie, si bien calculée, est pourtant victime de quelques dérèglements chroniques ! D'ailleurs, une petite allergie récurrente me démange, réactivée par tous ces commerciaux, ces directeurs de marketing, ces chefs de produits, ces attachés de colle qui nous pressent comme des citrons, et à qui j'ai envie de hurler : LÂCHEZ-NOUS LA GRAPPE !

C'est vrai, quoi, on ne peut pas commencer l'année libres et sereins : si, déjà, vous avez eu la chance de ressortir rescapés de l'avalanche de cadeaux, et si vous avez enfin essuyé la cataracte des vœux, ne vous réjouissez pas trop vite... la galette des Rois vous nargue !

Je n'ai rien contre les fêtes, mais je ne supporte plus d'être obligée de manger quatorze galettes en 15 jours ! Je croyais que c'était LE jour de la fête DES Rois, et non pas l'inverse ! Comment ingurgiter autant de frangipane sans sentir ses artères se boucher ?!

Pourquoi manquons-nous à ce point d'imagination, ou d'autorité lucide, pour dire enfin devant la septième galette sacrifiée que nous détestons ces passages obligés : est-ce qu'on mange deux fois le menu de Noël ? Est-ce que vous vous farcissez du gigot pendant tout le mois qui suit Pâques ?! Bon, alors !

À ce propos, ça me fait toujours rire, cette histoire de *mardi gras,* mi-février, vu que ça fait juste un mois et demi que tout le monde s'empiffre... !

Après tout, pour rompre ce rituel mercantile, pourquoi ne la feriez-vous pas, LA galette ? Une bonne façon de l'honorer, puis d'y mettre un terme : il n'est pas question de vous transformer en débiteur épiphanique. Faites-vous adorer le premier dimanche après le jour de l'An, un point c'est tout ! Et évitez de croiser des Rois mages les jours suivants !

Donc, pour tirer votre révérence une fois pour toutes, mettez le paquet :

GALETTE À LA FRANGIPANE

Donc, en 1 heure, vous pouvez assurer la fameuse galette sans y passer la moitié de la journée, comme vous vous l'imaginiez...
Je vous dis que vous ne pouvez plus reculer, de toutes les façons, vous vous en sortez bien : sous prétexte que la pâte feuilletée est très longue à préparer (des tours et des tours, et encore un quart, toujours à tourner et virer...), on vous encourage à en acheter de la pétrie d'avance... 2 rouleaux, tant que vous y êtes, non, ce n'est pas ma voracité qui vous pousse, mais il faut bien la couvrir, votre galette, il me semble !

une cour de 8 nobles   **30 min**   **30 min**

2 œufs + 1 jaune
120 g de sucre glace
2 sachets de sucre vanillé
100 g de beurre ramolli (Eh bien oui, on n'a rien sans rien ! Mais si vous préférez confectionner un étouffe-chrétien...)
125 g de poudre d'amandes (c'est tellement bon, la frangipane, pour une fois, lâchez-vous !)
1 cuillerée à soupe d'arôme d'extrait d'amande amère
2 cuillerées à soupe débordantes de rhum
2 rouleaux de pâte feuilletée (la durée du temps de préparation suppose l'utilisation de pâte feuilletée toute faite)

Vous devez avoir une petite fiole d'extrait d'amande, c'est un parfum tellement attachant : respirez, vous aurez l'impression de sentir sous vos doigts le petit pot de colle Cléopatra de votre école primaire... (et vous en trouverez toujours dans toute épicerie maghrébine aux rayonnages débordant de parfums et de couleurs) et... une **fève,** pardi !

Où en trouver ? Mais chaque année, vous gardez la fève en simili-porcelaine de la galette achetée à la petite pâtisserie du coin, je le sais bien, vous ne pouvez pas vous résoudre à la jeter... Vous ne savez plus où elle a atterri depuis tout ce temps ? Allez, je vous aide : un petit coup d'œil dans votre tiroir fourretout, derrière le tire-bouchon, grattez entre les pinces à escargots offertes avec le plat tout préparé – *no comment* – et la cisaille à volaille dont vous ne vous servez jamais, à tort..., cherchez encore, planqués sous les couteaux à huîtres et les bouchons de bouilloire, et voilà : un mini-Balthazar coloré, le château de Cheverny (gare à celle-là, elle vous déchausserait le dentier, tellement elle est disproportionnée !) et un joufflu sur pastille blanche, trois fèves ressuscitées de votre ordre désorganisé ! Une douche, même expédiée, sous le robinet de l'évier, parce que le chemin de croix dans le tiroir, long et chaotique, appelle un nettoyage de printemps !
À ceux qui détestent s'encombrer de ce genre de pacotille, il vous reste le gros haricot, la vraie fève qui y tient à sa place... quoi, vous n'allez pas vous laisser détrôner pour autant !

➜ Préchauffez le four à 200 °C (th. 7).
Mélangez 2 œufs, les sucres et le beurre de manière vigoureuse, pour obtenir une préparation homogène. Ajoutez la poudre d'amandes et parfumez d'amande amère et de rhum, et perdez la fève au milieu.
Déroulez une des pâtes dans un moule ou directement sur la plaque de votre four. Elle sait se tenir, elle ne va pas prendre ses aises...

Étalez la crème aux amandes sans trop vous approcher des bords : recouvrez de la seconde abaisse et chiquetez les bordures des 2 pâtes avec les doigts.

Badigeonnez de jaune d'œuf (que vous venez de séparer de son blanc), à l'aide d'un pinceau, toute la toque de votre pithiviers et, armé(e) d'un couteau, amusez-vous à dessiner et à signer (profondément, mais sans percer la pâte) le dessus.

Enfournez et laissez cuire pendant 30 minutes.

Savourez tiède.

Si vous ne vous jetez pas tout de suite dessus, faites-la légèrement réchauffer (je vous déconseille formellement de la manger froide, elle vous resterait sur l'estomac, et buvez : café, thé, cidre, gewurztraminer ou champagne), mais ne vous étouffez pas !

Voilà une histoire classée, pas de quoi en faire tout un plat !

Même si ça fait 10 siècles que ça dure...

LE TORCHON BRÛLE...
QUE MITONNER POUR
ME FAIRE PARDONNER ?

Le feu peut prendre très vite, si l'on manque de vigilance...
D'une part, parce que les remarques désobligeantes, éperon-
nées par la fatigue galopante, fusent sitôt qu'une contrariété se
met en travers de notre planning programmé et préimprimé...
D'autre part, parce que se faire mener par le bout du nez, c'est
irritant, reconnaissez-le !

Situation particulièrement critique... quand il fait les courses.
Pourquoi, même avec une liste établie en bonne et due forme
par mes soins, je ne reconnais jamais le cabas – que dis-je, les
sacs mastocs en plastoc, achetés par-dessus le marché ! – que
j'avais commandé ?
Pourquoi, lorsqu'il revient d'un magasin, je découvre à chaque
fois des emballages, des aliments dont je ne connaissais même
pas l'existence ? Vous savez, toutes ces nouveautés écœurantes
(2 000 par an, tous domaines confondus !) que les publicitaires
cherchent par tous les moyens à nous faire avaler ! Eh bien,
mon mari trébuche sur chaque innovation, les relève avec une
fierté de conquistador et les fait ingurgiter sans état d'âme,
sans aucune aigreur d'estomac au gargantuesque chariot,
monté sur ce Caddie acromégalique qui lui tient lieu de bouche
et de ventre ! Parti à l'assaut du hyper-méga-super-marché, il
ne sait pas qu'il est en fait l'otage en semi-liberté du monstre
Consommation. Voilà pourquoi je ne fréquente que les supé-
rettes désuètes, avec leurs petits airs d'opérettes, plutôt que les
grandes surfaces, dans lesquelles je crains de m'étaler et de me
perdre, comme la plupart de mes concitoyens !

« Promotion »... mais à la caisse, c'est bonbon !

Une heure à tourner, virer, le cœur léger, le sentiment de faire des affaires à virevolter autour de ces gondoles aguicheuses, et à peine je freine devant le tapis roulant que la caisse s'emballe : sans blague, la machine électronique me crache sèchement une note des plus salées, sans commune mesure avec ce que me promettaient les étiquettes des sucreries qui me faisaient de l'œil et me faisaient saliver, m'éloignant à jamais des bonnes résolutions prises à la rentrée !

Et là, je me jure de ne plus jamais tomber dans le panneau : **ma liste,** un point c'est tout !

Ah ! ils nous le font payer cher, le concept du libre-service...

Inévitablement, le ton monte quand il réapparaît...

Je m'offusque parce qu'il a acheté moult yaourts, alors qu'il en reste dans la gorge refroidie du réfrigérateur..., et je ravive un procès en cours : accusée de ne pas respecter la date de péremption des laitages, je me heurte violemment à la rigueur de mon adorable cœur qui, 2 jours avant la date fatidique inscrite sur l'emballage plastifié du pot, les condamne, d'un ton officiel, à la peine capitale : *Ça y est, les yaourts ne sont plus bons, je les jette !*

Quasi obligée de les extraire de la gueule réjouie de la poubelle, je lui démontre, preuve par quatre – oui, je suis capable d'engloutir tout le pack à la fois ! –, que la péremption est un garde-fou pour les malades qui voudraient coûte que coûte nous charger l'estomac avec tout ce qui leur reste sur les bras, en nous déchargeant le porte-monnaie. Tandis que lui me certifie que pour le moment, c'est nous qui les avons sur le dos et qu'il est hors de question de se prendre la tête !

Mais je n'en démords pas : je maintiens que le paramètre pour savoir si oui ou non, vous pouvez consommer votre fermenté en toute quiétude est votre deuxième sens : si une odeur fétide vous pète au nez en l'ouvrant, c'est qu'il va falloir vous faire une raison et trouver un autre en-cas à grappiller...

Autrement, votre tout premier sens peut prendre le relais et rafler tous les petits caillés que monsieur repousse !

Alors, forcément, quand je le vois décharger la voiture la mine réjouie, je n'en crois pas mes yeux : même pour partir en vacances, le coffre n'offre pas de telles contenances – et encore, nous ne partons que 3 semaines, obligés de réduire la surcharge pondérale de la malle de la voiture ! En période estivale, l'auto, bien que vantée par le clip télé de hypra spacieuse, me semble aussi ridicule que le tas de ferraille précédent. Cela ne valait vraiment pas le crédit pour lequel on s'échine en heures sup' ! Encore un litige avec mon homme, qui, déjà, n'était pas très chaud pour aller s'embarquer un samedi matin sur le parking à zigzags du Rally ; alors, si je m'en prends à sa bagnole, je nous prépare une soirée sabbatique des plus horribles... Et il ne m'envoie pas dire qu'il en a soupé de mes exigences !
Je dois ravaler mon fiel et mes doléances, pour envisager une dînette afin de réconcilier amour... de la voiture, tolérance gustative et détente en toute liberté... !
Ça va être dur, je sais, mais je pense surtout à bien choisir le homard que je vais ébouillanter d'ici peu. Mais non, je ne parle pas de mon époux, comme vous y allez ! J'ai dit que j'étais calmée...

J'évite de le faire bisquer davantage... et j'assure mon repêchage avec **UN HOMARD !**

On estime la fraîcheur d'un décapode en le regardant déambuler – s'il est bien vivant, le homard replie violemment la queue quand on le saisit par les côtés – et en mesurant la longueur de ses antennes – elles doivent être aussi longues que son corps tout entier ! Pourquoi ne le seraient-elles pas ? Parce que la première chose que ce malacostracé boulotte, dès son arrivée dans le vivier, ce sont ses sondes tactiles ! Comment reconnaître un mâle d'une femelle ? La dernière nommée a une queue plus large et des palmes sous la carapace, pour retenir les œufs !

Si leur carapace est couverte de parasites, de petits coquillages, c'est le signe qu'il n'a pas mué depuis longtemps et, donc, qu'il est bien **plein** !

Le homard le plus réputé est le **bleu européen** ou **breton,** qui pèse de 600 à 800 grammes et rougit à la cuisson ! À ne pas confondre avec le **vert américain** ou **canadien,** moins cher... mais moins bon !

HOMARD GRILLÉ AU SAFRAN ET SA COMPOTÉE POIVRON-COURGETTE

🚶 **2 personnes**   🕐 **45 min**   🔥 **35 min**

1 homard pour 2 (le premier signe de réconciliation tacite)
  (Attention, le tête-à-queue n'est plus de rigueur !)
40 g de beurre
1 cuillerée à soupe d'huile d'olive
1/2 poivron rouge
1 petite courgette
1 petite tomate
1 cuillerée à café de sucre en poudre
1 citron vert
1 cuillerée à soupe de crème fraîche
2 doses de safran en filaments

Portez à ébullition 2 litres d'eau dans un faitout et plongez-y le homard vivant pendant 1 minute... pour le tuer !

Repêchez-le. Coupez-le en deux dans le sens de la longueur, en commençant par planter la pointe du couteau sur le milieu de la tête, poursuivez par une estocade au niveau de la queue, et rejoignez la première incision.

Profitez-en pour repérer la poche à graviers (quand il se nourrit, le homard avale du sable qu'il stocke dans une petite poche située dans la tête, et qui serait amère). Retirez-la et, tant que vous y êtes, ôtez-lui l'estomac (boyau noir), qu'il a dans les talons puisqu'il est quasiment dans la queue... Les petits grains au milieu... c'est une femelle, mieux vaut quand même enlever les œufs ! Par contre, gardez précieusement le corail.

Faites fondre 20 g de beurre dans une petite casserole avec l'huile.

Faites-y revenir le demi-poivron et la courgette préalablement lavés et coupés en petits cubes.

Ajoutez la tomate pelée et concassée, le sucre et laisse confire pendant 15 minutes.

Déposez les 2 moitiés de homard dans une poêle antiadhésive, la face contre le fond, avec le reste de beurre et le jus d'un demi-citron. Faites cuire pendant quelques minutes en surveillant.

Ajoutez la crème et le safran.

Délayez et faites chauffer pendant quelques secondes.

Servez le homard, nappé de crème safranée – aphrodisiaque, disent certains... –, avec la compotée poivron-courgette et 1 lamelle roulée de zeste du demi-citron vert restant !

Joli ! Accompagnez d'une tasse moulée de riz pilaf, teinté, lui aussi, de safran.

Je sens que vous allez me dire que vous ne tenez pas plus au homard que ça... que ça pue sur les doigts si on a su décortiquer le crustacé et que pour une bonne faim, ça ne nourrit pas son homme...

Ça va, j'ai compris.

Changement de direction : cap sur un **foie gras** (rien à faire : tout est fait, maison ou pas, flûte, à vous d'anticiper !) nappant des **tagliatelles fraîches** (encore une fois, soit vous avez du ressort et la machine pour les faire, soit vous foncez sur les sachets accordéon qu'il a rapportés en promotion !). Vous voyez qu'il peut avoir du bon...

TAGLIATELLES AU FOIE GRAS

🏃 2 personnes 🍲 5 min 🔥 5 min

300 g de tagliatelles fraîches
150 à 190 g de foie gras (de canard ou d'oie) entier
1/2 cuillerée à café de gros sel
Fleur de sel
Poivre concassé

Vous imaginez la suite ?
Oui : une grande casserole d'eau salée portée à ébullition ; dès que celle-ci est atteinte, jetez-y les pâtes et passez l'info : *À table dans 3 minutes, pas une de plus !*

➔ Découpez le foie gras en morceaux, pas trop petits, car ils vont fondre au contact des tagliatelles brûlantes... de désir !
Dès que les pâtes remontent à la surface, elles sont cuites : égouttez-les sans tarder, en versant l'eau de cuisson dans le saladier de service (une façon rapide et efficace de le réchauffer pour maintenir les pâtes à température le plus longtemps possible, elles qui se refroidissent à la moindre attente !).
Lancez les dés de foie gras et une volée de fleur de sel, et beaucoup de poivre grossièrement concassé...

et MANGEZ (à même le plat, pour tomber bouche à bouche sur la même tagliatelle..., laissez les différends, ne restez pas chacun le nez dans votre assiette de préjugés) !

Il y a longtemps que j'ai envie de lui faire cette surprise surfaite à laquelle il tient tant : une **omelette norvégienne !** Je ne sais pas à quoi ça tient, mais il m'a toujours parlé de ce dessert comme d'une pièce... montée de souvenirs à retrouver !
Tout est dans le contraste de la meringue brûlante et de la crème glacée intérieure : un peu comme lui et moi... en ce moment, quoi !

Finalement : **30 minutes de préparation, 10 minutes de cuisson, mais 1 heure à l'avance :** donc la pâte de l'entremets dans un premier temps, ensuite la peau du homard !

OMELETTE NORVÉGIENNE

(👤) **2 personnes**   (🍴) **30 min**   (🔥) **10 min**   (🛑) **1 h**

Pour la pâte génoise
4 œufs
120 g de sucre en poudre
1 sachet de sucre vanillé
80 g de beurre
125 g de farine
Sel

Pour la garniture :
1 petit verre de rhum
1 litre de glace à la vanille (ou plombières, ou rhum-raisins)
6 œufs
80 g de sucre en poudre
20 g de sucre glace

Préchauffez le four à 180 °C (th. 6).
Cassez les œufs dans une terrine. Ajoutez 1 pincée de sel, le sucre et le sucre vanillé.
Placez la terrine dans une casserole remplie d'eau, à feu doux. Battez le mélange au fouet, jusqu'à ce qu'il triple de volume. Surveillez, car l'eau ne doit pas bouillir : la pâte doit rester tiède. Une fois le résultat obtenu, retirez la casserole du feu.
Faites fondre 60 g de beurre dans une petite casserole.
Pendant qu'il refroidit, versez la farine tamisée sur la pâte et mélangez délicatement. Lorsque la farine commence à être incorporée, versez le beurre fondu et achevez de mélanger.
Travaillez en toute légèreté, pour conserver le velouté apporté par le battage prolongé de la pâte.

Beurrez un plat carré de 5 à 6 centimètres de profondeur. Remplissez-le de la préparation jusqu'aux 2/3, enfournez au milieu du four et laissez cuire pendant 30 minutes, sans ouvrir la porte.

Démoulez à la sortie du four, en retournant le moule sur une plaque, et couvrez d'un torchon sec, afin que la génoise perde toute son humidité. Elle restera cependant moelleuse.

Attendez qu'elle soit complètement refroidie pour la couper en deux horizontalement, dans l'épaisseur, si vous préférez !

Une fois le gâteau coupé, imbibez les deux parties de rhum et placez la partie inférieure de la génoise dans un plat à four.

Travaillez la glace, un peu ramollie pour l'étaler sur le biscuit. Posez la seconde abaisse de génoise. Remettez le tout au congélateur.

Quinze minutes avant de servir, cassez les œufs, séparez les blancs des jaunes et battez les blancs en neige très ferme avec le sucre semoule et 2 jaunes.

Insérez cette préparation dans une poche à grosse douille, cannelée de préférence (pour la touche déco). À défaut, prenez une fourchette pour insuffler des vagues.

Recouvrez l'ensemble d'une belle couche de meringue poudrée de sucre glace.

Au dernier moment, garnissez la lèchefrite du four de glaçons et posez le plat avec l'omelette norvégienne dessus. Enfournez à 220 °C (th. 8) pendant 10 minutes.

Faites chauffer un peu de rhum (ou de Cointreau) dans une petite casserole.

Dès que le meringage est doré, présentez l'omelette, que vous enflammerez aussitôt avec l'alcool.

Voilà comment je flambe devant lui ! Finalement, je commence à regretter de lui être tombée sur le râble ! Et pour la Saint-Valentin... je l'invite dans un grand resto !

MA MÈRE NE DIGÈRE RIEN !

Forcément, avec tout ça, vous ne pouvez pas me croire, mais il n'y a pas de quoi rire, je vous assure, c'est casse-bonbon de chercher quoi cuisiner pour lui faire plaisir ! Depuis qu'une colite enflammée a ravagé un jour son côlon, c'est la colique maintenant ! Ce n'est plus : *Qu'est-ce que tu ne digères pas ?* C'est devenu : *Qu'est-ce que tu veux manger ?* La liste est plus courte dans ce sens ! Mais je la soupçonne de profiter de cette faiblesse digestive pour renvoyer au panier les légumes, surtout quand ils sont verts... À l'entendre, ils ne sont que sources de flatulences inconfortables, limite déconseillés par les cancérologues...! Ah ! elle ne lésine pas sur les grands maux ! L'excès, c'est de famille ! Je me demande qui est le plus irritable dans l'histoire... Rien ne m'énerve plus que ces histoires de légumes qui ont tout simplement du mal à passer, de son assiette – tout comme de celle de ma fille – à son palais, plus attiré par les tartines et les pâtisseries ! Il suffit que j'aie le dos tourné pour qu'elles complotent : elles débarrassent leur assiette du surplus non désiré d'un revers de fourchette, c'est leur petit air entendu qui me fait comprendre qu'elles m'ont roulée !

Maintenant, j'ai compris que les poivrons doivent être **rouges,** autrement dit mûrs et dégagés de leur peau, coupable de bien des maux ! Les choux, qu'ils soient italiens (brocolis), chinois, de Bruxelles, ou carrément paumés, n'ont pas voix au chapitre. Les haricots verts ou beurre, déclarés comestibles, à la seule condition d'être frais, mangés chauds et aillés. Fastoche !

Si je réfléchis bien, moi, c'est l'inverse : je digère tout, je peux engloutir tout ce que je veux, je ne suis jamais inquiétée. À tel point que, plus jeune, certains termes médicaux me laissaient perplexes, comme occlusion intestinale... Je ne comprenais pas ce que cela signifiait, obstruction parfaite, je ne pouvais même pas me le représenter ! Le trou noir...

Je ne peux quand même pas conseiller à ma mère de faire le trou normand : boire un verre d'alcool entre deux plats pour activer la digestion ! Elle aurait peut-être moins de soucis pyloriques, mais des problèmes alcooliques !

Panser les indigestions de ma mère, les aphtes de ma fille, les crises de foie récidivistes de mon mec... moi qui ai un estomac de pierre ! Je dois penser à tout ça très sérieusement et décrypter sans tarder ce qui nous oppose.

Il me faut chercher les ingrédients les plus doux aux intestins, que le gros ne soit pas agressé par l'acidité et le grêle, pas trop sollicité... ou décapé... Du velours, et surtout pas d'aliments dits complets, trop corrosifs pour une fragilité des conduits.
On a fini par trouver une recette qui convient particulièrement aux ventres délicats :

SAUTÉ DE DINDE AUX CITRONS

La dinde est une viande blanche, donc, par définition, maigre, et les citrons sont recommandés en cas de digestion difficile. Rassurez-vous, d'autres ingrédients viennent assouplir ce plat...

(🏃) 8 post-ulcériens   (⏱) 30 min   (🔥) 1 h 30 min

4 échalotes
1 petite dinde découpée ou un « morceau » de 2,5 kg
20 g de beurre
3 cuillerées à soupe d'huile (neutre)
3 carottes
3 gousses d'ail
3 citrons non traités (ayant besoin du jus et des zestes)
Thym
2 feuilles de laurier

2 cuillerées à soupe de graines de coriandre
1 pointe de piment de Cayenne
20 cl de vin blanc sec
20 cl de crème fraîche
Sel et poivre

Pelez et émincez les échalotes, salez-les et poivrez-les un peu. Faites revenir les morceaux de dinde, dans une cocotte, dans le beurre et l'huile. Quand ils sont bien dorés, réservez-les au chaud. Mettez les échalotes à leur place.
Pelez, coupez les carottes en rondelles et ajoutez-les dans la cocotte. Pelez l'ail, écrasez-le et ajoutez-le.
Lavez les citrons et prélevez leur zeste avec un couteau économe. Plongez-les dans une casserole d'eau bouillante pendant 2 minutes, puis dans de l'eau froide (ils garderont mieux leur couleur), et épongez-les.
Pressez les citrons dépiautés.
Replacez la viande dans la cocotte. Ajoutez les zestes de citron, du thym, le laurier, les graines de coriandre concassées, le piment, du sel et du poivre.
Mouillez avec le jus des citrons et le vin blanc. Couvrez et laissez mijoter le plus longtemps possible : au moins 2 heures...
Un peu avant la fin de la cuisson, incorporez la crème fraîche, qui nappera moelleusement les morceaux de viande...

Je vous déconseille les **salsifis**, délicieux avec ce plat mais retors à digérer, surtout pour un organisme fragilisé... optez plutôt pour une association de riz à but non irritatif **(riz sauvage, riz rouge et riz semi-complet).**
Et si vous avez des **girolles** sous le couteau...

Et dans le même esprit, et bien que l'orange soit déclarée offensive du fait de son acidité, elle devient plus inoffensive lorsqu'elle a cuit longtemps et cette préparation est digne d'un grand jour...

DAUBE DE CANETTE À L'ORANGE

6 prétendants   **30 min**   **1 h 45**   **1 nuit**

1 canette
1 bouteille de bourgogne aligoté
1 bouquet garni
2 clous de girofle
300 g de poitrine fumée coupée en dés
2 échalotes
2 gousses d'ail
1 orange non traitée
2 cuillerées à soupe d'huile d'olive
300 g de champignons de Paris
200 g d'olives vertes
Sel et poivre

Préméditez votre menu et, la veille au soir, découpez la canette et laissez-la macérer la nuit dans une terrine avec le bourgogne aligoté, le bouquet garni, les clous de girofle, les lardons, 1 échalote émincée et 1 gousse d'ail coupée en morceaux.

Rincez l'orange et prélevez de grosses lanières.

Versez l'huile dans une cocotte en fonte. Faites-y revenir l'échalote restante émincée, et faites-y dorer les morceaux de canette. Salez, poivrez, puis ajoutez les zestes d'orange et la marinade (vin, lardons, bouquet garni et aromates).

Amenez à petite ébullition, puis baissez le feu et laissez cuire doucement, à couvert, pendant 1 heure.

Prélevez la membrane des champignons de couche, coupez-les en grosses lamelles et faites-les cuire à sec, dans une petite poêle antiadhésive, à feu moyen et à couvert. Lorsqu'ils exsudent leur excédent d'eau, videz-la et donnez-leur un peu d'huile pour les faire revenir avec la gousse d'ail restante et un peu de sel.

Ajoutez-les à la viande et semez des olives non dénoyautées. Prolongez la cuisson 30 minutes, à découvert.

Vous sentez ? Le mélange fumé-orange et olives met en valeur la saveur du canard..., qui appelle **petits navets, pommes de terre et chiconettes confits.**

NAVETS, POMMES DE TERRE ET ENDIVES CONFITS

D'une façon générale, les légumes cueillis dans la fleur de leur maturité offrent d'adorables petits végétaux, toujours plus appétissants s'ils sont graciés entiers dans les assiettes, et cette primeur leur confère fondant et saveur.

4 personnes **15 min** **50 min**

8 petits navets nouveaux
8 chiconettes (petites endives)
12 petites pommes de terre (rattes)
50 g de beurre
Huile d'olive
1 orange
20 g de cassonade
Sel et poivre

Lavez les navets et les chiconettes, essuyez-les. N'épluchez pas les navets. Grattez simplement les rattes.
Démarrez le confit de petits légumes avec beurre et huile dans un plat en fonte.
Prélevez le zeste de l'orange en lanières, que vous enroulerez autour des chiconettes avant de les déposer dans le plat, avec les navets et les rattes.
Salez et poivrez et faites cuire à feu doux, à couvert, pendant 20 minutes en tournant. Lorsque les légumes ont exsudé leur eau, diluez-y la cassonade et poursuivez la cuisson à couvert.
Au bout de 30 minutes de cuisson, piquez les petits légumes pour estimer leur tendreté... Prolongez, si nécessaire, en appréciant si le fond est suffisant (sinon, rallongez-le d'un peu d'eau ou, mieux, de bouillon de volaille).

L'été, **fonds d'artichaut, épinards et courgettes** se prêtent à la confession du beurre et portent haut leur vert !

Ma mère adore la daube, beaucoup moins les petits légumes qui l'accompagnent, vous vous en doutez...

Et chapitre salade, je la bluffe en proposant...

CRESSON ET REBLOCHON SUR PETITS CROÛTONS

et-ron-et-ron-petit-patapon !

La salade et ses cousines germaines ou lointaines sont reconnues pour leur vertus digestives...

🏃 **4 personnes**   ⏲ **15 min**   🔥 **5 min**

300 g de cresson
Huile de colza
6 tranches de pain au levain
1/2 reblochon fermier AOC
Sel

Triez bien et lavez le cresson à l'eau vinaigrée, car il retient sable et terre. Essorez-le et, dans un saladier, arrosez-le d'huile de colza. Saupoudrez d'un peu de sel (le fromage étant salé, allez-y mollo...).

Recoupez les tranches de pain en toasts et faites-les dorer sur un grille-pain basique : dès qu'ils croustillent, posez dessus 1 tranche de reblochon coupée finement, qui, au contact de la chaleur du pain, va détendre son goût fermenté.

Servez le cresson surmonté de 2 ou 3 toasts par assiette.

L'attrait de ma mère pour le fromage me permet de lui glisser dans l'assiette quelques feuilles vertes... et j'insiste sur cette source de vitamines A, C et de potassium. Gare à elle si elle les laisse au bord de l'assiette, feignant d'abandonner dans le fossé la *décoration,* comme elle dit !

Vous savez ce qu'elle digère sans y penser ? les tartes aux myrtilles ! Quelle que soit la saison, on ne lésine pas sur ce dessert... Oui, toute l'année, parce que l'été, nous cueillons les myrtilles en famille chez un cultivateur qui ouvre ses champs au public courageux et mené par le bout de l'estomac – nous – et l'hiver… vu qu'on a tellement ramassé l'été, on en a stocké dans un des buffets-congélateurs ! Bref, nous sommes parés...

Mais vous avez toujours des fournisseurs en surgelés...

TARTELETTES AUX MYRTILLES

Tartelettes, parce que le côté individuel est séduisant et plus facile à servir, mais vous imaginez bien qu'en famille le grand modèle est de rigueur !

(👤) **6 personnes**   (🍳)   **20 min**   (🔥) **30 min**

250 g de farine
1 pincée de sel
125 g de beurre ramolli + supplément pour les moules
75 g de poudre d'amandes
400 g de myrtilles
1 à 2 sachets de sucre vanillé

Qu'est-ce que vous attendez ? Il faut faire au plus vite la pâte brisée (voir la recette page 72 : farine, chuchotée par la pincée de sel et brassée avec les morceaux de beurre. Une fois résorbés, 2 temps, 3 mouvements : rassemblez le tout en 1 boule avec une lichette d'eau froide.)

Laissez reposer au moins pendant 30 minutes.

Préchauffez le four à 180 °C (th. 6).

Sortez et beurrez vos petits moules.

Étalez la pâte sans vous y reprendre douze fois, la pâte brisée a horreur qu'on les lui brise longtemps avec des manipulations hasardeuses, excellent entraînement pour se jeter à l'eau... et placez-la dans vos moules ou dans ce que vous aurez choisi !

Si vous êtes resté(e) au grand modèle, le conseil de mon aïeule Ernestine était de réduire les risques inutiles en enroulant la pâte autour du rouleau à pâtisserie (ou la bouteille qui en tient lieu) et de la dérouler tout simplement au-dessus du moule : plus qu'à réajuster les bords et puis c'est tout !

→ Faites neiger l'amande en poudre sur le fond de pâte (ce n'est pas seulement du chichi de gourmande, mais cette épaisseur épongera avec bonheur le jus des myrtilles).
Les myrtilles roulent (même congelées) sur ce tapis poudré et se bousculent, oui il en faut beaucoup ! Retournez les bords fins sur celles qui sont à la lisière.
Enfournez et laissez cuire de 15 à 25 minutes, selon la taille (tarte ou tartelette).
À la sortie du four, saupoudrez les myrtilles éclatées de sucre vanillé.
Vous me connaissez : un tortillon de chantilly bien froide sur ce dessert encore chaud... je fonds... et ma mère aussi, même si elle s'interdit de trop y toucher...

Pour une qui ne digère rien, je trouve qu'elle ne s'en sort pas trop mal, je me demande même si elle n'assimile pas davantage du fait de ne pas avoir cuisiné... Moi qui croyais qu'elle ne supportait pas la concurrence, je me méprenais sur toute la ligne ; elle s'en porte même très bien et elle s'empresse d'aller jardiner ! Alors, stratégie pour s'échapper des fourneaux après un paquet d'années de bons et loyaux services ?! Je rends hommage aux tartes aux pommes maternelles qui m'attendaient en rentrant de l'école et que j'engloutissais encore brûlantes, immanquablement dérangée dans ma gourmandise par ce prof' mandé par mes parents pour des cours de soutien !

Je l'aurais bouffé, ce gringalet matheux et boutonneux venu diviser le plaisir de mes quatre-heures !

ÇA SE PRÉPARE COMMENT, UN POISSON ?

À chaque fois que j'arrive devant le stand poissonnerie, je tourne sans arrêt devant les mêmes bancs, l'œil à la pêche, je reste pensive devant ces épaves échouées sur la glace concassée, je finis par tout trouver un peu fade... Et je me dis : *Comment on prépare un truc pareil ?*

Généralement, je laisse passer les mamies, qui, si elles ne prennent pas un filet élancé de sabre (poisson aussi dépourvu d'arêtes que d'écailles) : *Oh... là, là ! pensez donc, c'est bien assez pour moi toute seule, j'en ai pour trois jours... !* ont toutes les chances de lancer leur hameçon sur une belle bête, en vue d'inviter toute la famille au grand complet, gendre et petit ami de la petite-fille compris !
Alors, je guette, prête à demander conseil avec un grand sourire benêt à la dame aux cheveux bleus, tellement le coiffeur a fixé la couleur et les habitudes ! Excusez-moi, madame, c'est facile à cuisiner, ce poisson-là ?
Avec ses yeux de merlan frit, elle acquiesce sans m'en dire plus, le sourire figé, muette comme une carpe ! Elle croyait peut-être que je me moquais d'elle, à moins qu'elle n'ait subi le même sort que la petite sirène... Bref, ça se termine en queue de poisson...

Tout le monde n'a pas fait l'école poissonnière, je finis toujours par loucher sur le pleuronecte aux deux yeux du même côté, celui qui impressionne les pêcheurs des eaux profondes qui s'empressent de le dépecer pour ne pas se le mettre à dos et nous expédier les filets charnus sans queue ni tête de ce plus grand prédateur plat : le **flétan** ! Si l'elbot est traumatisant à l'état vivant, ce grand prédateur raplapla est inoffensif, mort, en bons gros filets d'une blancheur fondante. Remarquez, je ne suis pas déçue : rien à préparer, la chair est fine, pas l'ombre d'une arête, ma fille ne se plaint pas, mais je n'ai fait aucun effort, alors, la semaine suivante, je reviens à la pêche d'inspiration...

INUTILE de demander un tuyau au vendeur, qui s'est fait poissonnier la veille de Pâques et qui me file systématiquement *un petit filet de...*

Je me débrouillerai toute seule...

Et si je m'étais écoutée, il y a longtemps que j'aurais fui les bancs de sable depuis qu'une petite vive m'avait empoisonné la vie en me piquant la plante du pied et une partie de mon après-midi !

Ma tante, cuite de soleil sur ses plages d'Argelès, m'avait mordillé les nougats et avait sommé mes cousins de pisser sur la piqûre. Mes aînés s'étaient exécutés sur-le-champ, j'étais outrée : non seulement, on ne mangeait que des sandwichs beurre-sable-sardines, puisqu'on ne quittait pas la grève, mais, en plus, on me pissait dessus, c'était ça, être à mes pieds ?! Mes 8 ans ne me permettaient pas de me rebeller, mais devant ma face de crabe et les CRS à bord de leur canot de sauvetage, ma tante expliqua qu'elle avait opéré aussitôt la désinfection avec l'urine des cousins généreux donneurs ! Les combinaisons noires avaient acquiescé et, après m'avoir trituré les panards pour s'assurer qu'on m'avait bien ôté l'épine du pied, avaient mis fin à leur escale pour repartir vers d'autres noyades dans un verre d'eau...

Puisqu'on a attaqué les dévoreurs d'hommes, au banc d'essai, je vous conseille de déchiqueter sans retenue le **requin,** bien moins impressionnant au palais que nez à nez...

REQUIN MASSALÉ

🏃 pour 4 dents… de la mer   🍶 15 min   🔥 25 min

1,2 kg de requin (un beau morceau, donc !)
Huile d'olive
3 oignons
1 tête d'ail
1 à 2 piments
1 cuillerée à café de curcuma
6 tomates
1 branche de thym
3 cuillerées à soupe de massalé
Sel et poivre de Penja

Coupez le requin en gros dés, puis faites-les revenir dans l'huile chaude pendant 5 minutes. Enlevez les morceaux de poisson et réservez-les.

Épluchez et émincez les oignons et faites-les revenir à la place du poisson. Pelez et écrasez l'ail, puis ajoutez-le ainsi que du sel, le piment broyé et le curcuma. N'hésitez pas à pimenter : le requin, contrairement à sa réputation en mer, est plutôt fadasse…

Après quelques minutes, ajoutez les tomates coupées en petits morceaux et le thym, ainsi que le massalé, et laissez cuire pendant 3 minutes, avant de remettre les dés de requin.

Ajoutez 1 verre d'eau et faites cuire à couvert pendant 15 bonnes minutes.

Remuez régulièrement pour bien lier, et vérifiez que la sauce est onctueuse.

Un coup de filet : dans la famille requin, on trouve aussi… la **roussette** ! Idéale quand on a très peu de temps et d'expérience, et elle plaît aux enfants : pas d'arêtes – charnue, avec un os au milieu… ! Et elle mord à l'hameçon des recettes de la lotte ou de la raie !

ROUSSETTE À LA DARTOISE

(🏃) 4 personnes (🍳) 10 min (🔥) 20 min

1 roussette de 1 kg
20 g de beurre
Huile d'olive
3 échalotes
2 gousses d'ail
1/2 verre de vinaigre de cidre
Ciboulette
Sel et poivre

Coupez le petit squale en tronçons de 2 centimètres de largeur.
Faites fondre le beurre dans une sauteuse avec l'huile, pour faire blondir les échalotes émincées puis les morceaux de poisson.
Salez, poivrez, puis ajoutez l'ail émincé et le vinaigre.
Laissez réduire puis couvrez et laissez cuire de 3 à 4 minutes.
Parsemez de ciboulette coupée très fin.
Servez avec des pommes de terre en robe de bain et une...

SAUCE GRIBICHE

(🏃) 4 personnes (🍳) 15 min (🔥) 10 min

3 œufs + 1 jaune
1 cuillerée à soupe de moutarde
20 cl d'huile d'olive
1 cuillerée à soupe de jus de citron
Estragon
Cerfeuil
1 cuillerée à soupe de câpres
Sel et poivre

Faites cuire les œufs. Dès qu'ils sont durs, passez-les sous l'eau froide, pour pouvoir les écaler. Coupez-les en deux.

Séparez les blancs des jaunes. Mettez les jaunes dans un bol. Ajoutez le jaune cru.

Écrasez le tout en ajoutant la moutarde et l'huile, puis le jus de citron. Salez et poivrez.

Ciselez de l'estragon et du cerfeuil.

Écrasez les câpres et coupez les blancs d'œufs cuits en petits morceaux.

Mélangez le tout !

Quand on pense à cuisiner du poisson, c'est qu'on prend un peu de temps... celui de la réflexion, celui de la détente et des petites choses à grignoter...

Et un dip ?

C'est bon à tartiner sur des toasts ou pour accompagner des crudités. C'est une sauce froide assez épaisse et bien relevée, que l'on peut varier selon ses goûts et ses placards.

Pas de cuisson, peu de préparation, une belle présentation ! Il n'y a pas que les sardines qui se tartinent !

DIP AUX ŒUFS DE LUMP

(🚶) **4 personnes**   (🕙) **10 min**   (🔥) **pas de cuisson**

10 cl de crème fleurette très froide
10 cl de crème fraîche épaisse très froide
1 échalote hachée
1 cuillerée à soupe de jus de citron
Aneth frais, ciselé
100 g d'œufs de lump rouges (les noirs laissent des traînées peu appétissantes dans la crème...)
Poivre du moulin

Fouettez ensemble les 2 types de crème au mixeur, pour les rendre plus légères. Ajoutez l'échalote, le jus de citron, l'aneth et 3 bons tours de moulin à poivre.

Incorporez les œufs de lump, avec une fourchette, en procédant délicatement, comme pour des blancs en neige, afin de ne pas les écraser.

Versez la préparation dans de petits ramequins pour le service et mettez au frais.

Si vos finances vous le permettent, rien ne vous empêche de troquer ces œufs contre ceux de **saumon** ou, encore mieux : de **béluga** !

Puisqu'on a parlé de flétan tout à l'heure et maintenant de saumon, pourquoi ne pas les mélanger :

TREILLIS DE SAUMON ET DE FLÉTAN

(🏃) 4 poissons pilotes   (👐) 35 min   (🔥) 20 min

1 filet de saumon de 320 g dont vous avez levé la peau
1 filet de flétan de 320 g, également écorché
60 g de beurre
1 cuillerée à soupe d'échalote finement hachée
1 gousse d'ail hachée
4 moules de belle taille, lavées et nettoyées
20 cl de vin blanc
10 cl de vermouth blanc (Martini blanc ou madère)
200 g de fèves fraîches (si c'est l'été)
200 g de pois gourmands
6 brins de sarriette hachés
1/2 bouquet de cerfeuil haché
1 cuillerée à soupe de ciboulette hachée
1 cuillerée à soupe de jus de citron
4 tomates
Sel et poivre

Coupez les filets de poisson en lanières de 12 centimètres de long.

Pour chaque portion, entrelacez 4 lanières de chacun d'eux en un *treillis* carré.

Faites fondre doucement 30 g de beurre dans une sauteuse.

Jetez en pluie l'échalote et l'ail, puis ajoutez les treillis de poisson.

Ajoutez les moules, le vin blanc et le vermouth...

Salez et poivrez.

Couvrez et portez à ébullition. Baissez le feu et laissez pocher de 4 à 5 minutes. Retirez le poisson et les moules et déposez-les sur 4 assiettes. Gardez au chaud.

Filtrez le jus de cuisson, puis reversez-le dans la sauteuse.

Écossez les fèves et retirez la fine peau qui les recouvre.

Enlevez le fil de chaque gousse de pois gourmands, lavez-les et blanchissez-les pendant 5 minutes.

Récupérez les pois gourmands et déposez-les, avec les fèves, dans le jus de cuisson des treillis de poisson. Ajoutez le beurre restant, la sarriette, du cerfeuil et la ciboulette.

Salez, poivrez et versez le jus de citron.

Dans chaque assiette, versez un peu de sauce sur le treillis de poisson, ajoutez 1 poignée de fèves et de pois gourmands, et décorez avec 1 moule dans sa coquille et 1 tomate pelée et ciselée en rosace à l'aide du couteau d'office.

Il est des mots qui font froid dans le dos et qui vous font enfoncer un peu plus loin vos mains encore blanches dans vos poches : **ébarber, écailler, vider, lever les filets...**

Ébarber, c'est couper les nageoires à ras, les barbes à l'aide de ciseaux de cuisine, et écourter la queue du poisson pour le faire cuire.

Le débarrasser alors de ses écailles en le raclant énergiquement, de la queue à la tête, armé(e) d'un grattoir métallique à lames verticales et dentelées – ou, à défaut, d'un bon couteau.

Bonne nouvelle : certains poissons, comme le bar, le rouget ou les sardines à griller, ne s'écaillent pas... la chair est plus moelleuse !

Retirez les entrailles d'un poisson, sauf exception (éperlans, rougets-barbets dans certaines recettes) avant de le cuisiner. Si vous avez affaire à un poisson de petite taille, vous pouvez le vider par les ouïes, pour éviter de l'éventrer. S'il est plus gros, incisez sous le ventre, sur quelques centimètres seulement : en glissant votre index à l'intérieur, crochetez les viscères...

Filets : on en compte quatre sur les poissons plats, et deux sur un rond.
Lever les filets, c'est les détacher de l'arête, à l'aide d'un couteau à lame souple dit « à filets de sole ».

Si vous avez un poisson « rond » :
Tenez-le fermement, une main sous la tête, la queue tournée vers vous, et incisez-le tout le long de l'arête dorsale.
Coupez le filet supérieur derrière l'ouïe et laissez aller le couteau le long de l'arête, jusqu'à l'amorce de la queue. Passez ensuite le couteau sous la queue et suivez toujours l'arête en passant dessous, puis détachez le filet.

Si c'est un poisson plat :
Il vous faudra préalablement arracher la peau, en l'incisant au niveau de la tête, perpendiculairement au corps, puis en soulevant le bout de peau d'un coup pour le désaper d'un seul mouvement.
Ensuite, pour lever les filets, incisez le poisson de la tête à la queue, le long de l'arête. Puis détachez le filet gauche, en coupant la portion correspondante sous la tête, puis la même chose à droite. Et vous retournerez le poisson pour lui faire la peau de l'autre côté.
(Ne jetez pas les arêtes et les parures, utilisez-les pour un fumet, si besoin est.)

Et voilà, c'est pas le mérou !

Commençons simplement : sans étêter, écailler, et lever…

ROUGETS-BARBETS EN PAPILLOTES

(🏃) **4 personnes**   (🍴) **15 min**   (🔥) **10 min**

4 ou 8 rougets-barbets, selon la taille (de février à juin, c'est la saison !)
50 g de beurre ramolli
4 feuilles de papier sulfurisé
Huile d'olive
2 échalotes
4 ou 8 branchettes de romarin
1 citron coupé en rondelles
1 poignée d'olives noires
Fleur de sel et poivre

Préchauffez le four à 220 °C (th. 8).
Videz les rougets (alors que, grillés, vous les laisserez pleins de leurs entrailles), mais ne leur coupez pas la tête et ne les écaillez pas.
En revanche, même si vous ne lisez pas l'avenir dans les viscères des sacrifiés, récupérez leurs foies et mélangez-les avec le beurre et du sel.
Rembourrez le ventre des poissons rouges avec cette pâte.
Prenez 1 feuille de papier sulfurisé, versez-y 1 filet d'huile et placez-y chaque poisson (ou 2 petits).
Avant de les border dans leur feuille, hydratez-les de 1 filet d'huile, couvrez-les de 1 ou 2 branchettes de romarin, 1 rondelle de citron, quelques grains de sel et du poivre, et quelques olives.
Faites cuire dans le haut du four pendant 10 minutes.

Finalement, ces gros poissons *entièrement* abandonnés à la banquise du poissonnier ne sont pas difficiles à amadouer. Avec un minimum de patience…

BAR GRILLÉ AU FENOUIL

Il s'agit d'un poisson délicat, bien que maigre : c'est pourquoi, pour le griller, il faut lui laisser sa robe d'écailles, qui protège sa chair fine.

🏃 **6 pêcheurs**   ⏱ **30 min**   🔥 **30 min**

1 bar de 1,2 kg minimum
1 fenouil
Huile d'olive
Fleur de sel et poivre

Préchauffez le four à 220 °C (th. 8).

Videz le bar, rincez-le sous l'eau froide et remplissez-le de branches de fenouil.

Entaillez-lui le dos, pour éviter qu'il n'éclate.

Badigeonnez-le d'huile, salez, poivrez et placez-le sous le gril du four, ou sur un gril placé au-dessus de braises, à l'extérieur.

Laissez cuire pendant 30 minutes, en retournant le bar à mi-cuisson.

Lorsque le bar est bien cuit, sa peau et ses écailles s'enlèvent facilement.

Servez avec des petits poivrons verts et rouges, des tomates olivettes, de l'ail coupé fin, de petites olives noires revenues dans un filet d'huile d'olive et du thym frais.

Ou une…

SALADE DE SALICORNES

🏃 **6 personnes**   ⏱ **5 min**   🔥 **10 min**

600 g de salicornes fraîches
Huile d'olive
2 échalotes finement hachées
Poivre

Rincez les salicornes et ébouillantez-les dans de l'eau non salée (elles le sont naturellement) de 8 à 10 minutes.
Égouttez-les et assaisonnez d'huile et de poivre. Ajoutez les échalotes et mélangez délicatement.

J'ai déjà présenté le bar sur un lit de salicornes... même si je n'ai pas de turbotière, et je n'en veux pas ! Qu'on se le dise ! Inutile d'y penser pour la fête des mères, pas plus que la pince à asperges...

Vous savez que la choucroute n'est pas réservée au cochon, mais s'adapte aussi au poisson...

BRICKS D'ÉGLEFIN SUR NID DE CHOUCROUTE

(🏃) 4 capitaines   (🍴) 45 min   (🔥) 55 min

600 g de choucroute crue
Huile de maïs
Baies de genièvre
10 cl de vin blanc sec
1 gros filet d'églefin fumé... autrement dit du haddock !
1 yaourt
20 cl de lait
4 feuilles de brick (vous pourrez vous fournir à l'épicerie maghrébine qui a dans ses frigos des lots de 10 feuilles)
Huile d'olive
2 échalotes
15 cl de crème fraîche épaisse
2 jaunes d'œufs
Aneth
4 filets d'églefin (plus petit que la morue)
Poivre

Débarrassez la choucroute de la saumure en la rinçant dans plusieurs eaux, puis essorez-la en la pressant dans vos mains.

Faites chauffer un peu d'huile de maïs, ajoutez la choucroute, des baies de genièvre, du poivre, et mouillez avec le vin blanc. Laissez cuire à feu doux pendant 45 minutes.

Pendant ce temps, faites tremper le haddock, coupé en 8 lanières, dans le yaourt dilué dans le lait pendant 30 minutes (l'acidité des ferments lactiques neutralise le sel et rend la chair plus moelleuse).

Préparez vos feuilles de brick et badigeonnez-les d'huile d'olive.

Préchauffez le four à 200 °C (th. 7).

Faites revenir les échalotes émincées dans une petite casserole avec 1 cuillerée à soupe d'huile d'olive. Poivrez.

Éteignez le feu et ajoutez la crème fraîche, les jaunes d'œufs et de l'aneth ciselé.

Déposez 1 lanière de haddock au centre de chaque feuille de brick, posez dessus 1 filet d'églefin, surmonté de 1 autre lanière de haddock. Versez un peu de crème, avant de replier la feuille de brick. Fermez-la. Recommencez l'opération avec les 3 autres feuilles de brick.

Enfournez-les sous le gril pendant 10 minutes.

Servez les bricks d'églefin chaudes, posées sur un nid d'algues de choucroute, hétéroclite pour un poisson au nom d'oiseau.

Ce n'est pas la mer à boire, et pas la peine d'avoir une thèse sur l'halieutique pour oser servir du poisson. Et si votre sortie en mer se résume, comme moi, à la virée (par-dessus bord) du canot gonflable des vacances lors de la sécheresse de 1976, et que vous ne savez pas plus que moi manier la gaffe, en tout cas celle d'une embarcation mouillée pour revenir avec de la poiscaille..., allez de ce pas vérifier les nœuds... coulants de votre hamac !

JE VEUX LES ÉPATER !

On croit souvent que les plats composés et typiques sont inaccessibles pour des cuisinier(ère)s anonymes. Un jour, je me suis lancée dans la réalisation d'un **couscous** et, loin d'être déçue, je me suis crue, sans prétention, arrivée là-bas, sous un soleil d'épices qui a enchanté autour de moi.

Depuis, je réitère dès que je veux faire mes preuves !

COUSCOUS

🚶 10 personnes 🍶 1 h 🔥 2 h

3 échalotes émincées
5 cuillerées à soupe d'huile d'olive
1 branche de céleri
2 poivrons (1 vert + 1 rouge)
10 morceaux de collier
1 morceau de poitrine d'agneau
5 côtelettes d'agneau découvertes
2 cuillerées à soupe de graines de cumin
4 tomates (en hiver, 1 boîte de tomates pelées au naturel)
1 pincée de piment fort
1 pincée de gingembre en poudre
3 pincées de noix muscade en poudre
(si vous êtes pris(e) de court, vous pouvez utiliser un
    mélange d'épices à couscous tout prêt)
3 pincées de cumin en poudre
2 bâtons de cannelle
3 clous de girofle
Concentré de tomate
6 carottes
4 navets

2 aubergines (en été)
1 céleri-rave (en hiver)
250 g de pois chiches (1 boîte)
4 courgettes
1 kg de semoule (graines de couscous) moyenne
250 g de pruneaux dénoyautés
150 g de raisins secs
10 merguez (ou plus : 1 par personne)
50 g de beurre
Gros sel
1 cuillerée à soupe de harissa
Sel et poivre

C'est vrai, à vue d'œil, pas mal d'ingrédients sont nécessaires à un bon couscous, mais ce plat unique à poser sur la table rassasie pour un bout de temps !

Faites revenir les échalotes dans 1 cuillerée à soupe d'huile, avec la branche de céleri effilée et détaillée, dans un grand faitout. Une fois dorées, ajoutez les poivrons lavés et coupés en bâtonnets ; dès qu'ils sont souples, faites revenir le collier, la poitrine et les côtelettes.
Salez et poivrez, et jetez 1 cuillerée à soupe de graines de cumin.
Ensuite, ajoutez les tomates coupées en morceaux, les épices et du concentré de tomate. Versez 1,5 litre d'eau et ajoutez 1 pincée de gros sel.
Pelez les carottes et les navets. Coupez-les respectivement en rondelles et en dés, avant de les basculer dans le bouillon.
En été, ajoutez les aubergines lavées et coupées en cubes.
En hiver, si vous avez 1 céleri-rave sous la main, coupez-le aussi en cubes.
Faites cuire pendant 1 heure, à demi couvert, en maintenant un petit bouillonnement (si besoin est, ajoutez de l'eau : le niveau doit dépasser les légumes).

Au terme de la cuisson, égouttez les pois chiches, rincez-les et ajoutez-les au ragoût, ainsi que les courgettes, épluchées en laissant 1 lanière de peau sur 2 et coupées en dés.

Goûtez le bouillon et rectifiez l'assaisonnement si nécessaire (en sel et épices). Laissez cuire encore 30 minutes à découvert. Éteignez et laissez reposer.

Versez la semoule dans un plat à tajine en terre. Salez et versez le reste d'huile au fur et à mesure, pour en enrober les grains. Mélangez bien, avec une spatule, et parsemez de pruneaux et de raisins secs.

Piquez les merguez à la fourchette. Disposez-les dans une poêle à sec (elle ne le restera pas longtemps : gardez du papier absorbant sous le coude pour essuyer les merguez après cuisson) et faites-les cuire à feu doux sur toutes les faces pendant 15 minutes. Réservez au chaud.

Peu de temps avant de passer à table, faites bouillir 50 cl d'eau : lorsqu'elle frémit, versez-la tout doucement sur la semoule et les fruits secs, jusqu'à les recouvrir, voire un peu plus.

Couvrez immédiatement et attendez que la semoule gonfle.

Au bout de 5 minutes, soulevez le couvercle et goûtez : si les grains sont encore fermes, ajoutez un peu d'eau et remuez la semoule avant de recouvrir le plat. Testez encore, en veillant à ce qu'elle reste *al dente* (le bouillon, une fois servi, va l'humecter). Assouplissez-la encore à la main, en égayant de noisettes de beurre !

Dernière touche : délayez la **harissa** (vendue en tube ou en boîte dans toutes les bonnes épiceries) dans 1 louchette de bouillon prélevé du ragoût, et laissez-la dans un petit ramequin, à discrétion. Attention aux cracheurs de feu... !

À table ! Normalement, on peut manger à même le plat, mais tout le monde n'apprécie pas.

Alors, je dispose dans le fond de chaque assiette semoule et fruits secs, je pêche dans le ragoût (remis à chauffer si nécessaire) un morceau de viande et une louche de légumes et leur jus, une merguez, et c'est bien rare qu'on ne se resserve pas ! C'est toujours réussi !

Mais attention : ça tourne ! En été, je vous recommande de placer le reste de couscous au réfrigérateur dès qu'il a refroidi. Le mélange tomates-épices, combiné à la chaleur, fermente avant que vous ayez le temps de comprendre ce qui vous arrive. Je vous en parle en connaissance de cause, spectatrice d'une telle mésaventure sous une tonnelle très chaleureuse du festival d'Avignon ! Je vous l'ai dit, j'ai roulé ma bosse !

Vous savez ce qui manque ?

Une senteur subtile pour digérer dans la suavité... une **coupe de crème parfumée à la fleur d'oranger** !

CRÈME LÉGÈRE À LA FLEUR D'ORANGER

🏃 8 gourmands 🕐 30 min 🔥 20 min

1 litre de lait
2 œufs entiers
100 g de sucre en poudre
1 cuillerée à soupe de farine
2 cuillerées à soupe d'eau de fleur d'oranger
Quelques amandes effilées (ou 8 dattes)
8 feuilles de menthe

Faites bouillir le lait dans une casserole.

Pendant ce temps, battez les œufs avec le sucre et la farine. Délayez avec l'eau de fleur d'oranger et fouettez toujours.

Lorsque le lait bout, transvasez le mélange dans la casserole et placez sur feu doux.

Sans cesser de remuer, laissez épaissir légèrement, puis remplissez vos coupes.

Laissez refroidir à température ambiante.

Au moment de servir, déposez au milieu quelques amandes effilées grillées à sec (ou 1 datte ouverte et dénoyautée) et plantez 1 feuille de menthe.

Et rien ne vous empêche de pousser jusqu'aux...

CORNES DE GAZELLE

🚶 35 pièces   🍴 45 min   🔥 10 min   🛑 1-2 h

500 g d'amandes mondées
125 g de sucre en poudre
1/2 cuillerée à café de cannelle moulue
2 cuillerées à soupe d'eau de fleur d'oranger
50 g de beurre
Sucre glace

Pour la pâte
250 g de farine
1 cuillerée à soupe de sucre en poudre
1 œuf
80 g de beurre
1 verre d'eau de fleur d'oranger
1 pincée de sel

Mélangez la farine, le sucre et le sel dans une jatte. Cassez l'œuf au centre et ajoutez le beurre préalablement fondu. Pétrissez et délayez avec l'eau de fleur d'oranger. Laissez reposer pendant 1 à 2 heures.
Mixez les amandes. Mélangez-les au sucre et à la cannelle.
Ajoutez l'eau de fleur d'oranger et le beurre préalablement fondu, puis pétrissez la pâte d'amande.
Divisez-la en boulettes de la taille d'une belle noix, que vous allongerez en « cigares » en les roulant sur le plan de travail avec le plat de la main.
Préchauffez le four à 160 °C (th. 5).

Abaissez la pâte en la retournant plusieurs fois, afin qu'elle atteigne une finesse de 1 millimètre. Découpez-y des ronds (à défaut de forme ovale), avec un verre, sur lesquels vous déposerez un doigt d'amande. Enroulez-les en repliant le cercle de pâte, puis recourbez ce croissant : la corne est formée !
Enfournez et faites cuire pendant 10 minutes (les cornes doivent rester blanches). Saupoudrez de sucre glace avant de servir...

Qui se dévoue pour aller faire un thé à la menthe ? Ah ! un petit verre de **rossoli, ratafia de roses et de fleurs d'oranger,** derrière vos dattes... ouvrez la bouteille, sentez le vin moelleux qui a chauffé dans un alambic avec cannelle, macis, girofle et les eaux de fleurs... Voyage, voyage...

JE SUIS ENCEINTE !

C'est le plus beau jour de ma vie : je viens d'apprendre que je suis enceinte ! L'heureux papa me comble de joie et de petits soins : lors de ma première visite, l'obstétricien m'a mise en garde contre les risques de la toxoplasmose et je ne veux, en aucun cas, me hasarder à consommer des fruits ou des légumes douteux... Le meilleur moyen est de les cuire, et comme je sais que je vais faire le plein de minéraux, de vitamines, de bêta-carotène, etc., je commande à mon cuisinier préféré un...

VELOUTÉ DE MÂCHE

À peine formulé, mon vœu est exaucé !

🚶 **2 tourtereaux**   🖐 **20 min**   🔥 **35 min**

500 g de mâche
2 courgettes
2 échalotes
20 g de beurre
30 cl de lait demi-écrémé
Sel et poivre

Lavez minutieusement la mâche. Rincez les courgettes et coupez les extrémités, avant de les débiter en rondelles (réservez 2 lanières pour la décoration).
Ensuite, épluchez et émincez les échalotes... (il le fait sans sourciller !)
Faites chauffer le beurre dans une sauteuse à feu doux. Ajoutez les échalotes. Laissez blondir avant d'ajouter la mâche (réservez-en 2 fleurs) et les courgettes.
Surveillez quelques minutes. Il vérifie du bout d'une spatule

en bois que la cuisson n'aille pas trop vite en besogne, jetant un œil sur moi (je suis censée me reposer...).

Versez 30 cl d'eau chaude, salez raisonnablement et laissez frémir pendant 15 minutes (il vient me coucouner !).

Profitant de ma torpeur et de ma nouvelle oisiveté, je l'entends mixer le tout.

Au moment de servir, faites chauffer le lait et mélangez-le à la soupe. Poivrez légèrement.

Décorez avec 1 lanière de courgette revenue et non mixée, délicatement déposée sur ce velouté vert tendre, aux côtés de 1 fleur de mâche, la fleur de notre secret...

Ce petit dîner en tête à tête me ravit, et je vois le futur papa se démener pour m'éviter tout souci d'intendance ou contrariété. Il arrive avec 2 ramequins sur un plateau...

CRABE À LA NEW-YORKAISE

(🏃) 2 personnes   (🍲) 10 min   (🔥) 10 min

2 boîtes de miettes de crabe
2 cuillerées à soupe d'échalote ciselée
2 cuillerées à soupe de porto (bon, une des dernières fois où je bois de l'alcool, mais il faut bien fêter ça !)
5 cl de crème fraîche épaisse
2 cuillerées à soupe de parmesan râpé
Sel et poivre

Égouttez les miettes de crabe en les pressant dans vos mains pour éliminer l'eau.

Mélangez-les, dans un saladier, avec les échalotes, le porto et la crème fraîche. Salez à peine, poivrez et mélangez à nouveau. Préchauffez le four à 180°C (th. 6).

Répartissez le mélange dans 2 ramequins, saupoudrez de parmesan et enfournez de 8 à 10 minutes, jusqu'à ce que le fromage dore légèrement. Servez dès la sortie du four.

Comme mon amoureux sait à quel point la grande déséquilibrée que je suis est pointilleuse sur l'équilibre... alimentaire – oui, et alors, vous n'êtes pas en contradiction, vous, parfois ?! –, il a préparé des petits légumes comme je les aime...

POIS GOURMANDS AUX AMANDES
Au printemps, quand ils sont bien tendres et d'un vert brillant, ces cosses sont un régal, à condition d'être très fraîches !

(🏃) **2 amoureux**　(🕐) **20 min**　(🔥) **25 min**

400 g de pois gourmands
30 g de beurre
50 g d'amandes effilées
Sel et poivre

Retirez les fils qui courent le long des cosses, lavez les pois et faites-les cuire à la vapeur pendant 10 minutes.
Transférez-les dans une sauteuse.
Faites fondre le beurre avec les amandes dans une casserole à feu très doux. Faites-les dorer sans les quitter des yeux : le beurre ne doit pas noircir !
Versez ce mélange sur les pois. Salez et poivrez. Faites revenir pendant quelques minutes avant de servir.

Je vais profiter de ma grossesse pour explorer les ressources des légumes secs, faire le plein de sels minéraux. La question du poids sera un sujet de taille... Autant se faire une raison...
Les **pois cassés,** par exemple, c'est un peu long à cuire, mais j'ai tout mon temps en ce moment...

PURÉE DE POIS CASSÉS

(🏃) **4 personnes**　(🕐) **10 min**　(🔥) **1 h**

300 g de pois cassés
1 bouquet garni

1 oignon
2 clous de girofle
Quelques feuilles d'épinard
10 g de beurre
2 cuillerées à soupe de crème fraîche
Sel et poivre

Rincez les pois cassés. Recouvrez-les d'un peu d'eau (il faudra ajouter de l'eau bouillante au fil de la cuisson). Ajoutez le bouquet garni et l'oignon piqué des clous de girofle (j'ajoute quelques feuilles d'épinard lavées pour maintenir la couleur des pois, qui tournent au caca d'oie après cuisson...).
Faites cuire les pois à feu moyen pendant 1 heure environ, jusqu'à ce qu'ils soient tendres, en écumant de temps en temps.
Enlevez les aromates, passez les pois à travers une passoire, en réservant le jus de cuisson, et écrasez-les au moulin à légumes en délayant avec un peu de ce jus si nécessaire.
Ajoutez le beurre et la crème fraîche.
Salez et poivrez et n'attendez pas que cela refroidisse !

CRÈME DE LENTILLES CORAIL

🚶 **2 personnes**   ⏱ **20 min**   🔥 **30 min**

1 oignon moyen
3 gousses d'ail
1 tomate
2 cuillerées à soupe d'huile
1 pincée de sucre
1 verre de lentilles corail
1/2 piment vert
1 verre de court-bouillon
1 cuillerée à café de cumin en poudre
1/2 cuillerée à café de curcuma
Graines de coriandre
Sel

Coupez l'oignon, l'ail et la tomate en petits morceaux.

Faites chauffer l'huile dans une casserole. Mettez-y l'oignon et l'ail, jusqu'à ce qu'ils dorent. Ajoutez la tomate et le sucre, puis les lentilles et le piment écrasé. Versez le court-bouillon et laissez cuire à feu doux.

Une fois les lentilles cuites, salez, ajoutez le cumin et le curcuma. Parsemez de graines de coriandre.

RAÏTA (SALADE D'OIGNONS)

🏃 2 personnes   ⏱ 10 min   🔥 pas de cuisson

3 oignons
1 carotte
1/2 piment vert
2 yaourts nature
1 cuillerée à café de sel
Jus de 1/2 citron
Feuilles de coriandre

Émincez les oignons, râpez la carotte et coupez le piment très finement. Mettez le tout dans un saladier.

Ajoutez les yaourts. Mélangez-les aux légumes.

Assaisonnez avec du sel, le jus de citron et des feuilles de coriandre ciselées. Gardez au frais jusqu'au moment de servir.

Et si je bouclais ma cure « féculents façon indienne » avec des...

PETITS GÂTEAUX DE SEMOULE AU SAFRAN ET AU LAIT DE COCO

🏃 6 personnes   ⏱ 15 min   🔥 10 min

60 cl de lait
15 cl de lait de coco
180 g de semoule fine
100 g de sucre en poudre

1 dosette de safran en filaments + supplément pour décorer
25 g de beurre + supplément pour les moules
3 cuillerées à soupe de noix de coco râpée + supplément
    pour décorer
2 œufs

Pour le sirop
Sucre aromatisé au safran
Cardamome verte

Faites chauffer le lait et le lait de coco à feu doux, avec la semoule, le sucre, le safran, le beurre et la noix de coco râpée, pendant 10 minutes environ.
Ajoutez les œufs, hors du feu, en fin de cuisson.
Versez la semoule dans des ramequins beurrés sur 2 centimètres d'épaisseur et laissez refroidir.

Préparez un sirop pendant ce temps : versez 15 cl d'eau dans une casserole, ajoutez le sucre aromatisé au safran et à la cardamome.
Chauffez sur feu moyen.
Versez le sirop tiède sur les gâteaux au moment de servir.
Saupoudrez de noix de coco râpée et de filaments de safran !

PAUPIETTES DE VEAU

Ce qui m'amuse, c'est le côté dînette de ces escalopes roulées autour d'une farce que l'on peut acheter, mais je préfère m'en charger et les compléter à mon goût ! Du fait qu'elles sont des portions individuelles, elles sont d'une présentation avantageuse.

🏃 **4 petits appétits**   🍴 **25 min**   🔥 **1 h 10**

4 escalopes de veau de 120 g chacune environ
1 cuillerée à soupe de concentré de tomate
2 petites tranches de pain de mie

3 échalotes
100 g de chair à saucisse
Pignons de pin
1 œuf
4 gros pruneaux dénoyautés
2 carottes
1 cuillerée à soupe d'huile
30 g de beurre
Thym
6 feuilles de sauge
15 cl de vin blanc
Sel et poivre

Étalez les escalopes. Délayez, dans un bol, le concentré de tomate dans un peu d'eau pour y émietter le pain de mie.

Épluchez et hachez 2 échalotes. Mélangez-les à la chair à saucisse, le pain de mie égoutté et les pignons de pin dans un petit saladier. Liez avec l'œuf battu. Assaisonnez.

Disposez une couche de cette farce sur chacune des escalopes, posez 1 pruneau au milieu et roulez l'escalope, enfermant ainsi le pruneau dans la farce, elle-même prisonnière de la tranche de viande blanche. Utilisez une pique en bois pour transpercer la paupiette de part en part.

Épluchez et coupez en fines rondelles les carottes et la dernière échalote. Faites-les revenir dans une cocotte avec l'huile et le beurre fondu. Ajoutez les paupiettes pour les faire dorer. Jetez des branches de thym, les feuilles de sauge, et mouillez avec la moitié du vin blanc ainsi que le jus de tomate (concentré dilué). Couvrez et baissez le feu.

Au fur et à mesure de la cuisson, ajoutez le vin blanc restant, du sel et du poivre.

Comme je n'ai pas droit à des brouettes de crudités, je me jette sur les légumes bien cuits, et je me relève volontiers pour une piperade cuite longtemps, parfaite avec les paupiettes !

PIPERADE

(🚶) **4 gourmets**   (🍶) **25 min**   (🔥) **pas de cuisson**

2 poivrons rouges
1 poivron vert
3 échalotes hachées
Huile d'olive
5 tomates
Concentré de tomate
Thym
3 gousses d'ail
Sel et poivre

Lavez et ouvrez les poivrons pour retirer leurs graines, et coupez-les en lanières. Pelez et émincez les échalotes.
Faites chauffer de l'huile dans une poêle, avant d'y précipiter les échalotes. Dès qu'elles deviennent translucides, ajoutez les lanières de poivron mélangées. Faites-les revenir à feu moyen. Ajoutez les tomates coupées en quartiers, le concentré de tomate et du thym. Salez, ajoutez les gousses d'ail coupées en tout petits morceaux et laissez confire à découvert long-temps... Plus c'est cuit, plus le goût est fin.

S'il en reste, ce soir, je me casserai un œuf à cheval dessus : il cuira sur la piperade en train de réchauffer ses petits poivrons et se fera un plaisir de rencontrer une belle tranche de jambon cru...

Puisque je suis censée jouer à la chochotte, petite **salade de chayotte** pelée, coupée en lamelles légèrement blanchies, avec des **haricots verts** *al dente,* constellée, non pas d'étoiles de mer, mais de **crevettes** rosies de cuisson, une goutte d'**huile d'olive** et un s**oupçon de sel,** fortement déconseillé durant la grossesse.

Question dessert, je suis sous haute surveillance... Je sais que je ne dois pas prendre trop de poids. Mais de là à me priver !

SALADE DE FRUITS FRAIS EXOTIQUES
ET SORBET LITCHI

🚶 **4 personnes**   ⏱ **25 min**   🔥 **pas de cuisson**

Pour la salade
2 nashis (poires chinoises croquantes et très juteuses)
4 mangoustans
2 caramboles
3 fruits de la Passion
15 litchis frais
5 ramboutans

Pour le sorbet
40 litchis
1 cuillerée à soupe de sucre en poudre
1 gousse de vanille grattée
4 gouttes d'eau de rose

Décortiquez les litchis (j'ai le temps, puisque je suis en congé maternité...).
Mixez-les avec le sucre, les graines de la gousse de vanille et l'eau de rose.
Faites prendre la préparation dans la sorbetière.

Pendant ce temps, préparez la salade de fruits avec les nashis, les mangoustans, les caramboles, les fruits de la Passion, les litchis frais, les ramboutans... (et tout ce qui me tombe sous la main...).

Rien à dire, c'est frais et plein de vitamines !

Vous savez ce qui me ferait plaisir, là..., une panacotta au coulis de framboises ! Oui, la légendaire envie sous prétexte qu'on est enceinte ne ramène pas forcément sa fraise... et d'humeur plutôt rose, je vais de ce pas peaufiner la rondeur de mon ventre...

PANACOTTA AU COULIS DE FRAMBOISES
Amande-vanille, crème cuite onctueuse s'il en est...

(🏃) 6 gourmands   (🥤) 15 min   (🔥) 10 min   (🛑) 2 h

1 gousse de vanille
50 cl de crème fleurette
100 g de sucre glace
3 feuilles de gélatine
2 cuillerées à café d'extrait d'amande amère
2 barquettes de framboises de 125 g chacune

Pour le coulis
2 barquettes de framboises de 125 g chacune
10 g de sucre en poudre

Ne faites pas tremper les feuilles de gélatine dans de l'eau ou du lait : la gélatine va fondre dans la crème chauffée...
Fendez la gousse de vanille en deux, mettez-la dans une casserole, avec la crème fleurette et le sucre, à feu doux. Fouettez jusqu'au point d'ébullition. Retirez du feu et ôtez la gousse de vanille.
Ajoutez la gélatine et l'extrait d'amande amère. Fouettez pour dissoudre la gélatine. Répartissez la crème dans des verres, ou des ramequins, si vous voulez les démouler pour les servir (il faudra baigner le fond dans une casserole d'eau bouillante pendant quelques secondes pour les déposer sur une assiette froide...).
Couvrez chaque verre d'un film plastique et mettez au réfrigérateur pendant au moins 2 heures (les odeurs des autres aliments ne contamineront pas le parfum de la panacotta).

Préparez le coulis : faites éclater les framboises (gardez-en 12 entières) dans très peu d'eau, avec le sucre semoule, pendant quelques minutes. Juste avant de servir, versez le coulis sur chaque panacotta et décorez avec 2 framboises.
À savourer les yeux fermés ! Personne n'y résiste !

ATTENTION : ON VIENT DE ME LANCER UNE INVITATION...

Vous allez encore penser que je mords à la première occase, non mais... c'est vrai, mon râtelier a tendance à grincer quand on m'invite ! Je suis intraitable sur ce sujet : je pars du principe – à tort, sans doute, à en juger mes déboires – que l'amphitryon aura pensé à tout, à tout mon confort gustatif ! Que nenni !

Combien de fois m'est-il arrivé de ronger mon frein devant la frugalité excessive de quelques amis... C'est pourquoi, avant certaines invitations – pour en avoir déjà fait les frais –, je prends un acompte à la maison, lorsque je sais que mes hôtes ont un appétit de colibri, tandis que la nature m'a doté d'une gourmandise d'ogresse !

Les yeux plus gros que le ventre ?... mon œil !
Mais certainement un ventre plus ouvert que l'œil de la maîtresse de maison ! Oui, je me tiens mieux à table qu'à cheval ! Donc, une heure avant, je me colmate l'estomac avec une petite salade verte/crudités/fromage blanc, histoire d'être tout à fait détendue, sans loucher sur les trois amuse-gueule qui se battront en duel dans les minuscules ramequins chinois et sans me pincer le ventre pour le faire taire tandis que je rêve d'être arrimée enfin à la table !
C'est dingue comme la fringale me fait perdre tout mon humour, pas vous ?

Et puis, il faut savoir que beaucoup passent à côté de délices sans éprouver la moindre envie, n'y accordant pas plus d'intérêt que ça...

Je ne vous parle même pas de celles qui se nourrissent de rations achetées en pharmacie : petit sachet deviendra gros dilué dans le tiroir-caisse des laborantins surprotéineuros... Vanille ou placebo chocolat remplissent l'estomac de celles qui bourrent leur emploi du temps de rendez-vous pour ne pas voir l'heure de déjeuner boulottée sans elles...
Je ne vous raconte pas ce qu'elles vous servent le soir... !
Pourquoi ma cousine – par mésalliance – refuse de signer tout contrat avec la gastronomie et s'acharne à me concocter des petits plats qui n'ont pas de nom et n'en auront jamais : ses mélanges n'annoncent rien de bon et devraient faire l'objet d'un ouvrage préventif :

« CE QU'IL FAUT ÉVITER À TOUT PRIX ! »

Oui... oh ! vous vous dites, elle en rajoute, celle-là... ! Mais pas du tout ! Je me souviens douloureusement – et avec moi, trois autres victimes – d'un dîner chez une amie, autour d'un pot-au-feu au goût de mirage...
Savourez plutôt. Je vous plante le décor : quartier délicieux s'il en est, Saint-Germain-des-Prés, grand appartement lumineux et sourires radieux. Le menu nous avait été annoncé au téléphone la semaine précédente : nous étions conviés à « un grand pot-au-feu » ! Bien.
Nous n'étions que trois à écraser le bouton de la sonnette du bel appartement, le quatrième larron devait nous rejoindre avec le maître de maison, plus tard dans la soirée, puisqu'ils travaillaient ensemble à une séance musicale de dernière minute. Nous les attendons... *sans les attendre,* comme le dit notre ravissante hôtesse : pourtant, nous demeurons longtemps les mains et la bouche... vides ! Vers 22 heures, alors que nous ne savions plus comment réprimer le fou rire qui commençait à nous gagner (s'était-on trompé de jour ?), le four à micro-ondes fut soudain pris de flatulences et nous péta du pop-corn, expulsé de sa poche enfin sondée ! Nous

nous jetons dessus comme la faim sur le monde, mais, loin de nous calmer, la dalle nous faisait danser : qui se proposait d'aider, qui de mettre le couvert, un autre était prêt à chercher la petite épicerie arabe, véritable oasis de nuit – qui s'avérerait introuvable dans un quartier où la moindre boulangerie était excentrée, alors l'étal de Mohammed, pensez donc ! Je commençais à regretter amèrement mon Barbès, cette rive droite peut-être mieux attachée à la cène de la vie que cette gauche assise sur son caviar...

Je ne sais plus par quel miracle l'hospitalité se réveilla et, sur les coups de 23 heures : *Tant pis ! on ne les attend plus, ils nous rattraperont !* Comme un seul homme, nous nous asseyons autour d'un pot-au-feu, cuit depuis l'après-midi ! nous avait-elle dit, mais tellement... riquiqui ! Nous dénombrons 7 pommes de terre (pour trois couples !) dans un petit saladier à part de la gamelle directement posée sur la table. *À la bonne franquette !* nous dit-elle, et nous comprenons qu'elle aime autant que nous nous servions... *du poireau, de la carotte et de la viande.* Je réalisai très vite que son singulier, toute américaine qu'elle était, était employé à bon escient, c'étaient les légumes qui n'avaient pas été utilisés à leur juste valeur ! Ils ne pesaient pas lourds dans la cocotte, tout comme ils n'avaient pas dû charger le livreur qui avait effectué sa ronde après commande passée au télémarché qui distribuait la marchandise emballée, pesée, exclusivement contre fax ou Minitel sans salir les carrelages de magasins ou de cuisines. *Clean...* maintenant, le cybermarché !

Combien de fois la louche était remontée de sa plongée dans le puits de la marmite, lestée seulement de chaudeau ?... Inutile de loucher vers le pain pour compenser un manque-à-manger, non, l'unique baguette était à l'image de notre hôtesse, longue et très fine... Le plus terrible était qu'on s'appliquait à leur en garder, aux deux travailleurs tardifs qui nous en faisaient baver !

Ils franchirent enfin le perron et se mirent à table... Impossible de donner discrètement à notre pote retrouvé un avant-goût de ce mâchon, de lui peindre la faillite de ce repas. Nous le voyons se noyer dans le bouillon sans trouver le moindre radeau de viande auquel se raccrocher, alors il tenta une bouée de fortune : le quignon de pain trempé dans le bouillon... Il faisait peine à voir, mais apparemment la maîtresse de maison était bien trop occupée à maintenir son sourire en place et à abreuver de clins d'œil amoureux son homme enfin rentré qui ne lui répondait même pas. Nous dûmes patienter jusqu'à épongement complet du pain rassis, sorti à la rescousse : *Je ne comprends pas, je n'ai pas pris assez de pain ?!* pour découvrir... une coupe : *Qui veut un fruit ?* Elle s'était étonnée de voir chacun de nous se précipiter sur une banane ! Heureusement pour nous que ce n'étaient pas des *freysinettes,* ces bananes naines de Martinique, adorables, certes, mais riquiqui ! Et tant pis pour l'époux, qui dut se contenter d'une petite pomme ! Honneur aux invités, non ?!

Après les remerciements d'usage au quatrième étage et le moment venu de nous séparer dans la rue, notre pauvre ami arrivé à la traîne, soumis au bon vouloir du maître, était encore estomaqué : *Mais vous, qu'est-ce que vous avez mangé ?!* demandait le malheureux affamé, dans un quartier pourtant fameux! Quinze ans plus tard, je m'en souviens encore...

Alors, pour le **pot-au-feu,** ne lésinez pas sur les quantités et, quoi qu'il arrive, vous ne serez pas pris(e) de court : les légumes seront recyclés (mixés, ils assureront une soupe des plus savoureuses, puisque la viande aura cuit avec). Un reste de viandes, et vous préparerez **un miroton, un hachis ou des fricadelles.** Et si tout a été dévoré par une bande de ventres creux comme moi, il vous restera toujours un brouet dans lequel ébouillanter du vermicelle, et vous aurez un potage de dernière minute. Et n'oubliez pas, comme ce soir-là, les tronçons d'os à moelle, le savoir-vivre, que diable !

POT-AU-FEU

🏃 8 personnes   🕐 30 min   🔥 4 h

800 g de plat de côtes
1 oignon
4 clous de girofle
3 gousses d'ail
800 g de gîte
800 g de macreuse
1 bouquet garni
8 carottes
8 petits navets
4 panais
4 à 6 poireaux selon la grosseur (les asperges du pauvre...,
     disait Anatole France)
3 branches de céleri
4 tronçons d'os à moelle (fournis par le jarret !)
Moutarde, cornichons et petits oignons au vinaigre
Poivre en grains
Gros sel

De deux choses l'une : ou vous privilégiez le bouillon, et vous mettez les viandes dans l'eau froide, ou vous préférez mettre l'accent sur le goût de la viande, et vous la plongez dans une eau bouillante...

Videz 3 litres d'eau froide dans un faitout, mettez-y le plat de côtes et portez à ébullition pendant 10 minutes, puis laissez cuire pendant 1 heure.
Pelez l'oignon et piquez-le des clous de girofle.
Écrasez les gousses d'ail (pelées évidemment), ajoutez-les dans le faitout avec le gîte et la macreuse, le bouquet garni, 8 à 10 grains de poivre et 1 cuillerée à soupe de gros sel.
Portez à ébullition, débarrassez l'écume formée à la surface et réglez sur feu moyen. Laissez mijoter pendant 2 heures.

Largement le temps de peler les carottes, les navets, les panais, de laver les poireaux et les branches de céleri, n'est-ce pas ! Et même de les tronçonner !

Lorsque votre viande se la coule douce depuis 3 heures, balancez dans son eau de bain les légumes détaillés, en commençant par le céleri, 10 minutes après les poireaux, et enfin le reste !

Vous avez encore 1 heure de répit, de quoi passer l'aspirateur, par exemple, oh ! moi, ce que j'en dis !

Et puis, 20 minutes avant la fin, salez chaque ouverture d'os à moelle, fermez avec 1 rondelle de carotte, ficelez et balancez les otages à la flotte. Vous êtes sûr(e) qu'ils ne videront pas leur poche dans le bouillon !

Bien entendu, pour servir, égouttez les viandes et disposez-les dans un grand plat creux de service avec les légumes autour et les os à moelle.

Dégraissez le bouillon et arrosez le tout de quelques cuillerées de ce jus filtré.

Servez avec moutarde, gros sel, cornichons, oignons au vinaigre et pain grillé pour tartiner la moelle.

Quoi ? Vous avez vu trop grand, il vous en reste sur les bras ? Eh bien, c'est parti pour un **miroton** ! Attention, la viande doit cuire lentement pour ne pas trop se dessécher...

BŒUF MIROTON

🏃 4 personnes   ⏲ 15 min   🔥 35 min

3 oignons
2 cuillerées à soupe d'huile
1 petit verre de vinaigre de vin blanc
20 cl de bouillon de bœuf (ça tombe bien...)
500 g de viande de bœuf cuite
4 cornichons
1 cuillerée à café de moutarde (facultatif)
Sel et poivre

Pelez et émincez les oignons, faites-les cuire avec l'huile dans une poêle, jusqu'à ce qu'ils soient translucides...

Versez le vinaigre et le bouillon. Portez à ébullition, laissez bouillonner pendant 15 minutes en remuant. Retirez du feu.

Coupez ensuite le bœuf cuit en tranches régulières. Ajoutez-les dans la poêle, sur les oignons, et laissez mijoter à feu doux pendant 10 minutes.

Coupez les cornichons dans le sens de la longueur, déposez-les dessus. Salez, poivrez et servez très chaud. Éventuellement, ajoutez la moutarde en même temps que le bouillon.

Alors, où en êtes-vous ? Vous préférez le hachis Parmentier qui vous rappelle vos dimanches soir de môme rassasié(e) après le repas de midi qui n'en finissait plus ? Pour retrouver cet arrière-goût d'enfance...

HACHIS PARMENTIER

🚶 **6 garnements**   🍽 **30 min**   🔥 **20 min**

1 kg de pommes de terre
25 cl de lait
80 g de beurre
3 échalotes
1 gousse d'ail
Persil
500 g de bœuf bouilli (qui aura donc cuit avec bouquet garni et légumes... tous ces goûts se retrouveront dans la qualité de votre hachis Parmentier !)
2 cuillerées à soupe d'huile
80 g de gruyère râpé
Sel et poivre

Pelez les pommes de terre, coupez-les en tranches fines – faites-vous aider par le disque émincer de votre robot – et, bien sûr, lavez-les.

Faites-les cuire dans le lait pendant 30 minutes (10 minutes si vous manœuvrez un autocuiseur...)

Livrez les pommes de terre et le lait dans une jatte, écrasez avec 60 g de beurre, salez et poivrez. Mélangez et gardez au chaud.

Allumez vite le four à 210 °C (th. 7).

Pelez et hachez les échalotes et l'ail avec du persil.

Hachez la viande déjà coupée en gros morceaux (si vous avez du courage, avec le hachoir à main de grand-maman, sinon avec le coup de pouce de votre robot, mais juste quelques pulsions... pas une bouillie pour bébé !).

Faites chauffer l'huile dans une poêle, pour y faire revenir la viande et la persillade. Ajoutez 1 noix de beurre pour attendrir le tout. Salez et poivrez.

Beurrez un plat à gratin avant d'y étaler la moitié de la purée, étalez le hachis de bœuf et recouvrez de purée.

Parsemez de filaments de gruyère et de noisettes de beurre.

Faites cuire au four pendant 20 minutes *et après ça, le vent pourra souffler !* comme dit ma mère !

Je ne sais pas, mais si vous êtes du genre très prévoyant(e) et si vous avez des saucisses (ou de la chair) qui ne savent plus comment se tenir dans votre réfrigérateur, bref, prêtes à tourner de l'œil si le vôtre ne se pose pas sur elles sans tarder..., faites-les revenir avec la viande, en éliminant l'huile de chauffe, puisqu'elles vont suinter...Vous avez envie de changer ? Et le nom de « fricadelles » vous plaît, bon, en avant les boulettes !

FRICADELLES

🏃 **4 personnes**   🕐 **30 min**   🔥 **10 min**

1 petit pain (même un peu rassis...)
1 oignon
1 bouquet de ciboulette
500 g de viande hachée (bœuf avec ou sans porc...)
1 œuf

5 tomates bien mûres ou 1 chou blanc
1 cuillerée à café de moutarde
2 cuillerées à soupe de vinaigre
Huile d'olive
8 feuilles de menthe fraîche
Sel et poivre

Faites tremper le pain dans 25 cl d'eau tiède de 5 à 6 minutes.
Égouttez-le et, même, essorez-le.
Épluchez l'oignon et hachez-le finement, de même que la ciboulette et la viande !
Ajoutez l'œuf, mélangez, incorporez le pain « ébousé ».
Salez, poivrez et malaxez cette farce pendant quelques minutes.
Si vous vous mouillez les mains, vous pourrez modeler plus facilement 8 boulettes, que vous aplatirez un peu (histoire qu'elles se tiennent dans la poêle) et à qui vous ficherez la paix pendant 10 minutes... ce qui vous permettra de laver, d'essuyer et de couper les tomates en rondelles (ou d'émincer le chou...).
Salez et réservez.
Préparez une vinaigrette bien relevée avec la moutarde, le vinaigre, de l'huile, du sel et du poivre.
Faites rissoler les fricadelles dans une poêle légèrement huilée de 4 à 5 minutes de chaque côté.
Répartissez la salade de tomates (et/ou de chou) dans chaque assiette avec 2 fricadelles parsemées de menthe ciselée.
Ces boulettes se boulottent également avec une purée de chou-fleur.

Vous voyez que ce n'était pas vain de survoler les vieilles recettes qui vous retapent les restes en plats complets, et tout cela en partant de ce pot-au-feu mémorable...

Les *fours* finissent par être profitables, qu'on se le dise, puisse-t-il en être de même dans la vie... sans attendre la Saint-Glinglin !

Tenez, sans chercher bien loin... et la petite note sucrée ?

C'est incroyable de concevoir une collation, la plus simple et la plus banale qui soit, sans faire aucune allusion à un dessert : la petite note sucrée qui va gentiment annoncer la fin d'un repas et amorcer la sortie de table. Eh bien, non, il existe un panel d'individus qui n'est pas traversé par ce genre de préoccupation... vitale pourtant ! Je suis ahurie, dans ces cas-là, je me refuse à quitter la place tant que je n'ai pas vu ou même senti l'ombre d'une sucrerie, touche olfactive et gustative. Que voulez-vous, je suis une maniaco-appréciative ! Je me suis vue, sans discrétion, faire le tour du propriétaire, fureter dans les arrière-cuisines pour détecter quelque chose qui serait doux au palais et apaiserait ma soif de revendications !

Juste une question de principes... quitte à ce que certains, le sourire un tantinet écœuré, puissent tout juste remercier : *Oh !... non, merci, plus rien...*

Mais quelque chose à proposer, que diable, la preuve concrète d'y avoir au moins pensé, comme vous, enfin comme moi, et vite, avant d'être atteint d'agueusie ! Je ne demande pas mousse au chocolat et glace caramel beurre salé, non, je suis exigeante, mais pas au point de mettre du miel sur de la confiture !

D'accord, mais qu'est-ce que je propose ?

Laissez-moi réfléchir... si vous n'avez pas un estomac comme le mien, il faut vous orienter vers une mangue à la crème de mangue. Comment ? Mais non, je ne me moque pas de vous ! Je pars de l'hypothèse que vous êtes quasiment rassasié(e) avec l'authentique pot-au-feu (ou l'une des versions tirées de cet original) et, toujours dans l'idée que nous sommes plutôt en hiver, je mets le cap vers une île pour en ramener des mangues, puisque c'est de saison ! Je continue ou vous claquez la porte de la cuisine ?

Je poursuis...

MANGUE À LA CRÈME DE MANGUE

🏃 **6 personnes**   🍳 **20 min**   🔥 **15 min**

6 jaunes d'œufs
140 g de sucre en poudre
20 g de Maïzena
3 mangues bien mûres
2 cuillerées à soupe de crème fleurette
Eau de fleur d'oranger
30 g d'amandes effilées

Fracassez les œufs sur le rebord d'un bol – qu'ils saignent tout leur blanc – et balancez leur jaune dans un saladier où sucre et fécule de maïs vont les rejoindre jusqu'à ce que ça mousse ! Touillez énergiquement cette mixture.

Pelez les mangues et retirez leur noyau. Concentrez-vous sur 2 d'entre elles, que vous expédiez se faire broyer dans votre mixeur. Gardez ce jus. Taillez la troisième en tranches.

Faites chauffer doucement le jus de mangue avec la crème fleurette et versez ce mélange sur les jaunes d'œufs...

Et, sans cesser de remuer sur feu très doux, voire au bain-marie, laissez cuire jusqu'à ce que le mélange épaississe.

Retirez du feu, parfumez avec un peu d'eau de fleur d'oranger. Répartissez les tranches de mangue dans chaque assiette et nappez avec cette crème onctueuse et parfumée. Quelques copeaux d'amande... et régalez-vous : ça se mange sans faim !

Vous n'*êtes pas très* fruits exotiques ? Alors, poires pochées au vin rouge ! Simple, pas lourd, des produits faciles à trouver...

POIRES POCHÉES AU VIN ROUGE

🏃 **6 personnes**   🍳 **20 min**   🔥 **40 min**

50 cl de vin rouge
1/2 citron

180 g de sucre en poudre
1 bâton de cannelle
Noix muscade
1 kg de poires plutôt fermes et petites

Videz le vin rouge dans une casserole en Inox, ajoutez le citron coupé en fines rondelles, le sucre, le bâton de cannelle et de la noix muscade râpée. Faites chauffer jusqu'à ébullition. En attendant, pelez les poires en les gardant entières si elles sont petites et en conservant aussi les queues. Si elles sont énormes, coupez-les en deux, voire en quatre, et épépinez-les. Plongez-les dans le bain bouillonnant et couvrez. Maintenez les glouglous en retournant les fruits de temps en temps, pendant 30 minutes ou plus selon les poires (pour vous assurer qu'elles sont devenues bien tendres, plantez-leur une pique en plein cœur).
Récupérez-les pour les installer sur un plat légèrement creux. Ôtez la cannelle et le citron du jus que vous allez réduire en sirop sous surveillance étroite. Lorsqu'il s'amourache de votre cuillère, marquez les poires d'une tache de ce vin et laissez au repos. Servez frais... agrémenté de TUILES !

Oh ! ce n'est rien à faire et sans la prendre de plein fouet (la tuile !) ou sur la tête, ça vous replace en tête des gastronomes !

TUILES AUX AMANDES

🏃 **4 personnes**   🕐 **15 min**   🔥 **5 min**

75 g de beurre (c'est pas grand-chose...) **+ supplément pour la plaque**
100 g de sucre en poudre
2 sachets de sucre vanillé
75 g de farine
2 œufs
75 g d'amandes effilées (il faut toujours en avoir !)

Malaxez au fouet le beurre en pommade avec les sucres, où ? dans une terrine, allez, pas de temps à perdre : ajoutez la farine et les œufs.

Incorporez délicatement les amandes émiettées.

Préchauffez le four à 210 °C (th. 7).

Beurrez la plaque à pâtisserie avant d'y déposer des noix de pâte, que vous aplatirez avec le dos rond d'une grosse cuillère trempée dans l'eau froide (pour leur donner forme et finesse). Dès que vous enfournez, ne vous éloignez pas, restez le nez collé sur la vitre, le rouleau à pâtisserie à la main : en quelques minutes, les petits gâteaux vont dorer ; sortez-les à l'aide d'une spatule pour les appliquer sur le rouleau ou un manche à balai – réservé à cet usage, il va sans dire ! Quoi, vous ne faites pas des tuiles tous les quatre matins ? Je vous crois sur parole, mais pour faire sécher vos tagliatelles, c'est bien pratique, je commence à me demander où il est le manche... ! –, bref, elles vont finir par être de forme arrondie, enfin on l'espère, et vous laissez ainsi refroidir.

Vous les retirez délicatement pour les proposer avec vos poires pintées... ou une petite coupe glacée (ne me demandez pas quels parfums, je vous répondrai « tous » !) ou une simple crème anglaise...

Hein, vous voulez aussi la recette de la crème... vous voulez ma peau ou quoi ?! Bon, c'est bien parce que c'est vous...

CRÈME ANGLAISE

🏃 **6 personnes**   ✋ **10 min**   🔥 **15 min**

1 gousse de vanille
1 litre de lait
6 jaunes d'œufs
150 g de sucre en poudre
1 cuillerée à café de Maïzena (facultatif, mais poudre magique pour la réussir)
15 cl de crème fleurette (pour les méticuleux...)

Fendez la gousse de vanille dans le sens de la longueur et allongez-la dans une grande casserole à fond épais avant de verser le bidon de lait.

Faites chauffer tout doucement et bouillir pendant 1 minute, puis calmez le feu : la vanille va libérer tout son arôme.

Mélangez les jaunes d'œufs au sucre dans une jatte jusqu'à ce qu'ils moussent, et là, pour assurer un résultat digne de vous, ajoutez la Maïzena, qui évitera que la crème ne se désagrège en cas de cuisson prolongée.

Retirez la gousse de vanille et versez très lentement le lait, sans cesser de remuer, sur le mélange bien malaxé.

Transvasez le tout dans la casserole, pour remettre doucement sur le feu, en continuant de tourner avec une spatule. Attention : surtout pas d'ébullition. Considérez que la crème est réussie lorsque la mousse en surface a disparu et que la crème nappe la cuillère. Remplissez un saladier froid du mélange.

Si jamais la crème se sépare en microgrumeaux, c'est qu'elle a trop cuit : laissez-la refroidir dans une jatte et, même tiède, fouettez-la, ou versez-la dans une bouteille vide et propre et secouez-la comme une bouteille d'Orang..a ! Astuce vérifiée ! Pour une anglaise plus fine, ajoutez-lui de la crème fleurette – après refroidissement, il va sans dire !

Si vous êtes lassé(e) du parfum classique de la vanille, la crème peut prendre des accents d'agrumes : zestes d'orange ou de citron, ou 1 cuillerée à café d'extrait de café, ou 1 cuillerée à soupe d'une liqueur que vous ajouterez dans le lait avant ébullition...

J'en ai soupé de ces humiliations culinaires, je me barde contre ceux qui se contentent d'amuse-gueule. Je me blinde, mais je tombe encore parfois dans le panneau : arriver à une invitation confiante et joyeuse pour repartir frustrée et furieuse. Si je me permets ces coups de gueule, c'est que moi-même, je n'ai pas toujours été à la hauteur, mais avec quelques efforts, je me targue d'avoir fait des progrès... Et vous ?

PETITS TRUCS POUR NOUS SAUVER LA VIE

Maintenir sa bonne humeur en vie et,
quand les petits travers mènent au cul-de-sac,
transformer les désagréments en envies !
Pour éviter de perdre la vie :
feuille de route jusqu'à la survie !

PETITS TRUCS POUR
NOUS SAUVER LA VIE !

PAS VU, PAS PRIS !

Rallongez la sauce !

Vous rentrez, il est un peu tard. Or, en chemin, afin de gagner du temps, vous avez cogité à ce que vous pourriez préparer de simple, rapide et qui pourrait plaire à toute la famille... Et vous avez convenu avec vous-même qu'une omelette ferait très bien l'affaire. Seulement, en ouvrant votre réfrigérateur, vous constatez que le nombre d'œufs restants n'est pas à la hauteur de votre mémoire... Ne renoncez pas, voici une astuce piquée à la tortilla espagnole : séparez les blancs des jaunes, et battez-les à part. Dès qu'ils moussent, réunissez-les et versez-les sur des pommes de terre sautées, des fines herbes, des lardons ou des champignons, ou tout ce que vous voudrez !

Non seulement, vous aurez une omelette plus volumineuse, mais vous en aurez des compliments, car elle sera plus légère et onctueuse, surtout si vous n'avez pas oublié de lui ajouter 1 cuillerée à soupe de crème fraîche !

Problèmes... d'odeurs

Hum !... un melon mangé bien frais, c'est délicieux, oui, mais un fromage ou un poisson contaminé par le parfum du cucurbitacée, moyen... Alors, pour consommer un fruit au mieux de sa forme sans en sentir les conséquences, enfermez-le dans une boîte hermétique – vous savez, les fameuses... Naturellement, un minimum de tailles sont nécessaires, voire une collection complète : fallait prévoir !

Problèmes de pleurs
Puisqu'on est dans les inconvénients, si vous n'êtes pas porteurs de verres de contact, vous subissez les assauts des sucs de l'échalote ou de l'oignon qui font pleurer. La solution : les séquestrer dans un sac en plastique pendant que vous les épluchez...

Couper des tranches de poisson très fines
Ce n'est pas le bout du monde, si vous mettez le poisson au préalable dans votre congélateur pendant 10 minutes. À vos couteaux !

Il ne faut pas tout couper... au couteau !
Et surtout pas les tiges d'artichaut avant de les faire cuire, autrement, vous hériterez des fibres ramifiées au cœur et le fond sera tapissé de ces racines... Donc, posez l'artichaut sur la table, le pied dans le vide, tenez-lui fermement la tête et assénez-lui un coup sec sur la queue : elle s'arrachera avec la plupart des fibres.

C'est bête d'avoir besoin de **beurre ramolli** et de se rendre compte qu'on a oublié de le sortir du réfrigérateur ! Pour gagner du temps, gardez votre morceau froid dans son papier d'emballage, mais enveloppez-le d'un torchon pour le malaxer sur votre plan de travail. La chaleur des doigts et la manipulation vont l'assouplir et le préparer pour votre recette.

On s'agace toujours à la dernière minute pour récupérer les plantes aromatiques dispersées dans la cocotte bouillante, alors que toute la tablée attend la daube. Prenez les conseils au pied de la lettre : notez que les bouquets de fleurs sont, la plupart du temps, attachés par un élastique, alors, quand on vous dit **bouquet garni,** faites-en autant pour vos « plantes de table » ; entourez-les d'un petit lien de coton – ajoutez même du vert de poireau et des feuilles de céleri à vos aromates –, et vous repêcherez l'appât d'un seul coup d'hameçon !

Pas de presse-agrumes ? D'abord, en un tour de main, faites rouler le citron (ou l'orange) sur la table, pour le ramollir. Coupez-le en deux, plantez une fourchette au cœur de chaque moitié de citron et tournez tantôt à droite, tantôt à gauche : le jus coulera jusqu'à plus soif ! Si vous ne voulez que quelques gouttes de jus de citron, inutile de l'éventrer : percez sa « poche des eaux » avec une aiguille ou une fourchette.

Ne pas mâcher le sable !

C'est délicieux, la mâche, et fin... mais pas le sable ! Pour éliminer ses réserves, plongez la mâche dans de l'eau tiède, pour qu'elle se détende et relâche son étreinte, puis replongez-la un moment dans de l'eau bien fraîche, pas trop longtemps, autrement, toutes ses vitamines prendront le large dans l'eau...

Rayon économie

Pour saler une eau de cuisson, il faut attendre que l'eau arrive à ébullition ; c'est chimique : d'une part, le sel ralentit la montée de la température et, d'autre part, il stabilise l'ébullition de l'eau quand elle se met à bouillir ! Comptez vos grains !

À la belle saison, offrez à votre bouteille d'huile d'olive une branche de basilic, de coriandre, de cerfeuil ou encore de marjolaine, lavée et séchée dans un torchon. Votre vinaigre peut aussi avoir droit à de l'estragon...

Je ne fais jamais la peau aux courgettes ! Je les strie et leur laisse une lanière sur deux, et celles que je leur enlève, mon économe me souffle de les blanchir pendant 1 minute, pour les mélanger à des tagliatelles, rehaussées d'un filet d'huile parfumée et... d'une pointe de couleur !

Quand je vous dis qu'on ne peut pas s'en passer : **l'économe** vous débite de fines lamelles de muscade, plus parfumées que la poudre que vous vous échinez à obtenir en râpant la noix !

On ne peut pas tout le temps faire des économies : pour une ratatouille fondante, chaque ingrédient (oignons, poivrons, courgettes, aubergines) doit cuire séparément avant de se retrouver dans une sauteuse, avec ail, tomates et herbes de Provence...

Intox !
L'artichaut **ne se cuit jamais à l'avance,** sous peine de devenir indigeste, voire toxique. De plus, il a une fâcheuse tendance à noircir à la cuisson : ajoutez une rasade de vinaigre à son eau de cuisson, ou SOS jus de citron, ça le dégrisera !

Il est comme sa copine, la carotte, qui s'oxyde à la première occasion. Alors, quand vous la voyez râpée, et bien orange chez un traiteur, cherchez l'erreur !

On n'épluche pas l'asperge, on la plume !
On part du dessous de la tête et on laisse courir le couteau jusqu'au bout, que l'on sectionne d'un coup sec.

Conseil d'une combattante de microbes : lavez au moins une fois par mois votre réfrigérateur, et rincez-le à l'eau de Javel diluée ; c'est fou le nombre de bactéries qui s'invitent à notre insu !...

Pour me motiver dans ces moments intenses (!), je réécoute le cabaret des *Triplettes de Belleville,* avec leur réfrigérateur musical, et je les accompagne aux sons de trombes d'eau et du *bip hop* alarmé de mon frigo qui a un coup de chaud !

Ne négligez pas les aliments qui vous entourent : une élévation de température sollicite la prolifération des germes ; *salmonelle* et *listeria,* à l'affût de votre distraction, se frottent le ventre si vous interrompez la chaîne du froid...

Évidemment, j'exagère, comme les *gastro-entérites* qui vous sautent sur le ventre jusqu'à vous mettre à plat... ventre ! Alors, après vos courses, rentrez vite remettre de l'ordre dans votre chambre... froide, avant de vaquer... Et ne mangez pas la consigne !

ROGATONS ET GRAND MÉNAGE !

Vos **allumettes,** oubliées au fond d'un tiroir de cette maison de campagne mal isolée, ont pris l'humidité ? Pour les ramener à la vie et faire renaître de ses cendres la dernière flambée, trempez-les dans du vernis à ongles.

Après quelques minutes, elles seront de nouveau prêtes à l'emploi ; alors, ne souffrez pas plus longtemps !

Vous connaissez le demi-citron abandonné dans votre réfrigérateur pour couvrir les mauvaises odeurs. Autre produit : **le bicarbonate de soude,** déposé dans une soucoupe et expédié au centre de votre chambre froide, absorbera le trop-plein d'effluves non désirés...

Je ne peux évoquer le bicarbonate sans vous dissoudre un petit conseil digestif : 1/2 cuillerée à café de cette poudre dans 1/2 verre d'eau ! Une pincée sur la brosse à dents blanchit celles-ci et rafraîchit l'haleine ! Une pincée par litre d'eau, et le temps de cuisson des **légumes secs** est diminué de moitié !

Clous de girofle

Pour renouveler votre stock une fois par an sans gaspiller quoi que ce soit, au contraire : videz votre flacon sur le dos d'une clémentine en passe de virer au moisi. Ce pot-pourri, logé dans votre armoire, éloignera les mites pour un moment ! Et en période de Noël, cette boule piquée s'accrochera au sapin !

Toujours rubrique nettoyage, c'est agaçant de ne pas pouvoir **nettoyer une carafe ou une bouteille** convenablement, parce qu'il est impossible de manier le goupillon contre les parois ou tout au fond... Alors, à défaut de sable, récupérez des **coquilles d'œufs cassées,** que vous secouerez dans le carafon !

J'adore les compotes cuites à l'étouffée tellement longtemps que j'en oublie la casserole et reviens quand les pauvres fruits sont plus qu'en compote, asphyxiés, le bâton de cannelle ayant fini de pomper le peu d'eau qui restait !
Bien souvent, je n'ai plus qu'à faire le bilan des dégâts : je sauve les deux tiers du dessert (le dernier tiers, calciné, s'accrochant au plat), mais je récupère une casserole qui ne peut même plus prétendre à une mutation ; fin d'une carrière annoncée : le fond est constellé de météorites noires, dures qui ne veulent rien savoir ! Impossible d'imaginer de faire chauffer de l'eau dans la casserole... De l'eau, non, mais de **l'eau de Javel,** oui !

Vous avez bien lu : l'eau de Javel pure, en bouillant dans votre casserole (fenêtre ouverte et ne pas rester le nez dessus), va décoller de force, mais surtout dissoudre ces résidus de matières carbonisées ! Et pour racheter ma négligence, je ne suis pas chiche sur le rinçage !

Dans la série « taches », vous saviez que le **jus de tomate** ou d'**oseille** fait disparaître les traces de rouille sur du linge ? Il suffit d'en imprégner celui-ci, de le frotter et de le rincer à grande eau.

LA CUISINE TRUQUÉE

C'est fou le nombre de pièges que nous tend l'alchimie de la cuisine ! Nous ne sommes pas au palais de la Découverte, ne me demandez pas pourquoi telle ou telle réaction se produit. Je vous file quelques tuyaux pour réduire les « cagades »...

Dans la série « désagréments », l'**ail** n'est pas le dernier, et quand vous devez en éplucher et en couper beaucoup, ça colle aux doigts et au couteau ! Dans ce cas-là, avant d'entreprendre les gousses, blanchissez-les pendant 2 minutes, puis, après les avoir « calmées » sous l'eau froide, vous pourrez les peler sans qu'elles vous poissent les paluches !

Comme du lait sur le feu... Si vous rincez votre casserole à l'eau froide sans l'essuyer avant d'y verser le lait, lorsqu'il chauffera, il ne s'accrochera pas aux parois, l'eau faisant « écran »...

Ne prenez pas trop de risques : **le laurier** ne s'emploie que sec. Frais, il est toxique ! Quoi qu'il en soit, c'est une plante puissante, qu'il faut manier prudemment : son parfum peut emporter la saveur de vos plats, et compte tenu que c'est un tonique cardiaque, évitez-le si votre cœur s'emballe...

Si vous tenez à ce que vos **légumes verts** gardent une couleur soutenue, faites-les cuire dans de l'eau bouillante salée, sans les couvrir et à feu vif. La chlorophylle sera fixée à jamais !

Les **lentilles** se salent en fin de cuisson, sinon leur peau durcit !

La moutarde peut monter au nez de la sauce : si vous devez incorporer de la moutarde dans une sauce, il faut couper le feu, autrement la sauce tournera en huile et se grumellera.

Si vous voulez conserver des **noix fraîches** sans qu'elles développent un goût rance, à cause de l'huile qu'elles renferment et qui se modifie à température ambiante, gardez-les au congélateur.

C'est vexant de voir les **œufs durs** éclater en cours de cuisson, alors qu'une pincée de gros sel dans l'eau résout le problème.

Ne laissez pas de répit à la **raie :** cuisinez-la aussitôt achetée, sinon, elle vous asphyxiera par son odeur d'ammoniaque ! Il est plus facile de la déshabiller de sa peau après cuisson – 5 minutes après passage au four à 210 °C (th. 7), dans un fond d'eau.

Salsifis : vite, du citron ou du vinaigre dans leur eau dès qu'ils sont épluchés, car ils noircissent à vue d'œil ! D'ailleurs, vous pouvez les faire cuire dans moitié eau-moitié lait pour les garder blancs et moelleux !

Ne saisissez pas les volailles, elles vous le feraient payer cher : elles se rétracteront et la chair deviendra dure sous la dent ; alors, ressaisissez-vous et abandonnez vos mauvaises habitudes !

ZOOM SUR...

L'objectif est d'examiner à la loupe
nos aliments : démasquer leurs origines,
leurs propriétés, leurs vices cachés...
Ne pas être déboussolé(e) devant l'inconnu
et courir le risque d'un échec !
Attention : *Le Concombre peut être Masqué... !*

ZOOM SUR...

L'angélique est cette plante aromatique qui pousse dans nos jardins et dont la tige une fois confite est succulente ! Elle est d'un vert très poussé au rayon confiserie et s'impose dans le fameux cake aux fruits confits...

L'argan est réputé pour son huile. Cette noix est le fruit d'un arbre épineux et rare (on ne le trouve que dans le Sud-Ouest marocain), l'arganier. Les femmes berbères ramassent les fruits, les concassent, puis torréfient et broient les amandons : elles obtiennent une pâte, dont elles récupèrent une huile vierge et précieuse, onéreuse. Cette dernière s'utilise comme telle ou comme base de produit cosmétique. Avantage : elle supporte les hautes températures.

La bergamote, la « poire du seigneur », petite orange, est issue du croisement entre la lime (citron vert) et l'orange amère. Sa chair verdâtre est trop acide pour être comestible. En revanche, son écorce jaunâtre est riche en huile essentielle et le zeste s'emploie en pâtisserie-confiserie ; et, bien sûr, la bergamote aromatise le thé earl grey.

La betterave crapaudine, proche du radis noir, est souvent boudée. Dommage de passer à côté : riche en glucides et en saccharose, mais aussi en vitamines B et C, en sels minéraux et oligo-éléments, elle est irrésistible... CRUE ! Parfaitement ! Vous la trouverez sur les marchés jusqu'à la fin de l'automne, avec ses feuilles que vous pourrez utiliser comme des épinards (en salade...) ! Donc, bien plus intéressante que sous vide après pasteurisation, elle se râpe ou se tranche en lamelles, avec des assaisonnements aussi simples que variés (huile de noisette + sel ou *gomasio* ; crème fleurette + jus de citron ; huile + vinaigre de framboise ; sauce au raifort ; ou avec des rondelles d'orange...).

Les câpres ne sont autres que les boutons floraux d'un arbrisseau des rochers et qui, confits au vinaigre, saumurés ou conservés dans du vin, constituent un condiment indispensable au steak tartare ! Plus les câpres sont petites, plus leur saveur aigrelette est délicate.

Le cœur de palmier arrive des régions tropicales. Il se trouve dans le bourgeon terminal, formé de feuilles tendres, du chou palmiste, et on extrait de cette pousse nouvelle la tige de la partie intérieure : le cœur. Bien qu'on puisse le manger cru, il est vendu précuit en conserve... À partir de la pulpe fermentée, on tire une huile rouge... de palme.

La crépine est une membrane très fine, toute veinée de gras, provenant de l'estomac du porc ; elle est moins grasse que la barde. Le charcutier vend ces peaux pour envelopper les farces ou encore protéger une viande à la cuisson : un lapin se desséchera moins s'il est ainsi emmailloté. Trempez la crépine dans de l'eau pendant 1 heure avant l'emploi.

Les crosnes sont les tubercules comestibles d'une plante, originaire du Japon, qui porte désormais le nom d'un village de Seine-et-Oise où elle fut acclimatée. Leur goût est voisin de celui des salsifis ! Ne cherchez pas à les éplucher : frottez-les les uns contre les autres avec du gros sel, puis lavez-les à l'eau fraîche avant de les sécher dans un linge.

Le curry (ou cari, ou kari). Tous ces noms désignent le subtil et savant mélange d'épices (la cardamome pour sa saveur un peu poivrée, le cumin légèrement piquant, le curcuma pour colorer, la coriandre, souvent les clous de girofle et parfois le piment) qui assaisonne un ragoût indien, le *khadi*. Chez nous, on le trouve tout prêt (doux ou fort) sous forme de poudre ou de pâte.

Le fenugrec est une plante annuelle qui ressemble à du trèfle et a une odeur de foin fraîchement coupé. Il était d'ailleurs donné au bétail et aux chevaux par les Romains, d'où le nom latin signifiant « foin grec ». Plante médicinale, reconnue comme expectorant, on en fait même des cataplasmes. C'est aussi une épice : les graines grillées laissent un arrière-goût de caramel et de sirop d'érable et entrent dans la composition du curry. On peut aussi les faire germer pour les salades. En Inde et en Chine, les feuilles et les jeunes pousses sont consommées comme légumes.

Le gari est du gingembre confit dans le vinaigre ; les Japonais l'utilisent pour se rafraîchir le palais entre deux sushis !

Le gingembre est une tige qui se développe sous terre en émettant des racines en dessous et des bourgeons par-dessus qui laissent émerger un long roseau à fleurs verdâtres, cerné de feuilles semblables à celles du glaïeul ! Son nom est un dérivé du sanskrit qui rappelle sa naissance indienne et marque la route de son commerce au fil du temps.
Il vole au citron, au camphre et au poivre blanc leurs arômes puissants. Il aime le sucre autant que le sel et le vinaigre. Ses vertus sont multiples, notamment digestives : il aide les mets gras à mieux passer. Les Chinois le présentent en fin de repas, confit au sucre, pour atténuer les somnolences digestives.
Ses alcaloïdes stimulent le système nerveux.
Par contre, si vous avez un estomac ou un côlon sensibles, utilisez-le en poudre : il sera moins agressif.

Le massalé est un mélange de coriandre, cumin, fenugrec, clous de girofle, piment, graines de moutarde et poivre. Ces épices, torréfiées et réduites en poudre, sont très utilisées dans la cuisine réunionnaise, d'origine indienne.

Le mesclun est un mélange de salades (chicorées frisées, scaroles sauvages, laitues à couper et roquette...). Ces variétés offrent des salades composées aux couleurs et saveurs très appréciées. Rien ne vous empêche de leur ajouter des pousses d'épinard, des feuilles de betterave crapaudine, des pissenlits, de la mâche...

Le nashi est un fruit hydride asiatique, rond comme une grosse pomme, craquant et juteux comme une poire.

La noix. Ouvrez l'œil à la recherche de ces variétés françaises : la franquette, la marbot, la mayette, la corne, la parisienne ! Elles sont réputées pour la saveur de leurs cerneaux. Détournez-vous des noix américaines ou chinoises, lavées au chlore...
La noix de Grenoble, ou celle du Périgord, est récoltée fraîche mi-septembre, début octobre, dès que le brou se fissure. Elle se conserve tout l'hiver, à l'abri de l'humidité et de la lumière, mais pas au réfrigérateur ! Le froid la racornit et accentue son amertume. La choisir non lavée, pour éviter la moisissure. Elle fournit bon nombre de calories, mais son apport en fer, zinc, calcium et magnésium n'est pas négligeable, et ses acides gras polyinsaturés diminuent le taux de cholestérol.

Le pak-choï est un légume chinois à la saveur douce qui ressemble davantage à la blette qu'au chou. Il peut se consommer cru : il a alors un goût légèrement acide, ou cuit (mais pas trop) ; il est ainsi plus doux et neutre (il est recommandé de le faire sauter rapidement ou de le blanchir). Il est connu pour avoir des propriétés digestives, béchiques et même stomachiques ! Vous pouvez le trouver en conserve.

La patate douce n'est pas apparentée à la pomme de terre, bien qu'elle se prépare et se cuise comme elle. C'est un aliment de base en Asie et en Amérique latine. Elle est souvent cirée, et il est donc recommandé de la peler. Comme elle est sucrée, ses utilisations sont encore plus variées !

Le pâtisson blanc, parfois appelé artichaut de Jérusalem, est une sorte de courge à chair très fine et ferme, appréciée des gourmets... Et vous ?

La pomme de terre... Voici une petite sélection pour vous aider à écraser en connaissance de cause !
La All Blue, à la peau presque noire, tachetée, a la chair incrustée d'un dessin violacé.
La belle de Fontenay a une chair ferme et toutes les qualités, mais un défaut : elle se conserve difficilement. Comptez sur elle surtout de mars à juillet.
La BF 15 est une excellente variété, que vous pouvez faire sauter, cuire à la vapeur, rissoler ou préparer en gratin.
La bintje est idéale pour vos purées des mercredis midi ou pour les frites du samedi, mais aussi pour les soupes de tout l'hiver. Appréciez son velouté de septembre à mai.
La charlotte, présente toute l'année, arrive au printemps, toute petite et savoureuse, avec sa peau fine.
La désirée est une variété à la chair tendre.
La pompadour a une chair ferme et une très bonne tenue à la cuisson. Excellente, elle se distingue dans toutes les préparations suivie de très près par...
... la ratte, une vieille variété qui avait disparu et a refait surface il y a une quinzaine d'années. Elle fait partie des plus

grandes, même si sa taille n'est pas démonstratrice. Elle a une chair et une peau très fines ; vous pouvez consommer celle-ci après un léger brossage.

La roseval, vêtue d'une robe rouge, est disponible tout au long de l'année et s'accommode d'une cuisson à la vapeur.
La vitelotte, tubercule à peau et chair violettes, fait partie des légumes anciens. Cette curiosité végétale a une très bonne tenue à la cuisson. Elle est délicieuse en salade, en purée et convient parfaitement en décoration de plats.
Les yeux de perdrix, vieille variété anglaise, dont la peau jaune, marbrée de rouge, est lisse et la chair, blanche. Sa saveur est à la hauteur de sa cuisson : bonne.

Quand vous achetez vos pommes de terre, choisissez-les fermes et intactes, exemptes de germes et de parties vertes (qu'il ne faut pas consommer ; l'amertume devrait d'ailleurs vous en dissuader). Donc, ne les stockez pas à la lumière ou au soleil : elles se couvriraient de taches vertes...
Si vous les cuisez avec la peau, brossez-les et enlevez les yeux. Les pommes de terre nouvelles n'ont pas besoin d'être pelées.
Au contact de l'air, la chair des pommes de terre noircit. C'est pourquoi, dès qu'elles sont coupées, il faut les cuire, ou les tremper dans de l'eau froide jusqu'au moment de les cuisiner. Un trempage bref peut également prévenir leur effritement, si on renouvelle l'eau pour la cuisson, évidemment !

Le potimarron ressemble à un petit potiron, de couleur un peu plus foncée et avec une chair plus dense, au goût de châtaigne. Contrairement à ce que l'on peut penser, il cuit très vite (15 minutes). Mûr dès la fin de l'été ou en début d'automne, vous pourrez le conserver longtemps !

Le pourpier : ses tiges mères ont une consistance caoutchouteuse et se gorgent d'eau, et les feuilles sont épaisses et charnues. Les jeunes pousses s'apprêtent comme l'épinard ou le cardon, ou tout simplement en salade, mêlant leur acidité et leur piquant à d'autres plants (ficoïde glaciale, cordifole, par exemple).

La rhubarbe est considérée comme un fruit, mais c'est un légume ! Attention, seules ses tiges sont comestibles : les feuilles, paradoxalement, sont toxiques. La récolte du printemps (de mai à juin) se révèle plus acide que celle d'automne.
Préférez des tiges fermes, qui, lorsque vous les casserez, vous prouveront leur fraîcheur par leur suc abondant.
Contrairement aux tiges vertes, plus dures, les tiges rouges n'ont pas besoin d'être épluchées. Amusez-vous à conjuguer la rhubarbe à d'autres fruits (fraises, myrtilles, pommes ou citron...) pour vos marmelades ou vos tartes. Elle se trouve en très bonne compagnie avec la cannelle ou le gingembre !

Le rutabaga (à ne pas confondre avec le navet : ce sont deux légumes différents !) vient de Scandinavie et tolère de basses températures (− 10 ℃). Cru, il s'utilise en bâtonnets à tremper dans un dip ou en salade ; cuit, en purée ou dans les potages. Il a des propriétés digestives, et même laxatives et diurétiques !

La salicorne ou perce-pierre est une plante sauvage à l'aspect d'algue qui pousse dans les marais salants et sur les plages, notamment sur le littoral atlantique. Ses premiers entrenœuds sont récoltés du printemps au milieu de l'été. Elle se déguste crue, en salade. Plus avant dans la saison, pour éliminer son amertume, il est préférable de la blanchir dans de l'eau sans adjonction de sel, puisqu'elle est elle-même assez salée, pendant quelques minutes. Vous pouvez la préparer comme des asperges, en vinaigrette, ou des haricots verts, avec une noisette de beurre. Confite, elle remplace les cornichons.

Le salsifis (le salsifis noir, *scorsonère,* est moins fibreux et plus savoureux) : vous n'en avez jamais vu... allons donc ! Dites plutôt que vous avez la flemme de gratter cette asperge d'hiver (d'octobre à mars) ou de la peler. C'est vrai qu'il est préférable de prendre quelques précautions pour ne pas avoir les doigts marronnasses, collés par le suc blanc lait de cette géante noire de Russie ! N'empêche que, cuite avec un jus de viande, sautée ou encore en beignets, c'est à se relever la nuit ! Outre ses vitamines et ses sels minéraux, elle renforce l'insuline, qui est bien assimilée par les personnes diabétiques... Alors !

Le souchet est une plante vivace qui n'est plus cultivée que dans la région de Valence, en Espagne et en Afrique. Plus précisément, ce sont ses bulbes de racine qui, écrasés et mélangés à de l'eau et du sucre, offrent l'*horchata,* lait à la saveur douce de noisette.

Le topinambour, utilisé pendant longtemps comme aliment de remplacement dans les périodes de restriction, aiguise de plus en plus la curiosité. La chair croquante de cet hélianthe tubéreux, à la saveur très fine et sucrée, n'est plus méprisée, contrairement à celle de son cousin le rutabaga...
Comme cette racine est longue à peler, vous pouvez la brosser sous l'eau, et il est recommandé de la faire bien cuire dans de l'eau bouillante additionnée de jus de citron (ses glucides seront plus assimilables). Et rien ne vous empêche de mélanger cet *artichaut du Canada* à d'autres légumes... avec une huile de noisette, par exemple. Osez l'associer à des produits nobles !

La witloof est le nom flamand de l'endive ! C'est donc une chicorée sauvage à grosse racine qui, traitée par forçage et étiolement, donne la pousse blanche de l'endive !

TABLE À INDUCTION
OU LA PETITE HISTOIRE
DE LA CUISINE

Par induction, entendez : révolution
dans la cuisson, mais aussi transformations
de notre table sous couvert de nos évolutions !
Pliable, à tiroirs, à rabats, à rallonges,
à pied unique ou sur roulettes, notre table
en voit de toutes les couleurs !

TABLE À INDUCTION
OU LA PETITE HISTOIRE
DE LA CUISINE...

SI JE VOUS DIS : 1858...
VOUS ME RÉPONDEZ ? ... LEROUX !

Gagné : torréfiée, la célèbre « chicorée en grains » sortait de la manufacture familiale du Nord. Le pionnier avait le commerce dans le sang : il achetait la fidélisation des consommateurs en leur distribuant, dès 1904, des vignettes cadeaux !

En 2004, rien de plus révolutionnaire n'a envahi nos boîtes aux lettres : ces bons prédécoupés et désormais imprimés à notre nom, deux prénoms, trois adresses (domicile, professionnelle et résidence secondaire !) ne sont que les petits de la méthode Leroux, toujours au goût du jour, même si on ne vante plus ses mérites en chantant – à part ma grand-mère – *Tout va très bien, madame la marquise...!* Aujourd'hui, chacun a compris que le moindre pet peut être commercialisé, mis en orbite sur le net et dérivé sans limite du mauvais goût, mais à l'époque, il fallait vraiment être culotté !

LES VOYAGES FORMENT LA JEUNESSE !

En cette fin de siècle – pas le nôtre, le XIXᵉ –, les voyages portent leurs fruits, et surtout leurs épices : c'est ainsi qu'en 1899 naît la Savora, mélange de onze aromates. Sont passés à la trappe de la déclaration publicitaire : farine de blé, sucre, acide citrique et surtout conservateur E 224, qui, c'est sûr, ne pouvaient pas être consignés à l'époque...! Grâce à ce condiment, nous étions très fiers d'avoir *notre* moutarde, nous les mômes !

LES ANNÉES FOLLES...

Elles commençaient fort, avec la *Vache... qui rit,* née peu de temps après la Grande Guerre et bien avant que nos vaches ne pètent les plombs ! Voilà qu'on découvre une autre façon de manger : parler dans la rue, par dessins promotionnels placardés, de ce qu'il est bon de consommer ! En quelques années, la marque-personnage innove et encorne la réclame : elle s'affiche partout, absorbée par les buvards des écoliers, émaillée sur les plaques des épiciers, plâtrée pour présenter ses curieuses boîtes rondes pour un fromage vraiment à part...
Qui aurait cru que ce produit totalement nouveau en 1921 ne serait même pas écorné un siècle plus tard ? C'est une des marques les plus vendues : 2 500 portions tartinées toutes les 20 secondes ! D'ailleurs, je m'interroge sur ce qui pouvait bien la faire rire, *la Vache...* peut-être le tournis, à force de faire le tour du monde, la rendait-il hilare ?!
Celles qui riaient moins et tordaient leur gros nez, c'étaient les contrefaçons qui rivalisaient à coup de cadeaux promis en contrepartie des papillons sur les boîtes. Philippe, lui, en avait eu gros sur la patate quand il avait reçu sa ceinture, devenue trop petite à force de manger ces crèmes de gruyère...!

LES ANNÉES 1950 : L'ASSIETTE EST PLEINE !

N'oubliez pas de manger quand vous invitez ! Ce n'est pas parce que ça fait 3 heures que vous êtes enfermé(e) dans votre cuisine et que vous avez l'impression d'être sous perfusion depuis tout ce temps qu'il ne faut plus rien avaler ! Que vont penser vos invités ?

S'ils sont comme moi, ils vont croire que vous êtes au-dessus de la bouffe, de tout ça, et ils ne vont rien oser toucher et repartir frustrés !

Alors, allez-y, que diable ! Lâchez-vous ! Les bonnes manières préconisées dans les années 1950 insistaient lourdement : la maîtresse de maison DOIT se resservir, de façon à ôter tout complexe à son entourage et à l'encourager à en faire autant. Alors, une bouchée pour votre vieille copine, une autre pour son détestable mec, une troisième pour votre époux, qui, de son œil de cocker, vous supplie de faire un effort...

À la fin du repas, avant même de débarrasser la table en Formica bleu, on allumait sa TSF pour montrer qu'on était vraiment moderne : on osait rompre les conversations du dimanche midi et *Mon Oncle,* irréductible spécimen impossible à stratifier, se levait de son tabouret pour aller faire un p'tit tour dans le jardinet tondu du matin, gentiment cerné de béton... armé, et regarder LE poisson rouge tourner en rond dans sa bassine artificielle. Tout ce petit monde était cimenté par la gentillesse et la candeur de ce modernisme fraîchement installé. Le règne du factice était amorcé... Les bouquets artificiels commençaient à fleurir nos tables. Après-guerre, ils se débarrassaient des odeurs nauséabondes de fleurs fanées... Ils ne savaient pas qu'ils se privaient de parfums et d'arômes qui, en notre début de millénaire, redeviennent vitaux...

Autant ces années faisaient disparaître quelques mauvais souvenirs, autant elles nous réservaient de bien belles... *surprises!* J'adorais quand mon petit grand-père, résigné à rapporter une flûte de la boulangerie, se délestait d'une pièce de plus pour me payer un cône de papier tourné sur du vide... et quelques babioles, appelé pochette-surprise. Je ne savais pas que ça pouvait s'acheter, la surprise ! Le pic de bonheur est atteint juste avant d'ouvrir, grâce au mystère de l'inconnu, et il retombe avec la connaissance, inévitablement décevante...

VRAI OU FAUX

Les années 1960 n'avaient pas dit leur dernier mot... Tout le monde avait tellement compris qu'il ne fallait pas se compliquer la vie avec une foule de détails domestiques que beaucoup étaient parvenus à cette conclusion déroutante : remplacer le vrai par du faux ! Et certains n'ont pas hésité à pousser la logique bien plus loin : ils ont eu l'idée de faire bâtir, à l'intérieur du pavillon qu'ils avaient fait construire, une réplique imparfaite de leur cuisine... au sous-sol, pour ne pas salir ! C'est pas ingénieux ? La salle à manger repose en paix derrière les volets qui portent bien leur nom face à ce soleil capable de leur voler toutes les couleurs du velours du canapé ! Et comme on n'est jamais trop prudent, on laissait le plastique prendre ses aises – il faut vivre avec son temps, n'est-ce pas ? On avait donc pris soin de recouvrir toutes les volutes du ramage des sièges par du plastique thermorésistant laissant voir la richesse de l'investissement tout en préservant de l'usure du regard. La table en plaqué gros chêne avait gagné une nappe en Plexiglas aussi épaisse que la poussière qui allait pouvoir s'y déposer. Voilà donc la salle à garder... classée.

Mais le respect, à cette époque-là, avait un sens, pour ne pas dire un non-sens : la cuisine prenait de la valeur ajoutée avec un équipement complet, sur mesure, meubles d'angle et corniches inaccessibles compris ! L'idée du siècle était donc de l'admirer en silence, sans tache de gras, et de descendre sur la pointe des savates avachies – bien qu'achetées par trois paires au marché – au sous-sol, pour vivre presque normalement...

Si mes calculs sont bons, certains auront passé toute une vie dans l'ombre de leur propre maison, éternels gardiens d'un bien qu'ils n'ont pu assumer. C'était trop beau pour être abîmé, alors, c'est le temps et le vide qui finiront par tout saccager dans ces zones interdites ! Se savoir propriétaires, mais ne pas voir qu'ils restent les concierges non déclarés d'un pavillon témoin où le confort fait rêver par procuration...

Hors de chez eux... mais à demeure.

Heureusement pour moi, à la *faim* des années 1960, ma grand-mère, qui avait soif d'apprendre, avait son compte à 14 h 35, sur la deuxième chaîne : commençait alors « **Aujourd'hui Madame** » – en noir et blanc chez ma Nonna Ada, qui en voyait déjà assez de toutes les couleurs pour ne pas avoir besoin de celles de l'ORTF ! Ma Fée du logis s'arrêtait de laver, racler, lessiver, essuyer, talquer pour soulager son dos endolori par les ménages à perpétuité à *Radio Disques* et s'allonger sur son canapé de feutrine rouge aux accoudoirs en Skaï noir, larges comme des tablettes de train. Tant pis pour l'indéfrisable qui s'aplatissait sur le gros coussin en canevas maison, elle en serait quitte pour une remise en plis ! Elle qui avait pourtant échappé à la pluie grâce à cette invention imparable qui sauvait toutes les femmes urbaines d'une rincée soudaine : le foulard-capuche en plastique transparent (plus tard, en version léopard), plié en douze dans son miniétui, épousant le casque bombé de la coiffure et retenu par deux hypothétiques bouts de ficelle noués sous le menton de la coquette qui soignait sa mise et faisait du chiqué même sous la tramontane ! Mais qu'à cela ne tienne, la speakerine allait lui enseigner des tas de choses qu'elle ignorait encore et que son mari, ce vieux *cocoy* (fada) naturalisé toulousain, toujours à la chicaner, était loin d'imaginer !

Et pendant ce temps, les *Shadoks pompaient, pompaient toujours... !*

On n'arrête pas le progrès !

ANNÉES 1970

Vous vous souvenez des années 1970 ? Sur le plan culinaire, c'était... 07 sur 20 !

Disons que toute la matière avait été mise au service du concept « Tupperware », ces fameuses boîtes hermétiques à toute idée, avec couvercle garantissant conservation et manque d'inspiration ! Et pas de contamination...

En entrée, ça donnait : un demi-pamplemousse – rose, si vous tombiez chez des gens vigilants, blanc si, comme moi, vous subissiez des personnes étanches au goût ! – surmonté d'une grotesque demi-cerise confite. Entière, on aurait accusé la démesure !

Après, on avait droit aux royales bouchées à la reine, aussi creuses et desséchées que les trois champignons déshydratés, censés les remplir, qui étaient fourgués avec le paquet de béchamel... La béchamel ! Voilà encore une trouvaille bouche-trou fort appréciée des fausses cuisinières mais vraies féministes de l'époque ! Pourquoi ne s'est-il trouvé personne pour dénoncer cette imposture ?!

Et quand je pense à tous ceux qui mélangeaient béchamel et sauce Mornay... comment, vous non plus ne connaissez pas la différence ? Oh ! c'est très simple... approchez votre oreille...

SAUCE BÉCHAMEL
50 g de beurre
50 g de farine
50 cl de lait
Noix muscade
Sel et poivre

C'est un petit tas de beurre fondu dans lequel vous mélangez vigoureusement la farine, et vous laissez cuire tout en tournant pendant 2 minutes.

Vous délayez peu à peu avec le lait, à feu doux, et vous remuez encore une dizaine de minutes, jusqu'à ce que la sauce soit lisse, pas trop épaisse, onctueuse quoi.

Salez, poivrez et muscadez.

et la **SAUCE MORNAY ?**
CHUT !... c'est la même base, à laquelle vous ajoutez... **50 g de fromage râpé (gruyère, comté, beaufort, etc.) et 1 jaune d'œuf !**

Vous y êtes ? Je vous dis : pas de quoi perdre une miette de ces vol-au-vent ! J'adore ce nom : qu'est-ce que vous voulez dérober au vent ?... rien, du flan, tout ça ! D'ailleurs, si vraiment vous êtes pris(e) de court pour un soir ordinaire : **enrobez 4 endives ou 3 poireaux esseulés d'une crème** *béchamélisée,* **parsemez un peu de gruyère dessus, muscadez avant d'enfourner et c'est joué ! Si c'est Byzance : si une tranche de jambon vous passe sous la main, roulez-la en dessous !**

Ou alors, vous étiez invités à piquer des cubes de viande, jetés en vrac par le boucher, avant de les lâcher dans l'huile sans saveur de leur matériel tout neuf... Votre joker : mettre le nez – si vous n'étiez pas trop délicat – dans le cul de pots de sauces, déballés tout à trac par la fondue maîtresse sans façon !

Attendez, le repas n'était pas fini – enfin, pas tout à fait ! Elle vous sortait, le sourire orgueilleux gelé sur les mandibules, une magnifique **orange aussi givrée** qu'elle ! Écoutez, je ne résiste pas au plaisir de vous glacer par cette recette miracle (sans lipides et sans cholestérol, et sans grand intérêt !) :

ORANGES GIVRÉES… sur plateau 100 % plastoc à grandes fleurs tahitiennes (la publicité télévisée commençait à nous faire voyager…)

Pour 4 personnes *anosmiques :*

5 cuillerées à soupe de sucre en poudre (à l'époque, on disait plutôt *édulcorant*)
4 belles oranges à peau épaisse
1 blanc d'œuf

Portez à ébullition 15 centilitres d'eau dans une casserole avec 4 cuillerées à soupe de sucre. Au premier bouillon, ôtez du feu. Laissez refroidir, puis réservez ce sirop au congélateur.
Lavez les oranges, coupez-les aux 3/4 de leur hauteur, puis pressez-les pour en extraire le jus, sans abîmer l'écorce !
Montez le blanc d'œuf en neige ferme.
Filtrez le jus d'orange dans une passoire fine au-dessus du sirop, puis incorporez doucement le blanc en neige. Versez la préparation dans une sorbetière et faites prendre au froid.
Si vous n'avez pas de sorbetière, mettez la préparation au congélateur et remuez toutes les 15 minutes avec une fourchette, jusqu'à ce que le sorbet prenne ! Si vous n'avez pas de congélateur, permettez-moi de vous dire que vous vous faites

suer malgré la température ambiante, que vous ne savez pas ce que vous perdez et que vous pouvez tenter de vous tourner vers le freezer de votre réfrigérateur... si vous avez la vie devant vous, vous verrez peut-être l'iceberg mythique de l'orange givrée se dresser devant vous !

Pendant ce temps – et Dieu sait si vous en avez, du coup ! –, videz complètement les oranges et leur couvercle naturel de la pulpe, sans les esquinter !

Dès que le sorbet a pris, remplissez-en les coques d'orange évidées, posez le couvercle, saupoudrez de sucre (ou d'édulcorant !) et conservez au congélateur.

Retirez-les quelques minutes avant de servir, histoire que la cuillère ne se torde pas dessus à la première approche...

C'était l'époque de la grande découverte du froid et des inévitables paillettes aromatisées à la fraise artificielle qui partageaient le compartiment freezer avec l'inséparable vanille synthétique, tout juste ressuscitée de sa poudre, grâce au miracle du lait concentré non sucré ! Ah ! souvenirs, souvenirs !

Prenez conscience qu'avec ce plateau-là, vous aviez la crème de la nouvelle cuisine...

Je me demande comment j'ai pu survivre à ça ! À cette tambouille édulcorée et vite fait sur le gaz, grande révolution pour la cuisine française... De cuisine ne restaient que boîtes de conserve et sachets en poudre ! Pas le temps, plus le temps d'en perdre, en tout cas, tellement on était pressé de retourner sur la platine le 45 tours de Joe Dassin convergeant d'un air rassurant vers les langueurs de notre Dalida, et de faire la *Claudette* devant notre miroir en pied, collé sur l'armoire en PVC, du jamais-vu !

Côté jardin, plus envie de s'enquiquiner ; de toutes façons, on avait trouvé un autre moyen de faire pousser les fleurs : le Nylon, en pleine explosion, faisait éclore des fleurs aux pétales de collants filés ! Toutes les couleurs étaient permises, mais le « fumé » qui *faisait* les jambes bronzées avait la cote sur les fils tordus par des générations de *baba,* non pas au rhum, mais *cool!* Fallait s'accrocher, et il y avait de quoi : le macramé se tressait en suspensions dans tous les intérieurs... cordés et *branchés !*

Pour la bouffe, rien n'a changé... me direz-vous. Oh ! Détrompez-vous, depuis que notre Monsieur Coffe coiffe tous ces industriels gourmands de bénéfices infâmes, nous nous tenons un peu mieux à table... Encore que notre grand monsieur nous barbouille un peu au passage... de spots publicitaires au profit de ces doubles W, ces *sweeties* américains dévoués corps et âme aux obèses anonymes, préférant s'engraisser en dégraissant les autres ! Forcément, on compatit, on se dit : « Quelle pitié pour notre bonhomme de devoir manger dans la main de ces gros Weight W... pour éponger ses affaires qui avaient mal tourné, telle une pauvre sauce dans feu son restaurant ! » Si c'est pas malheureux quand même !

Et le ***VIANDOX****,* c'était pas un grand moment ?

Le Viandox donne force et santé, revendiquait le vieux slogan publicitaire (je l'ai retrouvé sur le déballage d'une brocante). Il est arrivé dans la vie de mon père quand il a embrassé sa vocation : la carrière d'un cheminot était jalonnée de soupes de Viandox, distribué par la maison mère à la Société des chemins de fer français ! C'est ainsi que dans la vie du rail, la nuit d'un cheminot prenait fin avec un bol brûlant pour le réchauffer, en l'absence du lit conjugal, avant de s'endormir dans son jus, *ensuqué* dans son sac à viande au milieu d'une piaule de dépôt de gare étrangère au luxe des hôtels...

À la maison, lorsque mon père attrapait la bouteille fuligineuse, faisait sauter le chapeau blanc aussi haut que prometteur, le fumet indescriptible s'échappait de la bague rouge chargée de compter les précieuses gouttes. La potion se déversait, véritable marée noire qui se répandait en nappe souterraine dans la soupe poireaux-carottes. Sans doute la couleur, sûrement l'odeur : j'étais impressionnée et je regardais mon père ragaillardi, semblait-il, par cette mixture mystérieuse. J'ai toujours cru que des viandes avaient longtemps macéré dans une décoction gardée par le verre opaque, ne laissant filtrer que ce parfum particulier. Un élixir dont il n'était pas possible de nommer les composants, appelé pudiquement « Viandox »... Je sais à présent qu'aucune chair putréfiée ne décompose les ingrédients de cet assaisonnement qui, pour moi, a sa place sur l'étagère, à côté de la madeleine de Proust, même si son goût *inimitable,* comme le dit l'étiquette, n'est pas du mien : il appartient à mon enfance... Alors, respect !

Puisqu'on en est aux condoléances, je tiens à porter un toast... aux berlingots de lait concentré trop sucré mais tellement flatteur au palais ! Dans la cour de récréation, pendant que je tétais ce lait consolateur jusqu'à la dernière goutte de papier qui se désagrégeait dans ma bouche à force de le sucer commençait à peine le procès Nestlé...

ET UN ! DEUX ! TROIS ! ET QUATRE ! ET... ON REPREND !

Le mouvement, pas une seconde part de tarte à midi ! En cette matinée dominicale – autrefois rythmée par la messe de 11 heures sur l'unique chaîne hertzienne –, Véronique et Davina ne nous laissaient pas le temps de souffler ! Même pas le temps de zapper, de toutes façons, on ne connaissait pas encore ce mot ! Une culpabilisante impression d'être regardé(e)s par ces deux entraîneuses du marathon sur place excluait l'hypothèse de rester vautré(e)s sur le canapé !

Je crois que je n'ai jamais fait autant de chemin que dans mon salon, sous le regard intransigeant, voire un peu dur, de ces coaches ! Nous étions tous – les hommes compris, qui commençaient à enfiler des caleçons moulant leur entrejambe gainé de latex fluo – obnubilés par nos kilos et notre silhouette ! Depuis, une masse de magazines se chargent de calculer notre poids idéal, parce qu'ils savent mieux que personne ce qui est bon pour nous !

La ligne éditoriale des années 1980 était posée sur la balance de ces deux dictatrices – pas si sylphides que ça, si ma mémoire est bonne –, aussi castratrices pour notre portefeuille que pour nos petites envies...

Mais qu'à cela ne tienne, nous nous étions promis de garder la ligne... de conduite, de ne pas céder à la tentation et de rester debout quoi qu'il arrive ! Quitte à nous tuer à l'échauffement sans *faim* de ce parcours contre les grammes !

Le spectre de la calorie était – est – partout obsessionnel : la consommation d'antidépresseurs va bientôt prendre le relais de cette course contre les bonnes volontés perdues d'avance !

Mais respirez, bon sang : elles ne sont plus à l'écran ! Par conséquent, elles ne vous *voient* plus, nous non plus, d'ailleurs ; paraît-il qu'elles continuent à courir dans la grande salle privée de leur vie publique...

FASHION VICTIMES

Avez-vous remarqué que la mode s'empare de l'alimentation ? Que dis-je ? se goinfre de certains aliments, puis, gavée quelques mois plus tard, les dégueule pour jeter son dévolu sur d'autres...

Souvenez-vous : il y a quelques années, on a mangé du saumon frais et grillé à tous les petits repas sympa entre potes, avec les indécollables pâtes fraîches proposées sur le rayon d'à côté. Y avait qu'à tendre la main, et côté préparation, pas grand-chose à faire non plus ! Mais on se disait qu'on était dans le bon goût parfait : plaisir, luxe, et tellement simple en même temps...

Ça, c'était le début des années 1990.

Après, une arête s'est malheureusement coincée à jamais, quand certains gosiers politiques ont craché le morceau : les si beaux poissons n'étaient que des monstres appâtés aux farines animales – comme nos belles vaches, devenues si fofolles... – et shootés aux antidépresseurs et anti-tenseurs, farcis jusqu'aux ouïes, filtres vivants et contaminants de déchets médicamenteux ! À vous de jouer la station d'épuration, si vous êtes résistants !

Alors, finies les chairs saumonées, avec leur ribambelle de baies roses qu'on mettait aussi à toutes les sauces !
Très vite, on a été à la fête avec cet autre grand mystère : l'agneau de lait, « élevé sous la mère » ! Les consommateurs ont difficilement, et même douloureusement, compris ce que cela évoquait... Mais on continue à anémier les veaux pour sacrifier aux mères de famille une viande aussi blanche que notre voix lorsqu'on nous dévoile les déformations abusives de nos caprices et de notre bon vouloir...

Maintenant, on nous fait suer avec le WOK et tout ce qu'on peut en faire, vous avez remarqué ?

LE TOP 50 DES ALIMENTS !

D'une épluchure à l'autre, je dirai que la pomme de terre, depuis pas mal d'années, subit les aléas de ladite mode, mixée à l'évolution des mœurs. Après avoir été la manne bienfaitrice depuis sa découverte, aimée pour ses variations à toutes les cuissons, adorée absolument par tous, elle fut accusée d'aliment bourratif, réduite au surnom de « patate » et synonyme d'obésité.

En une pelure, ce tubercule au cul terreux ne pouvait plus s'élever au rang noble d'une table gastronomique, et encore moins diététique.

Et voilà qu'après une vague de jeûne, quelques esprits « bien-mangeants » lui confèrent un attrait inégalé : elle devient la perle qui se mérite, quand on se donne la peine de chercher ce trésor enfoui et, surtout, de bien la nommer (belle de Fontenay, pompadour...).

Moi, ce que j'aime, c'est que plus on en ramasse, plus on en trouve : les pommes s'amusent à cache-cache dans la terre, elles se planquent. Quand on fouille le sol avec l'excitation d'une truie truffière, on les égrène, sans le savoir, on en oublie toujours, et la saison d'après, elles nous font un clin de feuille avec une toute nouvelle pousse !

La pomme de terre refait ses entrées dans la gastronomie, et garde une bonne place dans nos menus triés sur le volet.

Oh ! bien sûr, il existe toujours, malheureusement, l'infâme purée floconneuse des cantines qui plâtre les entrailles de ceux qui ont faim sans avoir le luxe de choisir... et les éternelles frites beignées d'huile frelatée...

Et si je vous dis qu'il se trouve quelque marque pour créer une nouvelle dépendance et proposer aux ménagères une poudre antigermes pour une bonne conservation... nos anciens se retournent !

Fin 1990...
VOUS AVEZ UNE CUISINE AMÉRICAINE !

Ouh !... je vous plains ! Non, mais... c'est bien, la convivialité à tout crin ! Ne pas perdre une miette de cette conversation inconsistante qui pourrait finir à la poubelle, supporter ce volume sonore qui vous entame l'oreille interne...
Mais ça signifie aussi : aucun moment de relâche pour goûter votre plat douze fois, si ça vous fait plaisir, pour essuyer le bord des assiettes avec le doigt, ou pour reprendre un petit verre derrière la cravate ! Impossible : ils sont tous là, à vous espionner, à vous farcir la tête avec toutes leurs histoires de bureaux, de déménagement, du départ de Sophie : *Ah ! non, t'as pas connu Sophie, toi... Bon, toujours est-il que...*, et bla-bla-bla et bla-bla-bla !

Pouvoir leur échapper, les planter avec leurs verres à la main parce qu'ils sont encore empotés quand ils ne se connaissent pas tous...
En parlant de verres, pistez-les quand même, parce que, quand ils vont se lâcher, ils vont vous les poser partout, et bonjour les ronds de verres qui auréolent tables et étagères en bois, tartinées ou non de cire ! Et ce n'est pas leurs ronds de jambe qui les effaceront, mais plutôt votre huile de coude... !
Euh !... je dis ça, mais j'en rêve, d'une cuisine dite américaine... une grande, oui... vous aviez compris ! Un laboratoire ouvert sur mon petit monde, avec la chaleur des miens occupés à leur activité attitrée, ah ! oui, pôle stratégique de la mère nourricière...

HARA-KIRI

Je l'avoue : il m'arrive d'être agacée par l'obsession maniaque des Japonais, qui foulent nos vies occidentales à coups de photo*matons* !

Or, hier, j'ai assisté à une scène inconcevable pour nous, Français, à la terrasse du café où je grimaçais en avalant mon p'tit noir, plus serré que jamais, bien que j'aie précisé *allongé*. Mais on dirait qu'un supplément d'eau chaude menace de couler leur débit de boissons, à moins que je ne les déprime à l'idée d'un café plus qu'américanisé... J'étais donc devant mon café, quand la jeune Japonaise à la table d'à côté a dégainé son *téléphon Nikon* pour immortaliser par écran numérique interposé son île flottant sur sa mer anglaise...

Et là, j'ai nourri pour elle une amicale sympathie... En fait, j'étais jalouse : elle était plus forte que moi, c'était une jusqu'au-boutiste de la pâtisserie, assumant pleinement son admiration pour cette perfection éphémère. Et aucun principe éducatif, aucune retenue pudibonde ne l'empêchait de jouir pleinement de la vue *sublime* de ce dessert servi sur un plateau ! Elle s'octroyait le double plaisir de regarder, d'emporter son cliché, puis, lentement détaillé, de manger son entremets...

Pourquoi n'ai-je pas appris à savourer ce que je considère comme l'objet de ma perte ?! Différence de cultures, sans doute, philosophies radicalement opposées...

Pourtant...

Si elle savait, cette crédule visiteuse, qu'en plongeant sa cuillère jamais essuyée après son voyage grand cycle économique du lave-vaisselle, elle va pourfendre un magma de blancs d'œufs battus dans une usine, cuits dans une cuve sans fond puis stockés dans des bacs aussi livides et impersonnels qu'eux, avant d'être prédécoupés en rectangles réguliers par des fabricants scrupuleux d'avancer le travail du bistrotier qui n'a plus, une fois la brique de crème anglaise industrielle ouverte et versée dans la soucoupe, qu'à expédier ledit bloc de blancs sur l'assiette rayée et ternie par les lavages alternatifs, et à projeter une giclée de caramel en bouteille avec la coulée qui bave et reste collée à la main javellisée ! Si elle savait, la pauvre...

Et nous ?! Si nous savions ce que, en retour, ils nous servent, ces infatigables Asiatiques ! Tous ces nems raidis par les séjours successifs dans les congélateurs plus ou moins aux normes de leur mini-studio-cuisine, puis dans ceux du garage du revendeur, avant de ramollir dans le micro-ondes du 10 m² pignon sur rue piétonne !
Une seule différence entre les deux : notre exilé, travailleur de jour comme de nuit, garde le sourire, quand notre garçon de café grince des dents depuis longtemps !
Ils travaillent à 200 % et profitent de leur vie à... 50 % ?
Souvent, je les observe. Dernièrement, à 8 h 48, dans un train, par un matin frileux, certes, mais loin des frimas sibériens, j'ai surpris un groupe de Japonais en pleine dégustation de vin rouge ! *Ils apprécient,* me rabâcherez-vous. Soit !
Pourtant, je m'étonne que ces gens d'ordinaire si à cheval sur les traditions – l'art du thé, le saké, le *mei kei lu* distillant la rose – voyagent en appréciant un tel breuvage dans un gobelet... en plastique ! Je ne suis pas bégueule, mais bon... !

Tant que nous sommes sous le temple céleste, je me revois petite, désemparée devant un bouillon à la surface duquel flottaient des yeux : des **perles du Japon** qui coagulaient le potage mélasse purement occidental qu'on nous servait dans la plus grande fierté des fêtes en mal de boules...

BANALITÉS EN 2004

LÈCHE-VITRINE !
Des années déjà qu'en allant faire mes courses, je remarquai une dame d'un certain âge, à la sortie du grand magasin. Mais qu'est-ce qu'elle attend, cette mamie sans paquets qui justifieraient l'espoir d'une aide ? Qui peut la laisser poireauter dans le froid, la goutte au nez menaçant de diluer le rouge de ses lèvres peinturlurées ? Je ne comprenais pas : elle ne guette même plus, ses yeux sous ses arcades sans sourcils ne cillent pas. Un jour, passe et repasse devant elle un type entre deux âges qu'on oublie aussitôt, mais, ce qu'elle attend... c'est le client ! Je n'y crois pas, elle a l'âge et le *look* de ma grand-tante creusoise et fait le pied de grue dans ses bottillons fourrés, bonnet de laine tricoté main, devant le Monoprix, à deux portes cochères, il est vrai, de la rue Saint-Denis ! Elle est là, en plein Pari(s). Faut-il avoir une bien maigre retraite ou un profond dégoût de la solitude ! Les grands magasins fournissent donc bien plus qu'on n'imagine...

QU'UN CAFÉ ?!... ALORS, DEHORS !
Tiens, à propos de café... Si vous n'avez pas le même rythme que tout le monde, si vous n'avez pas faim précisément entre midi et 14 heures, ou si, tout simplement, vous vous êtes contenté(e) d'un sandwich, d'un bon morceau de pain acheté à la vraie boulangerie du coin, alors, vous n'avez pas votre place pour boire un p'tit noir dans l'une des brasseries parisiennes, et encore moins à leur terrasse !

Je ne mâche pas mes mots : si vous n'êtes pas prêt(e) – pour les raisons qui vous regardent – à débourser une poignée d'euros, vous ne pouvez pas vous attabler à l'un des guéridons pégueux ou bancals de ces cafés qui n'assument plus leur nom à l'heure du déjeuner : pour eux, les pièces montées de billets sont plus appétissantes que la minuscule galette de l'écot de base. L'accueil n'est pas un dû, contrairement à ce qu'on cherche à nous faire croire, il est juste proportionnel à votre délestage !

– *... Eh ! le pourboire ?!* qu'il dit.
– *Le pour... boire..., vous pouvez vous le manger !*
– *Circulez, y'a rien à boire !*

À LA CASSE !

Il vaut mieux tard que jamais ! Ils ont attendu que toutes les assiettes blanches et épaisses des cantines soient en vrac au fond d'un sac poubelle... pour cette heureuse initiative ? Depuis le début de l'année, à Limoges, les enfants sont invités à prendre leur repas de midi dans des assiettes en porcelaine travaillées et décorées par les artisans et artistes du kaolin. Bientôt, ils vont apprendre et suivre la création de ces objets dans LA capitale de cette vaisselle mondialement reconnue, à travers des activités éducatives autour des usines : un honorable moyen de donner le goût du beau et du bon, non ?!

LES TROIS PETITS COCHONS...

Au début de l'histoire, ils n'étaient que trois...
Au fur et à mesure de NOTRE histoire, on les a fait grossir, engrosser et même engraisser. Aujourd'hui, dans un **seul** abattoir, 7 000 porcs **par jour** sont tués, soient 1 500 000 par an ! Vous imaginez ? Non !
Dans les années 1950, la civilisation occidentale se vantait de pouvoir offrir de la viande à tout le monde tous les jours... Elle est arrivée à ses *faims*. Oui, mais à quel prix ?

Le terrifiant documentaire de Manuela Frésil (*Si loin des bêtes*) nous montre qu'aujourd'hui, nous avons fait dérailler la machinerie des années 1950 : l'élevage de porcs, par exemple, continue de prendre des proportions hallucinantes. La production a doublé en dix ans, tandis que le prix de cette viande a baissé de 30 %...

La réalisatrice nous rappelle que *l'homme tuait... pour manger. Soit, mais aujourd'hui, que se passe-t-il ? Ne serions-nous pas en train de nous détacher de notre conscience pour être à ce point capables d'oublier que lorsque nous mangeons de la viande, nous consommons du vivant...?*

Nous reprochons souvent aux enfants de ne pas savoir à quoi ressemble vraiment un poisson, parce qu'on leur sert trop souvent de ces tranches panées qui n'évoquent rien pour eux.

Ne serait-ce pas la même chose pour nous, à mettre à toutes les sauces des lardons, des rondelles de saucisson pour caler une fringale, ou à présenter ces tranches de pâté compactées sous vide de sens, dans du Cellophane transparent en tout... ! Peut-être faut-il davantage réveiller nos consciences pour apprendre à mieux apprécier ce que nous sommes capables de faire et de manger...

« *À SAINT-GERMAIN-DES-PRÉS...* »

La chanson n'avait pas balayé tout ce qui se passe dans la rue... C'était une autre époque... Aujourd'hui, la mendiante des pays de l'Est regarde passer la touriste qui termine ses truffes en chocolat, la tête renversée en arrière, le sachet en plastique directement verseur dans le bec.

Si l'on regarde en arrière, l'histoire nous fait étalage de victuailles saisies à pleines mains pour être englouties par des chicots, tandis que d'autres comptaient, leurs ratiches tombées, de ne rien voir justement, jamais, leur tomber sous la dent !

Eh bien, rien n'a changé ! Nos rues regorgent de pauvres gens perdant chaque jour un peu plus de leur dignité et de leur poids dans cette guerre contre la fin : la seule chose dont ils peuvent se régaler, ce sont les vitrines de ces boutiques qui dégueulent leurs richesses parfois essentielles, souvent superflues.

Le gouffre s'élargit entre ces deux couches de la société, comme une grande bouche souriant à la vie pour ceux qui croquent dedans à belles dents et ceux qui se font bouffer par elle !
À Noël 2003, le Conseil régional de Poitou-Charentes, longtemps dirigé, il est vrai, par un conseiller en marketing, a versé à la luxueuse épicerie Fauchon, place de la Madeleine, 200 000 € pour étaler dans ses vitrines les produits pictocharentais. Cette année-là, cette même région a versé 7 000 € aux Restos du cœur...
Il y a de quoi avoir les crocs, je vous le dis !

Si, pour la plupart d'entre nous, la vie se profile de plus en plus en dents de scie, il ne faut pas se laisser abattre !
Finalement, on se demande pourquoi on se casse la tête pour varier nos menus, alors que notre enfance était balisée par le gigot-pommes de terre au four asséné chaque dimanche, chez Mémé ! Avec l'incontournable tarte aux pommes, quelle que soit la saison... Au moins, la saveur était au rendez-vous.
Personne n'était contraint de se ravitailler dans ces commerces au rabais qui polluent nos villes, ne vendant que des produits au goût de carton exposés à même le sol où les plus démunis dans leurs choix se baissent encore pour les ramasser et les porter, sans qu'un sac en plastique ne vole à leur secours pour cacher cette misère en boîte...

Le manque d'argent inflige des produits dégueulasses...
Mais l'indifférence, le non-intérêt alimentent une politique repoussant ceux qui crient famine dans le vide... de qualité.
Le plaisir est parfois devant une fleur de pain et dans la croûte d'un levain qui redevient enfin croustillant, l'aliment faire-valoir longtemps snobé est peu à peu réhabilité. Le bonheur de manger d'authentiques mets se goûte précisément quand on ne l'attend pas, fève que l'on mord et que l'on redécouvre à la première galette...

Par induction, je dirai que nous ne sommes pas au bout de nos déboires et de nos contradictions... *L'induction, la chaleur froide,* **comme on l'a appelée quand on s'est brûlé à sa promotion... !**
Table rase, peut-être...

TABLE RONDE

Je referme mon bocal de noyaux à la liqueur de mémoire, après vous avoir servi mes lasagnes de souvenirs, et farci la tête de petits soucis nouveaux.

J'espère, au moins, que vous aurez pu mettre en capilotade vos propres querelles intestines !

Entre nous, l'important dans tout ça, c'est que vous ayez de bons amis, toujours prêts à partager leurs petits plats, leurs dadas, leurs adresses sympa...

J'adore quand le téléphone sonne le dimanche matin et qu'une heure après, rafraîchie par mon gel douche à la laitue, la porte s'ouvre sur un énorme bouquet de basilic, persil et menthe, soutenu par deux baguettes encore chaudes !

Et ma petite table à cabochons bleus est aussitôt nappée de primeurs de saison.

Et là, j'apprécie de suivre, couteau à couteau, les recoupements de cet ami si *chair* !

En lui ouvrant ma cuisine, il m'ouvre sa table, me fait découvrir ses recettes corsées : il a du goût pour les savoureuses manies de sa mamie jamais à court d'idées de **survie** sur son île : ragoût de cochon d'Inde désossé, soupe de racines, cuissot de renard, asperges sauvages, civet de chauve-souris...

Tout est une histoire de confiance, de curiosité, de plaisir ! Parce qu'en cuisine comme dans la vie, les mélanges parfois les plus inattendus se révèlent les plus spectaculaires et étonnamment... les plus harmonieux !
Ne confondez pas vos envies et les fantaisies au goût du jour, dictées par la *mode de chez nous* ! Tordez le coup à la *tendance* et rattrapez-vous aux branches de **votre** appétence !
Je referme ces agapes en cogitant déjà aux prochaines, nous sommes ainsi faits dans la famille : à Pâques, nous nous demandons ce que nous allons nous mettre sous la dent à Noël ! Faites comme nous...

Tenez TABLE OUVERTE !

INDEX DES RECETTES

INDEX DES RECETTES
PAR INGRÉDIENT PRINCIPAL

REMERCIEMENTS

- VOUS REPRENDREZ QUELQUE CHOSE ?
- OH OUI ! MERCI À VOUS…

… Ma louloute et Fred qui m'ont supportée tout au long
de ce mijotage, mon Cuisinier de la Tête que j'ai gavé
de plats réchauffés et qui m'a appris à décuire mes ratages,
Aurélie la Chouquette qui a fait honneur à mon appétit,
ceux qui, sans le savoir, m'ont donné du biscuit,
Mum's qui m'a mis l'eau à la bouche et en remet une louche
en me léguant ses recettes, ceux que j'ai égratignés
sous mon coup de fourchette, Caro qui a ramassé les pots cassés,
tous ceux que j'ai croqués sans vouloir les escroquer,
Philippe, ceinture crème de gruyère, qui a jeté un œil
sur mes casseroles pendant la cuisson, les pinocheurs
devant qui je ne ravale plus mon orgueil et ne crains plus
ni les rifles ni les plombs !
Merci, grâce à vous tous, je suis rassasiée !

Ma fille, si les petits cochons ne te mangent pas…

✚ Conception grahique : Alexandre Nicolas
Pictogrammes : Alexandre Nicolas
Couverture : Alexandre Nicolas et Marina Delranc
→ Coordination éditoriale : Isabelle Raimond assistée de
Sophie Bouet et Bertrand Lemonnier
● Mise en page : Pierre Gourdé

© Tana éditions 2004
Dépôt légal : mai 2004
ISBN : 2-84567-187-3
Imprimé en Espagne